＊本文を読みすすめながら、該当する地域を白地図で確認すると、地政学的な理解がいっそう深まります。ぜひお試しください。

はじめに

私たちが暮らしているこの世界は、どのように動いているのだろう。世界各地で紛争が起こるのはその地域の対立だけが原因なのか。ある国で新しい指導者が突如として台頭したり、失脚したりするのは、その国の中だけの事情によるのだろうか。みないつも同じように仕事をしているのに、なぜ急に通貨が乱高下したり、不況が襲ったりするのか。

そもそも世界はなぜ今のような形になったのだろう。それが国際政治の帰結だとは想像がつくとしても、その帰結を導いた要因は何だろう。世界の国々の国境線には戦争の結果として引かれたものが多いが、なぜ戦争はなくならないのか。

2022年2月末、ロシアがウクライナに侵攻した。ロシアを非難する報道は溢れているが、なぜ彼らが侵攻したのかについて深く掘り下げている報道はあまり見かけない（ロシアは何度も発表しているのだが）。

ウクライナは2014年のクーデター以来、極右の独裁が続く破綻国家となり、アメリカの財政援助がなければ1日ももたない国だ。ロシアはなぜそのような国に侵攻し、アメリカはなぜ支援しているのか。なぜアメリカとロシアは対立してばかりいるのだろうか。

世界には常に大きな流れがある。今の世界の構造や流れは、第二次世界大戦終了後に始まった**「冷戦」**が起源になっている。冷戦は、アメリカやイギリスを中心とする資本主義国と、ソビエト連邦（ソ連）を中心とする共産主義国の闘いだった。周知のとおり、当時のソ連の中核を成していたのが現在のロシア共和国である。この闘いが「冷戦」と呼ばれたのは、アメリカとソ連が直接武力衝突を避ける〝冷たい戦争〟だということが理由だった。資本主義国は「西側」、共産主義国は「東側」と呼ばれ、この闘いは「東西冷戦」とも呼ばれた。

本書は、今日の世界を作る基(もと)になったこの「冷戦」のリアルな歴史について書かれたものだ。戦後およそ半世紀近くの間、世界はこの冷戦の枠組みのなかで動いてきた。過去は現在を映す鏡だ。過去に起きたことをよく知れば、今の世界がはっきりと見えてくる。今起きていることは過去から続いているからだ。**なぜ世の中が今のようになったのかを理解するには、〝今とつながる〟世界の戦後史をしっかり理解する必要がある。**

本書の第1部は、戦後まもなく冷戦が始まり米ソの対立が激しくなっていった時代、第2部はベトナム戦争でアメリカ社会が荒廃し、世界が大きく変わり始めた時代、そして、第3部は西側が経済発展し、ソ連が衰退して分解・消滅するまでの時代について述べている。そして最後に、冷戦後に世界はどうなったのか、その後もなお今日にいたるまで、世界を二つに分ける対立の本質は何なのか、などについて簡単にまとめている。1991年のソ連崩壊以降の現代史については、不確実な要素が多いので、手短に触れるにとどめた。

冷戦時代、アメリカでもヨーロッパでも、ソ連と融和しようとする努力が何度か試みられたが、そのたびに争いを求める勢力につぶされてきた。そして、冷戦は30年ほど前に一度終了したが、最近になって姿を変えて復活した。数年前から**〝米中新冷戦〟**とか**〝米露新冷戦〟**などと言われるようになったものがそれである。

今日の東西両陣営は、代理戦争、経済戦争、通貨戦争、サイバー戦争、プロパガンダ戦争、心理戦争、情報戦争、政権転覆など、米露による直接武力衝突以外のあらゆる方法を用いて闘いを繰り広げている。今のロシアは共産主義ではないにもかかわらず、アメリカやイギリスを中心とする西側と、ロシアや中国を中心とする東側の対立という基本形は冷戦時代とまったく同じだ。もし共産主義と資本主義による対立が冷戦の理由だったのなら、共産主義を放棄して30年にもなるロシアとアメリカはなぜ再び対立しているのか。

その答えを**地政学**的な知見を用いて述べれば、次のようになるだろう。

「冷戦とは、ユーラシアの外側から内部に向けて攻めていこうとする勢力と、それを阻止しようとするユーラシア内部の勢力の闘いだった。この闘いは、攻めていこうとする側が諦めるか、あるいはユーラシア内部の勢力が完全に敗北しない限り、永遠に終わらない」

本書の序章を読んでいただければ、この説明に懐疑的な方もきっと納得されることだろう。この構図は2022年2月にロシアが軍事作戦を開始したことで突如としてはっきり見えてきた。いま人類は、ユーラシアをめぐる最終的な闘いの時代に入っている。

明治維新以来、日本は150年以上にわたって西洋文化に親しんできた。とくに第二次世界大戦後は民主主義が定着し、生活様式も社会構造も欧米型に近くなった。だが日本人が持つ「家」の意識や縦社会的な傾向などはユーラシアのイスラム諸国に見られる氏族社会によく似ており、昔の武士道の精神はロシアの伝統的な軍人精神と共通点がある。また日本人はインドに生まれた仏教の教えや古代中国の儒教の考えに大きく影響されてきたし、神道はシベリアに古くから伝わるシャーマニズムによく似ている。このように、現代の日本は世界でもまれなハイブリッド文化の国だ。日本はユーラシア大陸の外縁部から少しだけ離れた位置にあるので、内部と外部の要素を両方持っているのである。

そして日本は、世界でもとくに人間と自然が調和している美しい国だ。そのような国である日本には、ユーラシア内部と外部の両方の要素を持つ国として、第三の道を行く資格も潜在力も十分あるに違いない。だが両方向外交はメリットも大きいが強い暴風雨にさらされるリスクも高く、しっかりした意志と体力がなければ歩むのが困難な道でもある。本書を読みながらそういったことにも思いをはせていただけたなら、この本を書いた者としてそれ以上の喜びはない。

（冷戦時代に起きた出来事は世界中に無数にあり、そのすべてをこの一冊で網羅するのは不可能であるため、本書ではとくに冷戦時代を象徴するような出来事のみに的を絞った。アフリカ、南米、ベトナム以外の東南アジア、インドなどで起きた多くの出来事は割愛せざるを得なかったことをご了承願いたい。）

地政学と冷戦で読み解く　戦後世界史

目次

第5章　米ソ核戦争が語られた時代

第2部 冷戦中期 変わり始めた時代

第7章 ベトナム戦争の真実

第3部　冷戦後期　緊張の緩和と復活

第10章 レーガンの〝強いアメリカ〟とソ連の衰退

序章　米ソ冷戦に至る道

1945年に第二次世界大戦が終わり、ようやく平和が訪れたと人々が思ったのもつかの間だった。世界は米英を中心とする資本主義の西側陣営と、ソビエト連邦（ソ連）を中心とする共産主義の東側陣営に分かれて再び対立が始まったのだ。

だが、ソ連は第二次世界大戦でアメリカやイギリスと一緒にヒトラーのナチスドイツと闘った連合国の一員だった。なぜ、米英とソ連は戦争が終わったとたんに敵対するようになったのだろうか。

その直接の理由は資本主義と共産主義の対立だったとしても、共産国ソ連が誕生したのは第二次世界大戦の終了より四半世紀も前のことだ。戦後になって急に米英とソ連が敵対し始めたのには、もう一つの大きな理由があった。それは、共産主義が生まれるよりずっと前の時代から続いていた、**大英帝国とロシア帝国の根深い対立**だ。

戦後の米ソ対立がどのようにして始まったのかを知るには、第二次世界大戦がどのように終わったのかを知る必要がある。だが、なぜ米ソが対立するようになったのかを理解するには、19世紀から続く大英帝国とロシア帝国の争いについて知っておかねばならない。そこでこの序章では、まず第二次世界大戦の末期から終戦までのいきさつを示し、次に時代をさかのぼって大英帝国とロシア帝国の争いの歴史をたどってみることにしよう。今日も脈々と続く、世界を二分する対立のルーツは、産業革命後に次第に激しくなっていったイギリスとロシアの争いにあった。

テヘラン会談とヤルタ会談

第二次世界大戦が終盤をむかえた1943年11月、ソ連の**スターリン**、イギリスの**チャーチル**、アメリカの**ルーズベルト**の3人が、イランのテヘランに集まって対ドイツ戦略を協議し、その後も緊密に連携する取り決めを行った。これがいわゆる**テヘラン会談**と呼ばれるものだ。彼らがそのように重要な会談をイランのテヘランで行ったのには理由があった。

第二次世界大戦でソ連軍はドイツ軍と壮絶な闘いを繰り広げたが、その陰でソ連はアメリカとイギリスから膨大な量の軍事物資の供給を受けていた。たとえば、アメリカはおよそ7000輛の戦車と5000輛の装甲車、1万1000機以上の軍用機を供給している。またソ連は兵員や兵站物資を運ぶトラックと鉄道貨物を運ぶ機関車や貨車がとくに不足していたため、アメリカは2000輛近くの機関車（大部分が蒸気機関車で一部がディーゼル機関車）と1万輛以上の貨車、37万台以上の軍用トラックと5万台以上のジープも供給した。軍用トラックはおもに2トン半の小型トラックだった。(注1)

それらの軍事物資の多くはペルシャ湾からイランに陸揚げされ、イランを南北に縦断して現在のアゼルバイジャンを通ってソ連に送られていた（次ページ図1参照）。ソ連はユーラシア大陸の奥地にあるため、東ヨーロッパが戦場になって通れない時に物資を輸送できる陸路はこの**イランルート**しかなく、あとは北海ルートや太平洋ルートと呼ばれた海のルートがあるだけだった。

イランルートが使えたのは、当時イランの南部をイギリスが、北部をソ連が占領していた

図１：イランルート

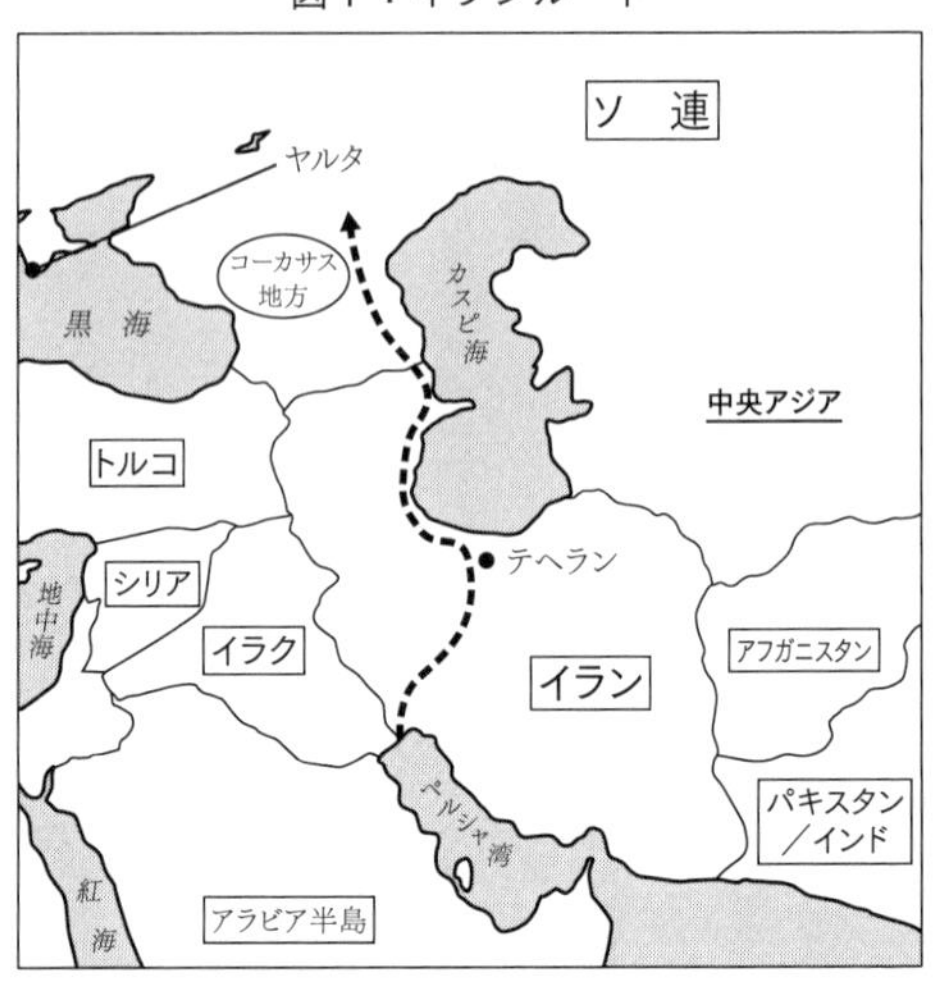

からだ。アメリカ、イギリス、ソ連を代表する3人がテヘランに集まったのは、そこが米英軍とソ連軍の接点になっていたからだった。

それから1年3ヵ月が過ぎ、ドイツの敗北が決定的となった1945年2月、3人は黒海沿岸のソ連領クリミア半島南端のヤルタで再び会談し、ドイツの分割を含むヨーロッパの戦後処理その他について話し合った。これが有名な**ヤルタ会談**だ。この会談でソ連のスターリンとイギリスのチャーチルが戦後の東欧諸国の国境の線引きを行い、アメリカのルーズベルトがスターリンに、「ドイツが降伏したら、ソ連は3ヵ月後に日本に宣戦布告をして参戦してほしい」と要請した。

つまり、ソ連の対日参戦はソ連自身の発案ではなかったのだ。もっともスターリンにとって、それ以上好都合な要請はなかったに違いない。なぜなら、その要請に応じるのと引き替えに、米英に対してさまざまな要求をすることができたからだ。

スターリンは、その要請に応じるには条件があると答えた。その第一は、モンゴルが中国から独立した国であることを米英が認めることだった。当時モンゴルにはソ連の傀儡（かいらい）政権が作られており、〝中国〟とは米英が支援する**蔣介石**の**中華民国**を指した。スターリンは、中国がモンゴルに介入しないと米英に保証させる必要があったのだ。

要求の2つ目は、日本が降伏したら、米英は日本が建設した満州鉄道をソ連に渡すことだった。さらに、中国の大連港を国際港とすること、旅順港をソ連海軍が租借していた昔の状態に戻すこと、サハリンの南半分（南樺太）とクリル諸島（千島列島）をソ連に返還すること、と要求は続いた。旅順、大連、満州、モンゴルなどには中国の主権や利害が大きく関わっていたが、この取引は中国を蚊帳の外に置いて行われた。

この会談の結果、スターリンの主張のほとんどが認められ、満州鉄道（正確には南満州鉄道と東清鉄道の大連につながる部分までを含む）に関してのみ、ソ連と中国が合弁会社を作って運営することで合意された。そして満州は中国の主権のもとに置かれることとし、中国はスターリンの助言のもとにこの合意を維持することになった。

くり返しになるが、この合意文書にはたんに「中国」（チャイナ）と記されているが、それは反共産主義で知られた蔣介石の中華民国のことだ。蔣介石がソ連と共同で何かをやれるわけがないのはわかりきったことであり、したがって合意のこの部分は実際には意味を成さない。後に中華人民共和国が誕生すると、話し合いはスターリンと**毛沢東**との間で行われた。

ナチスドイツを倒すために米英はソ連と手を組んだ

ヤルタ会談でソ連のスターリンが米英両国に対して強い態度をとれたのには理由があった。ヒトラーのナチスドイツは1945年5月はじめに首都ベルリンが陥落して崩壊したが、ベルリンを陥落させたのは米軍ではなく、ソ連軍（赤軍）だったからだ。米英軍がベルリンに到着したのはそれよりだいぶ後のことで、ドイツ東部はすでにソ連軍に占領されていた。そのため、戦後になってドイツが連合国により東ドイツと西ドイツに分割されると、ベルリンはソ連が支配する東ドイツに含まれることになった。

つまり、ナチスドイツを倒したのはアメリカではなく、実質的にソ連だったと言ってよい。だがソ連にそれができたのは、前述のように米英から膨大な軍事援助があったからだということも忘れてはならない。そしてソ連はこの勝利を手に入れるために、莫大な犠牲を払った。

第二次世界大戦における戦死者の数を比較してみよう。ドイツ軍の戦死者の総数はおよそ440万～530万人で、その約80パーセントにあたるおよそ350万～420万人が東部戦線（独ソ戦）で戦死したと考えられている。これだけでも驚くべき数だが、対するソ連軍の戦死者は、じつにその3倍近いおよそ870万～1140万人にのぼる。今日の感覚で見れば、想像を絶する数だ。このドイツ軍とソ連軍の戦死者の数を見れば、独ソ戦がいかに壮絶なものだったかがわかる。

さらに、戦争に巻き込まれて亡くなった人や、戦争に起因する病気や飢餓による民間人の死者を加えれば、ソ連全体ではじつに2660万人（全人口の13・7パーセント）もの人が命を落としている。[注2] またドイツの民間人の犠牲者の数は推定150万～300万人と言われており、戦死者と合わせればドイツ人の死者の数は少なくとも590万人、多ければ830万人になる。ドイツもソ連も、民間人の犠牲者の数がはっきりわからないほど凄惨な状況だったのだ。

これらのドイツやソ連の死者と比較して、アメリカ人の第二次世界大戦における死者はどれくらいかというと、戦死が40万7300人、民間人の死者が1万2100人で、合計41万9400人ほどと驚くほど少ない。当時のアメリカの人口約1億3100万人から見れば、わずか0・32パーセントだ。民間人の犠牲者はヨーロッパに滞在していた人や商船に乗っていた人々だったという。アメリカはヨーロッパから遠く離れているため、本土が戦場にならなかったのだ。またイギリス軍の戦死者も38万3000人ほどと非常に少ない。**米英両国は、自分たちの犠牲を最小限にしてドイツを破るためにソ連と同盟を組んだのだった。**

こうしたことから、アメリカの研究者のなかには、ソ連軍は米英がドイツを倒すために傭兵として使われたのと同じだったと言う人もいる。ソ連が米英から受け取った膨大な量の軍事物資と、途方もない戦死者の数を見れば、そういう見方もできるかもしれない。[注3]

1944年6月6日、米英軍を中心とする連合軍がフランスのノルマンディー海岸から上陸作戦を決行し、フランスを解放してベルリンに向けて進軍した。**ノルマンディー上陸作戦**は、第二次世界大戦を連合国側の勝利に導いた重要な出来事とされている。

実際、多くのアメリカ人はこの作戦で米軍がドイツ軍を破り、ヨーロッパを解放したと信じているが、それはハリウッド映画の話だ。事実を言えば、ドイツ軍が西部戦線に配置していた戦力は全体のわずか20～25パーセントにすぎず、ドイツ軍の主力はすでに東部戦線でソ連軍に敗れていた。

たしかにノルマンディー上陸作戦は〝史上最大の上陸作戦〟ではあった。アメリカとイギリスはこの日のために数千隻の艦船や上陸用舟艇を用意し、初日だけでも35万人もの大軍を動かして5つの浜と1ヵ所の崖から16万人、6月末までに87万人以上、8月末までに200万人以上を上陸させている。米英軍もドイツ軍も、ともに初日だけで数千人の戦死者を出した。

だがここで知っておくべきは、ノルマンディー上陸作戦で米英軍が闘ったドイツ軍の規模は東部戦線でソ連軍が闘ったドイツ軍のように強大ではなかったということ、そしてそれにもかかわらず米英軍は大きな損害を被ったということだ。アメリカ政府の正式な記録によれば、上陸作戦は1944年6月6日から8月25日まで続き、米軍は地上で2万668人、空では4000機以上が撃墜されて8536人の、合計2万9204人が戦死している。これはアメリカ建国以来の歴史を通じて、一つの作戦で出した最大の戦死者数である。イギリス軍も1万人以上の戦死者を出している。負傷者はその何倍にものぼる。

さらにつけ加えれば、米英軍によるフランスの解放はなかなか進まなかったことが知られている。そして上陸した米英軍は弱体化したドイツ軍にさえ手こずり、東進が遅れたため、ドイツ東部をソ連軍に占領されてしまったのである。(注4)

なぜ、日本への原爆投下は決断されたのか

ヤルタ会談からまもない1945年4月、アメリカのルーズベルトが急死し、後を継いで**トルーマン**が大統領に就任した。ルーズベルトが死去したことを知ったスターリンはショックを受け、大きく落胆したと言われている。

ルーズベルトの死からまもない5月はじめにベルリンが陥落してまもなくドイツ帝国は崩壊し、7月17日からベルリン南西のポツダムでチャーチル、スターリン、トルーマンが集まって会談が開かれた。これが日本に降伏を呼びかけたポツダム宣言で知られる**ポツダム会談**だ。ポツダムはソ連占領地域にあり、そこで会議を開くことになったのはスターリンの強い主張によるものだった。そのことにも、ドイツを破ったのが実質的にアメリカではなくソ連だったことが示されている。

会談は8月2日まで続いたが、この会談の冒頭でスターリンがトルーマンに、ヤルタ会談でルーズベルトからなされた対日参戦の要請に応じると正式に伝えている。そしてこの会談の最中に、イギリスの総選挙で保守党が敗れたためチャーチルが帰国し、イギリス代表は労働党のアトリー新首相に交代した。

ところが、死去したルーズベルトに代わって会談に出席したトルーマンは、ルーズベルトとは考えが違っていた。それは、この会談でトルーマンの補佐官を務めた欧州連合軍最高司令官の**アイゼンハワー**（後のアメリカ大統領）が、ソ連の対日参戦に反対するよう助言していたためだった。東ヨーロッパでドイツ軍を破ったソ連軍の強大さを見せつけられたアイゼン

ハワーは、もしソ連に満州と朝鮮半島の日本軍を攻撃させれば、そのまま極東がソ連に占領されてしまうという危機感を抱いていたのだ。

だがアイゼンハワーの助言は手遅れだった。ソ連軍はすでに攻撃準備を完了していたのだ。

一方イギリス代表団は、ポーランド問題をはじめ東ヨーロッパの国境画定などさまざまな戦後処理についてスターリンと激しく衝突し、スターリンは軍事力を背景に強硬な主張をくり返した。そこでアイゼンハワーはトルーマンに、**「ソ連が参戦する前に我々が日本に勝利しなければ、極東からソ連軍を排除できなくなる」**とアドバイスした。(注5) アイゼンハワーの頭に、ドイツの東半分をソ連に占領されてしまったことがあったのは間違いない。

こうしてトルーマンは、アメリカの多くの軍司令官や科学者が反対したにもかかわらず、バーンズ国務長官の強い主張を入れて日本への原爆投下を決定した。原爆投下には、日本に対する処罰に加え、スターリンに対する「日本まで南下するな。我々はこれを持っているぞ」という警告のメッセージが込められていたと考えることができる。(注6)

なお、アメリカの多くの科学者が、「終戦を早めるために原爆の威力を見せつけるのなら、日本に投下しなくても、どこか広々としたところで爆発させて日本の指導者たちに見せればよい」と主張したと言われている。

こうしてポツダム会談が8月2日に終わると、4日後の8月6日に広島に原爆が投下され、その2日後の8月8日、ドイツが崩壊してからきっかり3ヵ月後に、ソ連はルーズベルトとの合意どおり日本に宣戦布告を行う。そして翌9日にはソ連軍が満州に侵攻を開始し、その同じ日にアメリカは2つ目の原爆を長崎に投下した。このあわただしい動きを見ても、米ソのせめぎ合いが感じられる。ルーズベルトとスターリンの間にはなにか通じ合うものがあったが、トルーマンとスターリンは明らかに競い合った。

　スターリンはアメリカが原爆を投下したことを知って、「なんという残虐なことをするのだ」と言ったという。だがそのスターリン自身は、２０００万人以上もの自国民を粛清や戦争で死なせているのだ。これが狂気でなくてなんだろう。

チャーチルの極秘「ソ連攻撃」計画

　ポツダム会談でイギリスとソ連が激しく対立したのは不思議ではない。冒頭に述べたように、両国はソ連がロシア帝国だった時代からずっと対立してきたのだ。

　チャーチルの最終的な敵があくまでソ連（ロシア人）だったことは、ある出来事が明確に示している。あまり知られていないが、１９４５年5月にナチスドイツが崩壊すると、チャーチルはただちに英米軍によるソ連攻撃を計画し、作戦本部に作戦立案を命じているのだ。

　だがチャーチルの計画は、参謀本部が反対したため実現しなかった。東ドイツや東欧に展開するソ連軍は戦車の数で英米軍の2倍、兵員の数で4倍もの戦力があり、「勝つのは不可能」と結論されたためだった。ドイツと闘わせるために米英両国がソ連に膨大な軍事援助をしたことが、チャーチルの野望をくじく結果となったのは皮肉な話だ。チャーチルは独ソ戦でソ連がもっと弱まることを期待していたのかもしれないが、その期待は外れたのだ。このチャーチルの秘密計画は**アンシンカブル作戦**と呼ばれている。

　またチャーチルの計画では攻撃を7月としていたが、ソ連が8月に対日参戦することが決まっていたため、もし英米軍がソ連を攻撃すれば、ソ連は対日参戦を中止して日本と組むかもしれないと懸念された点も、統合参謀本部が反対した理由の一つだったと言われている。ソ連攻撃計画が不発に終わってまもなく、チャーチルは総選挙で敗れて失脚した。

　ドイツが敗れたとたんにチャーチルが同盟国のソ連を攻撃しようとしたというのは意外に思われるかもしれない。だが、イギリスが同盟を結んでは相手を裏切るという方法でヨーロッパの最強国にのし上がったのは、ヨーロッパでは昔から**〝二心あるイギリス〟**と呼ばれてよく知られていた。スターリンもそれは知っていたに違いない。

イギリスとロシアの闘い――〝グレートゲーム〟とは何か

　ユーラシア大陸の中央部をおもな舞台に、19世紀はじめから20世紀はじめの100年近くにわたって繰り広げられた大英帝国とロシア帝国の闘いを欧米の歴史家は、**〝グレートゲーム〟**と呼んでいる。これは中央アジアに進出しつつあったロシアと、それを阻んでユーラシアの内陸に支配を広げようとするイギリスとの闘いだった。

　この期間に繰り広げられた代理戦争が**アングロ・アフガン戦争**（アフガン戦争）だ。第一次アフガン戦争（1838年～1842年）は、中央アジアに進出したロシアが英領インドに向けて南下してくる事態を恐れたイギリスが、アフガニスタンを支配下に置こうとして始まった

図２：アフガニスタンは中央アジアへの入り口となる

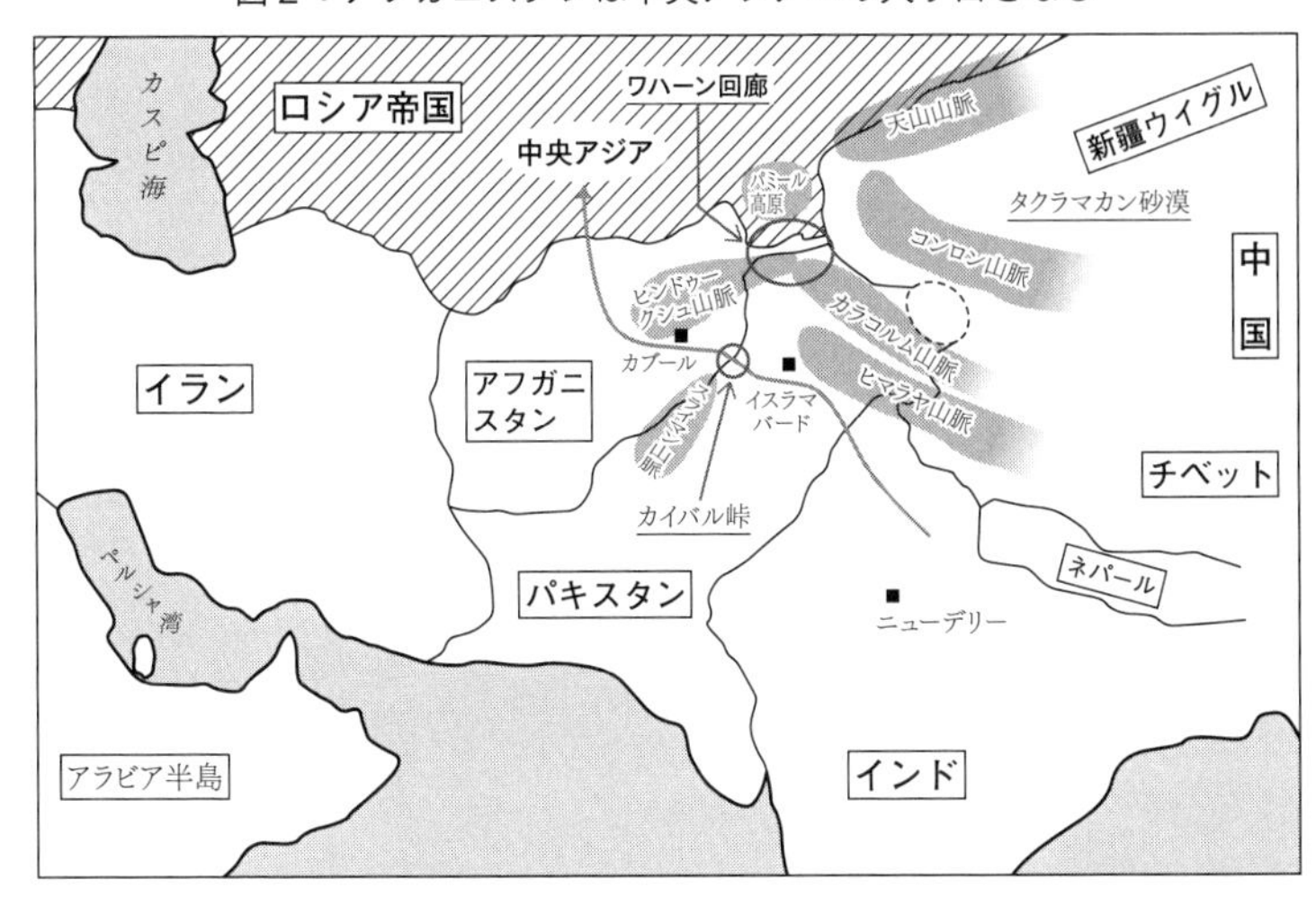

とされている。(注7)

なぜアフガニスタンなのかと言えば、もしロシアが英領インドに侵入しようとするなら、アフガニスタンを通って南下する以外にルートがなかったからだ。インドの北には〝世界の屋根〟と呼ばれる大山脈がいくつも連なっているため、北からインドに侵入するにはアフガニスタンから現在のパキスタン（当時は英領インドの一部だった）に抜ける以外、通れるところがない(注8)（図2）。

逆に言えば、インドから中央アジアに侵入するにはパキスタンを通ってアフガニスタンに入るしかない。そこでイギリスは英領インド軍(注9)を北上させてアフガニスタンを占領しようとしたが、ロシアが支援するアフガン勢力に大敗を喫し、イギリス人将校2人がアフガン人に処刑されて撤退した。

大英帝国は19世紀のビクトリア女王の時代に最盛期を迎え、ロシア帝国も同じ時期に勢力を大幅に拡大した。だがロシアは第一次アフガン戦争の後、**クリミア戦争**（1853年〜1856年）でイギリス、フランス、オスマン帝国（現在のトルコ）などの連合軍に敗れたため、黒海方面への南下を一時断念し、中央アジアやシベリアなど東方への進出にさらに力を入れるようになった。

一方、安い綿花を求めるイギリスはアメリカの**南北戦争**（1861年〜1865年）で南軍を支援したが、(注10) 南軍はロシア皇帝に支援されたリンカーンの北軍に敗れてしまった。その結果、アメリカへの影響力を失ったイギリスは収益の減少を埋め合わせるためアジア各地への進出を強化した。こうしてロシア帝国はユーラシアの内陸部で、大英帝国はその沿岸部で西アジアからインド、東南アジア、東アジアに向けて、ともに東方への勢力拡大に力をいれた。(注11)

イギリスのロシア敵視が強くなったのはこの時代に端を発する。**世界制覇を目指すイギリスは、陸の大国ロシアが鉄道の力を使ってユーラシア内陸部の全域を支配してしまう事態を恐れた。** イギリスは海軍と海運の力で七つの海を支配したが、大陸の奥深くまで攻め入る力はなかったからだ。

日露戦争はグレートゲームの一環だった

そしてそのころ、ヨーロッパで地図を描き替える大きな変化が起きる。中央ヨーロッパで勢力を拡大しつつあったプロイセンが、名宰相**ビスマルク**の力により周辺の諸侯をまとめ、

1871年に**統一ドイツが誕生**したのだ。プロイセン王ヴィルヘルム一世はドイツ皇帝となり、統一ドイツは急速に台頭を始める。ビスマルクは、イギリスとロシアがヨーロッパから遠く離れた中央アジアで勢力争いに忙しく、ヨーロッパに脅威を及ぼす余裕がないことをよく知っていたのだ。ビスマルクが成し遂げたドイツの統一と急成長は、その隙を突いていた。

だがドイツは工業を発達させ、ヨーロッパで勢力を拡大しただけでなく中東にも進出する動きを見せ始めたため、イギリスとロシアはともに警戒感を強め始めた。[注12] とくにイギリスは、中央アジアでロシアとの争いを続けるより、ドイツを封じ込めるほうが先と考えるようになった。そのころイギリスは南アフリカやエジプトでも戦争をしており、そのうえ中央アジアでロシアと争いながらさらにヨーロッパでドイツと闘う余裕はなかった。英露は1878年に争いの中断に合意し、ロシアはその年に始まった第二次アフガン戦争（1878年～1880年）から手を引いた。その結果**アフガニスタンはイギリスの保護国となり、英露の勢力圏を分ける緩衝地帯となった。**

さらにイギリスは極東で日本を味方につけた。1904年2月から1905年9月にかけて行われた**日露戦争**は、その少し前にイギリスが日英同盟を成立させて日本を後押ししたものであり、**ロシアに対するイギリスのグレートゲームの一環だった**と見ることができる。[注13] 日本海海戦でバルチック艦隊を失ったロシアはイギリスのシーパワーに対抗できなくなり、ヨーロッパでもドイツの勢力拡大が脅威になってきた。そこで英露両国は1907年にペルシャ、チベット、中央アジアにおける闘いをやめることに合意し、ユーラシアでの争いを正式に終了させた。

この合意により、ロシアはパミール高原を確保して西トルキスタン（現在の中央アジア5ヵ国が占める地域）の支配を確立した。イギリスは東トルキスタン（現在の新疆ウイグル）の権利を得たが、管理する余裕がなかったため、それを中国に譲ってしまった。**英露のグレートゲームのおかげで、中国は新疆ウイグルとチベットを棚ボタ状態で手に入れたことになる。**(注14) 英露はアフガニスタンの東端から東に突き出て中国の新疆に接する**〝ワハーン回廊〟**と呼ばれる細長い地帯を設定し、これを緩衝地帯として両国の勢力圏の境界とした（Ｐ31の図2を参照）。

ワハーン回廊は南北を山脈に挟まれた長さおよそ350キロ、幅は13～65キロの帯状の谷間で、北は今日のタジキスタン、南はパキスタンに接している。マルコポーロが東方に旅をした時にこの長い谷を通って中国に入ったことが知られており、中国の**〝一帯一路計画〟**（いわゆる〝新シルクロード計画〟）でもこの谷は西に延びるルートが通る戦略的な要衝になっている。

マッキンダーの地政学「ハートランド論」

イギリスの地理学者**ハルフォード・マッキンダー**が王立地理学会で**「ハートランド論」**を発表したのは、英露のグレートゲームが一段落する少し前の1904年のことだ。その論文のなかでマッキンダーはユーラシア大陸を〝世界島〟と呼び、イギリスと日本を〝（その外縁部の）沖にある島〟、世界島の内陸部を〝（中心の）かなめの地域〟、外周部の沿岸地域を〝内

図3：マッキンダーの地図

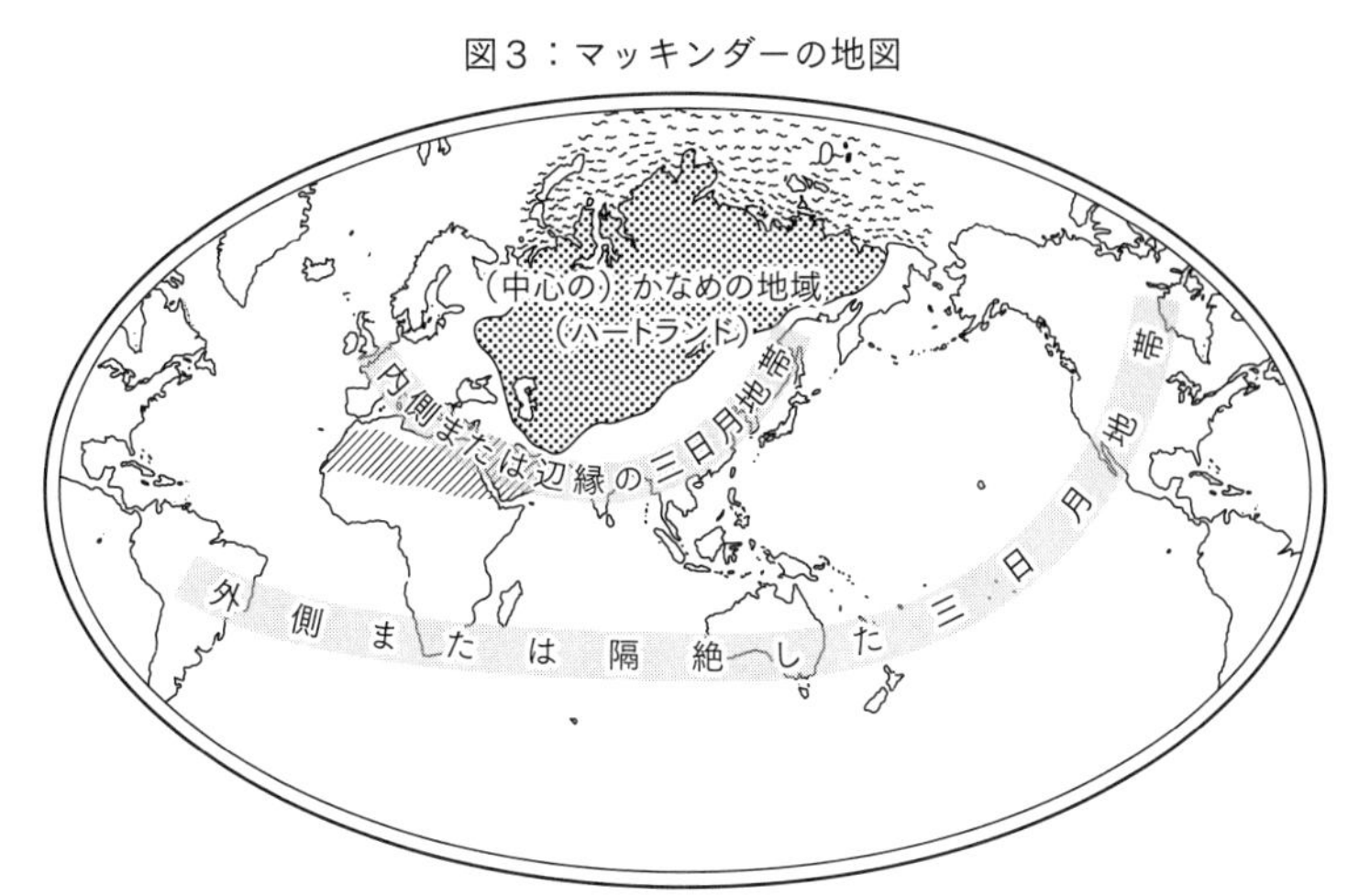

ハートランド：大陸国家　外側の三日月地帯：海洋国家　内側の三日月地帯：大陸国家と海洋国家の混在

側または辺縁の三日月地帯〃、アメリカ大陸、オセアニア、アフリカのサハラ以南などを結ぶ帯状の地域を〃外側または隔絶した三日月地帯〃と形容した。たしかに、世界を平らな地図ではなく地球儀で眺めれば、ユーラシアは巨大な島に見えてくる（図3）。マッキンダーは「この大陸の半分をロシアが占めている」と述べ、〃（中心の）かなめの地域〃を〃ハートランド〃と呼んだ。[注15]

　マッキンダーはさらに第一次世界大戦後の1919年に書いた本のなかで、**「東部ヨーロッパを支配する者がハートランドを制する。ハートランドを支配する者が世界島を制する。世界島を支配する者が世界を制する」**という有名な言葉を残した。東部ヨーロッパとはドイツ東部から東欧にかけての地域を指し、ここで言う〃ハートランド〃とは、具体的にはロシアのことだ。

　マッキンダーはその表現を使って、第一次

世界大戦で敗れたドイツが再び勢力を盛り返して西欧からロシアに通じるルートを遮る事態を懸念し、一方、ロシアが鉄道の力でユーラシアを東の端まで支配してしまう可能性を警告した。ロシアでは1904年にシベリア鉄道が完成し、1916年にはモスクワと極東のウラジオストクを結ぶ直行列車の運行が開始されていた。

大英帝国が植民地にするなどして支配していた中近東からインド、ビルマ（現在のミャンマー）に至る広い帯状の地域は、マッキンダーが言う世界島の〝内側または辺縁の三日月地帯〟に含まれる。大英帝国の悲願は、そこから内陸の〝ハートランド〟（ロシア）を攻略することだった。ハートランドにはあらゆる種類の金属の鉱脈や石油や大森林など、無尽蔵の天然資源が手つかずのまま眠っているうえ、広大な穀倉地帯もある。

大英帝国は七つの海を支配し、世界中に植民地を作って「わが国には日の沈むところがない」と豪語した。彼らは同盟を結んでは裏切るという方法でヨーロッパ列強のすべての競争相手を破り、世界中に支配圏を築いた。**彼らイギリスの帝国主義とは、強大な海軍の力で海外に進出して世界中に植民地を作り、現地人を使って天然資源を収奪し、障害となる国とは戦争をして支配域の拡張を続けることだった。**

だがそんな彼らも、ロシアだけは倒すことができなかった。しかもロシアは天然資源の宝庫である広大な国土を持っていた。そのようなロシアをどうしても征服したい大英帝国と、その挑戦をはねのけて南下しようとするロシア帝国との闘いは、イギリス人（アングロサクソン人）とロシア人（スラブ人）の民族間の闘いでもあった。

ソ連の誕生、そして2度の大戦を経て米ソの対立へ

ソ連は第一次世界大戦末期の1917年に起きた**ロシア革命**で生まれた。この革命で**レーニン**が率いるボルシェヴィキ（当時のロシア共産党の多数派）がロシア帝国のロマノフ王朝を滅ぼし、内戦を経て1922年に世界初の共産主義国である**ソビエト連邦**が成立した。(注16)

だがロシア革命は唐突に起きたのではなかった。その前から、ヨーロッパではリベラルな社会主義や革命を目指す過激な共産主義が支持を増やしていたのだ。その理由は、産業革命以後の国際金融資本や大資本家による労働者や農民の収奪と抑圧があまりにもひどかったからだ。だがヨーロッパにおける革命の企てはすべてつぶされ、唯一成功したのがロシアだった。

1924年にレーニンが死去すると、参謀の一人だったスターリンが同志や腹心まで殺害する冷血きわまる粛清を行ってボルシェヴィキを乗っ取り、恐怖政治を押し進めた。スターリンは大資本との闘いという共産主義の理念より、巨大なソ連という国を独裁支配するほうに熱心だった。レーニンは共産国家建設のために10万人以上を粛清したが、スターリンは独裁を確立するためにその100倍の1000万人以上を粛清したと言われている。(注17)スターリンは国土を拡大し、国を外界から閉ざして強国建設を続けた。

そのころ西側では、第一次世界大戦で国力を消耗したイギリスやフランスの力が衰え、19世紀末から国力を増していたアメリカが急速に台頭し始めていた。ソ連も中央アジアやコーカサス地方（黒海とカスピ海の間の地域）などを次々に併合して強大になっていた。共産国ソ連

のこの拡大は、イギリスとロシアの対立に**「資本主義と共産主義の闘い」**という衣を着せた。

1930年代になると、ヨーロッパでは「大資本家による搾取」という、労働運動や共産主義が生まれたのと同じ理由により、しかしそれらとは異なるタイプの、反資本主義の過激な勢力が力をつけ始めた。それが**イタリアのファシズムやドイツのナチズムなどの国粋主義だ。**その結果、スターリンのボルシェヴィキ（共産主義）という極左と、ヒトラーのナチ党（国家社会主義）という極右が、ともに英米型の資本主義（国際金融資本と大資本家がすべてを独占するシステム）に対抗する勢力として台頭した。（注18）

まもなくヒトラーのナチスドイツが軍事力を増強し、1939年に東西に向けて電撃的な侵攻を開始して**第二次世界大戦**が始まる。6年間の戦争のすえ、ドイツが敗北して国粋主義が排除されると、再び資本主義と共産主義の対立が姿を現した。戦後のアメリカは超大国になり、ソ連も戦勝国としてますます強大になった。かたやイギリスは植民地を次々に失ってさらに弱体化し、**ソ連との闘いの主役の座をアメリカに譲った。**米ソの「資本主義と共産主義の闘い」も、根本はアングロサクソン人とロシア人（スラブ人）の闘いとして始まったのである。

チャーチルがソ連と同盟を結び、米英がソ連への膨大な軍事援助を行ったのは、ソ連を助けるためではなく、ヒトラーに〝ハートランド〟を征服させないようにするためだった。チャーチルの目標は、自分たちこそが〝ハートランド〟を支配することだったからだ。単独でドイツと闘う力がなかったイギリスにとって、ドイツとソ連が闘って両国とも国力を消耗してくれればさらに好都合だった。そしてドイツが崩壊すると、チャーチルは前述のようにただちに作戦本部にソ連攻撃の作戦立案を命じ、〝ハートランド〟を攻めようとしたのだ。

スターリンも、ドイツが崩壊すれば西ヨーロッパと〝ハートランド〟の間を遮っていた障害が取り払われることがわかっていた。大戦末期にソ連軍が全速力で西進して東ドイツを占領したのも、ドイツ東部から東ヨーロッパに至る地域を英米より先に押さえなければ〝ハートランド〟が危うくなることをスターリンは知っていたからだ。

こうしてスターリンはヨーロッパの東半分を支配下に置き、さらに西ヨーロッパに共産主義を広めようとしていた。「資本主義対共産主義」の闘いが始まるのは必至だった。

（注1）アメリカのルーズベルト政権は「レンド・リース法」という法律を作り、イギリスに艦船や航空機などを供給していたが、ソ連にも膨大な量の軍事物資を供給した。クラシックカーのファンなら名前を聞けばなつかしいスチュードベーカー社も、ソ連向けに20万台近くの軍用トラックを生産している。またアメリカは中国大陸で日本軍と闘っていた蔣介石の国民党軍にも軍事物資を供給していたが、中国向けはイギリスやソ連への支援よりずっと小規模だった。ソースにより数字に多少の違いはあるが、そのほかにもアメリカは13万丁以上の機関銃、7800台近い船舶用エンジン、200隻近い魚雷艇、膨大な量の食糧、機器類、非鉄金属、綿、燃料などの石油製品、化学物質、タイヤ、砲弾など、総計1750万トン近い物資をソ連に供給したとされる。またイギリスも5000輌以上の戦車と7000機以上の軍用機のほか、軍用車輌や電子機器なども供給したと言われて

おり、イギリス本国だけでなく当時の英連邦諸国でも１５００万足以上の軍靴や大量の軍服をソ連軍向けに作っていたという。イギリスからの支援はアメリカのレンド・リース法の範囲ではないが、その生産にかかる費用はアメリカの財政援助によってまかなわれた。ソ連がレンド・リースで受けた支援は１１３億ドル相当、今日の貨幣価値に換算すれば１３６０億ドル相当以上にのぼるという。

（注２）ソ連の犠牲者の数を当時のソ連邦を構成していた共和国別に見ると、ロシアは１３９５万人（当時の人口の12・7パーセント）、ベラルーシは２２９万人（同じく25・3パーセント）、ウクライナは６８５万人（同じく16・3パーセント）となっている。

（注３）アメリカがレンド・リース法によりイギリスやソ連に与えた軍事物資は、タダでプレゼントしたのではなかった。後に負債額は大幅に減額されたものの、借金となった分には利息がつき、イギリスは１９５０年代はじめから返済を続けた。ソ連はレンド・リース法施行前の支援には金やプラチナで代金を支払っていたが、レンド・リース法後の支援については返済を渋ることも多かったという。ソ連崩壊後はロシア共和国が返済を引き継ぎ、イギリスは終戦から61年後の２００６年に、ロシアも２０００年代に返済を終えたと言われる。〝レンド〟も〝リース〟も〝貸す〟という意味である。

（注４）欧州連合軍最高司令官のアイゼンハワー（後のアメリカ大統領）は米英軍に大量の戦死者が出るのを避けるため、戦争末期になってもなかなかベルリンの近くまで攻め上らず、早くベルリンを落としたいイギリスのチャーチルと衝突した。アイゼンハワーはロンドンまで行ってチャーチルと議論した後、独断でスターリンに連絡を取り、ソ連軍にベルリン総攻撃を譲ると伝えた。その勝手な行動にチャーチル政権は激怒したが、アイゼンハワーは考えを変えなかった。その時ソ連軍はすでにベルリンのすぐ東まで到達していたが、米軍はまだ３２０キロも西の位置におり、進軍の準備をしていなかった。

アイゼンハワーは現実的な思考ができる知恵者であり、自国民がどれほど戦死しようが顧みなかったソ連のスターリンとは対照的だった。最後のベルリン攻防戦はドイツ軍とソ連軍の間で3週間続き、ソ連軍は30万４８８７人の戦死、負傷、行方不明者をだし、ドイツ軍の48万人が投降してベルリンは陥落した。戦闘に巻き込まれて死亡したベルリン市民は10万人にのぼった。ドイツ軍の戦死者の数は不明だ。この状況を見ても、ソ連軍はアメリカの傭兵として使われたのと同じだったという見方は当たっているかもしれない。もっとも、そのためスターリンは後のポツダム会談で米英に対して強硬な発言をすることができたのだが。

（注5）このことは2001年に出版されたトルーマンとアイゼンハワーの個人的な関係を綴った "Harry and Ike" という本のなかで、アイゼンハワーが1948年に書いた第二次世界大戦の回顧録から引用されている。Harry（ハリー）はトルーマンのファーストネーム、Ike（アイク）はアイゼンハワーの愛称を指す。

（注6）だがアイゼンハワーは1963年に出版された大統領時代の回顧録のなかで、日本への原爆投下には強く反対したとしてこう書いている。《……私は（スティムソン陸軍長官に）こう言った。「日本はすでに敗北しており、原爆投下は完全に不必要だ。……原爆を使うことは米軍兵士の命を救うために必要ではないと私は思う」。すると長官は極度にイラつき、ほとんど腹を立てたような表情を浮かべて、私がこの結論に至った理由に反論した》。

（注7）だが後年の研究によれば、ロシアは中央アジアには進出したが英領インドを侵略することは考えていなかったと言われている。もしそうであるなら、イギリスはインドの防衛のためではなく、はじめからユーラシアの奥地に進出する目的でアフガニスタンを占領しようとしたことになる。

（注8）2021年に終了した米軍のアフガニスタン駐留でも、補給物資を運ぶにはパキスタンからカイバル峠を通ってアフガニスタンに入る以外にルートがなかった。

（注9）英領インド軍：インドがイギリスの植民地だった時代にインドで編成された、司令官と将校のみイギリス人で兵士はみなインド人の軍隊のこと。

（注10）当時、イギリスの最も重要な輸出産業は繊維産業で、イギリスは大量の綿花をアメリカ南部から仕入れていた。

（注11）日本はアメリカのペリー艦隊の圧力で鎖国を解いたが、南北戦争が始まったためアメリカはそれ以上のことができなかった。イギリスはその間隙を突いてアメリカを出し抜き、反徳川勢力を支援して明治

維新の原動力の一つとなった。
（注12） ドイツは1889年からオーストリア＝ハンガリー帝国との同盟関係を強化し、1903年にベルリンとイラクのバグダッドを結ぶ鉄道の建設を開始した。これが完成すれば、ドイツはスエズ運河（1869年に完成。英仏の利権）を通らずに中東やアラビア海、インド洋にアクセスできるようになるはずだった。だが第一次世界大戦が始まったため、バグダッド鉄道は完成しなかった。第一次世界大戦はイギリスがドイツの台頭をつぶすために始めたものだ。
（注13） 極東におけるロシアの勢力拡大に脅威を抱いていた日本はイギリスと利害が一致した。イギリスが日本を後ろから強く押していたことは、日本海海戦を闘った日本の戦艦が、旗艦三笠をはじめすべてイギリスで建造されていることにも現れている。当時の日本にこれらの戦艦を建造する技術はなかった。
（注14） だが中国は対価として支払うカネがなかったため、イギリスはローンを与えた。
（注15） ただし、英語の〝ハートランド〟という言葉は、単にある地域の中心地帯を指す一般語で、とくにユーラシア大陸の内陸部を示す固有名詞ではない。
（注16） ロシア帝国はこの革命でロマノフ王朝のニコライ二世が家族もろとも殺されて消滅した。その後の内戦でロシア共和国のボルシェヴィキが勝利し、1940年までにソビエト連邦（ソ連）が中心となって15の共和国を傘下に収めた。その結果、ソ連は今日のベラルーシ、ウクライナ、バルト海沿岸3国、グルジア（ジョージア）、アルメニア、アゼルバイジャン、中央アジア5ヵ国などを含む広大な連邦国家になった。
（注17） スターリンはロシア人ではなく、母親はグルジア人で、父親の出自は不明とされている。
（注18） もっとも、戦前のヨーロッパはおもに土地を所有する貴族階級が支配しており、彼らにとって共産主義は最大の脅威だったため、共産主義と闘っていたヒトラーを支持する人も多かった。イギリスにはファシスト党すらあり、アメリカやイギリスの大銀行はナチスに融資し、資本家のなかにはナチスとの貿易で利益を上げている人たちもいた。彼らが反ナチスの立場に変わったのは、ドイツがポーランドに侵攻した後のことだ。

（おもな出典・参考文献）

◆Yalta Conference Agreement, February 11, 1945, History and Public Policy Program Digital Archive, National Archives. Woodrow Wilson Center.

◆"Harry and Ike: The Partnership That Remade the Postwar World" by Steve Neal, 2001, A Touchstone Book, Simon & Schuster, NY.

◆"Mandate for Change, 1953-1956: The White House Years" by Dwight Eisenhower, Doubleday & Company, 1963.

◆"The Berlin Airlift: The Cold War Mission to Save a City" by Ann Tusa, Skyhorse Publishing, London, 2019.

◆Yale Law School, Lillian Goldman Law Library, The Avalon Project, Source: A decade of American Policy: Basic Documents 1941-1949, U.S. Government Printing Office, 1950.

◆British War Cabinet, Joint Planning Staff, Draft and Final Reports: 22 May, 8 June and 11 July 1945, Public Record Office.

◆"The Great Game, 1856-1907: Russo-British Relations in Central and East Asia" by Evgeny Sergeev, Woodrow Wilson Center Press, Washington DC./Johns Hopkins University Press, Baltimore, 2013, 2014.

◆『「三つの帝国」の時代』パラグ・カンナ著、玉置悟訳、講談社、２００９年

◆"The Geographical Pivot of History" by H. J. Mackinder, Read at the Royal Geographical Society, January 25, 1904, *The Geographical Journal* No.4, Vol. XXIII, April 1904.

◆"Democratic Ideals and Reality: A Study in the Politics of Reconstruction" by Halford J. Mackinder, 1919, Henry Holt and Company, Inc., Reprinted by National Defense University Press, Washington DC.

第1部　冷戦前期

米ソ対立がエスカレートした時代

第1章　冷戦のはじまり

第二次世界大戦の終結とともに、資本主義勢力と共産主義勢力の対立が激化していく。最初に大きな武力衝突が発生したのは東ヨーロッパやトルコと接する国、ギリシャだった。

ギリシャ内戦とトルコの地政学

戦時中、ドイツとイタリアに占領されたギリシャでは反ナチスのレジスタンス運動が起きていたが、レジスタンスはおもに共産党系の左派とイギリスが支援する王制派の右派に分かれていた。だが王制派はドイツの侵攻で国外に亡命した極右独裁政権の残党だったため、レジスタンスの最大勢力である共産党系ゲリラは、ドイツが立てた傀儡政権だけでなく王制派とも衝突をくり返した。ギリシャの共産ゲリラは、ソ連ではなく北隣の共産国ユーゴスラビア(注1)とアルバニアに支援されていた。

1944年秋にソ連軍が迫り、ドイツ軍が撤退すると、入れ替わってイギリス軍が進駐して右翼の前政権を復活させた。そこで左派が反政府運動を始めたのは自然な流れだった。

同年12月、アテネで開かれた左派の集会に警官隊が発砲して28人の市民が死亡した事件がきっかけとなり、共産党の武力組織が反撃を開始する。それに対して、王制派を中心とする連合政権を支援するイギリス軍は、アテネ市内にある共産ゲリラの拠点を空爆するなど、左派の押さえ込みをはかる。ソ連のスターリンは、ギリシャ共産党に対してイギリスに妥協するよう助言した（その理由は後述する）。

翌1945年2月、ギリシャ共産党指導部はスターリンの助言を受け入れ、武力組織を解散させることに同意したが、王制派の右翼が各地で農民から土地を奪い、ゲリラのメンバーへの攻撃をやめなかったこともあり、左右両派の戦闘は止まらなかった。この状況のなかで、追い詰められた6000人余りの共産ゲリラが山を越えて北隣のユーゴスラビアに逃れた。

第二次世界大戦が終わり、ヨーロッパの再建が始まりつつあった1946年春、ユーゴスラビアに逃れた共産ゲリラが再び山を越えて大挙して戻ってきた。彼らは山間部に拠点を増やして勢力を拡大し、右派への反撃を再開した。ユーゴスラビアとアルバニアに加えてブルガリアも共産ゲリラへの支援に参加し、ギリシャは本格的な内戦に突入していく。

ユーゴスラビアは共産国だったが、ティトー大統領はスターリンの支配を拒否して西側ともつながりを維持するなど、独自の路線を歩んでいた。スターリンにとっては、共産主義の教義よりソ連という国を独裁支配するほうが重要だったが、ティトーはよりマルクス・レーニン主義に則った共産主義を目指していた。一方、ギリシャの共産化を恐れるイギリスは、王制派政府への経済援助を続けるとともにさらに4万人もの兵士を派遣し、内戦は拡大の一途をたどった。

図４：トルコの地政学的な重要性

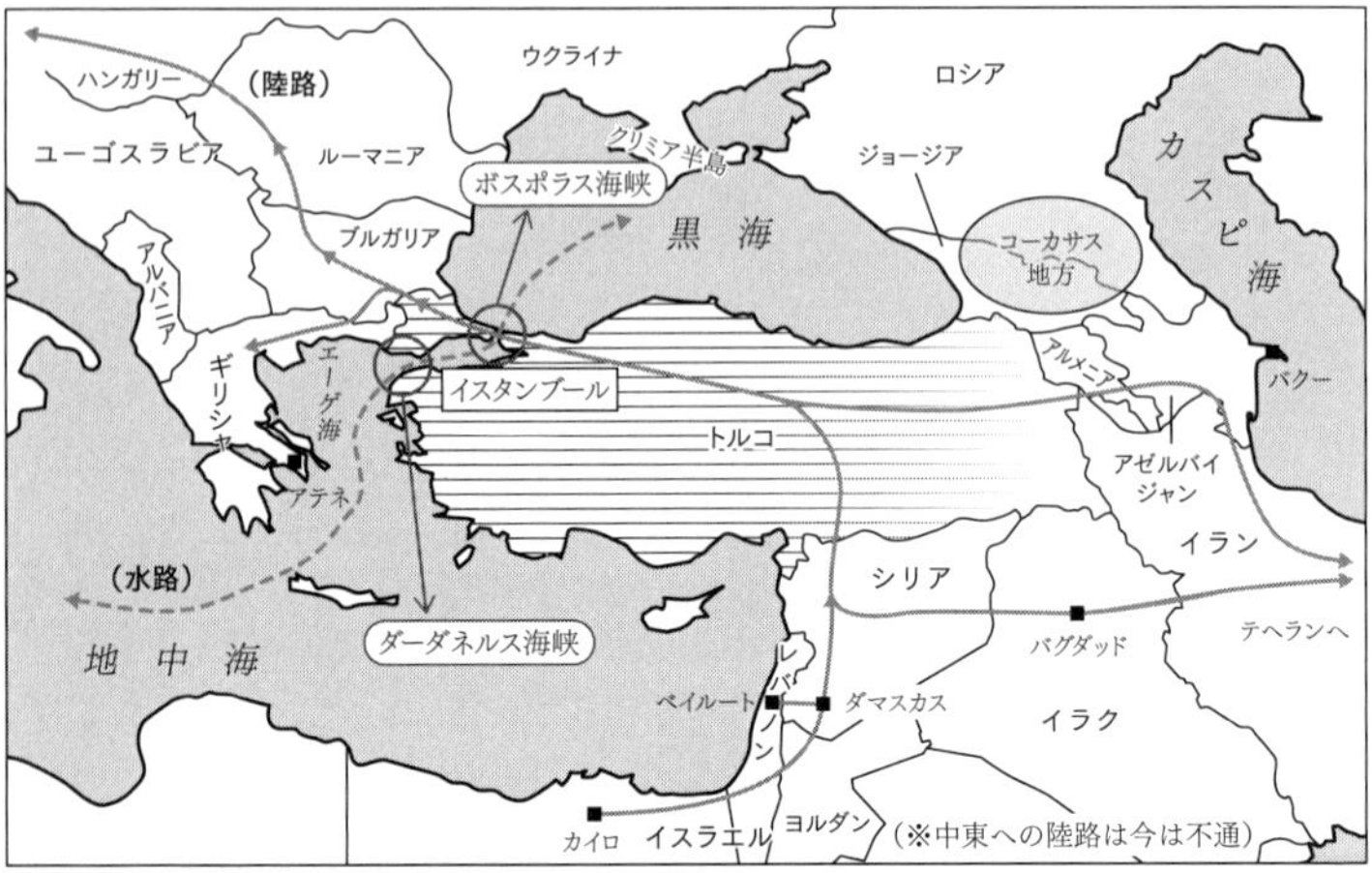

── アジア、中東とヨーロッパを結ぶ陸路　- - - 黒海と地中海を結ぶ水路

ギリシャの東にはトルコがある。ギリシャと国境を接するトルコのイスタンブールは、古くはシルクロードがアジアからヨーロッパに通じる地点として、近世以降はアラビア半島とヨーロッパを結ぶ鉄道の中継地点として栄えた由緒ある街だ。現在の中国が進めている一帯一路計画でも、イスタンブールを通ってヨーロッパに向かうルートが考えられている。またイスタンブールは、キリスト教徒とイスラム教徒が何世紀にもわたって領有を争った街でもある。

イスタンブールの東地区にはボスポラス海峡があり、この海峡によってイスタンブール市街は東西に分かれている。この海峡の東側がアジアで、西側がヨーロッパだ。海峡の東にはトルコの総面積の大部分を占めるアナトリア半島が横たわり、半島の北岸は黒海に面している。

ボスポラス海峡の西南にはもう一つの海

峡、ダーダネルス海峡がある。ボスポラス海峡は長さおよそ30キロ、ダーダネルス海峡はおよそ60キロに及ぶ細長い水路で、ダーダネルス海峡を西に抜けてエーゲ海を南に下ると地中海に出る。そのためこれら2つの海峡は、黒海と地中海を結ぶ戦略的な要衝となっている(図４)。

つまりイスタンブールは、アジアや中近東とヨーロッパを結ぶ陸路の中継地点であるとともに、黒海と地中海を結ぶ水路にまたがっている街でもあるのだ。この点こそ、トルコの重要性のすべてであり、その重要性は昔も今も変わらない。

ここで、トルコから西アジアに至る地域の地理を簡単にまとめておこう。

トルコの東に国境を接するアルメニアとグルジア（ジョージア）は、冷戦中はソ連の一部だった。アルメニアはキリスト教の国で、現在ロシアとは微妙な関係にある。グルジアの北と東は今日のロシアの南端であるコーカサス地方（黒海とカスピ海の間の地域）だ。アルメニアの東にはアゼルバイジャンがあり、その東端の、カスピ海に向かって突き出た半島のバクーは、かつて世界最大の油田地帯だった（図4参照）。アゼルバイジャンはイスラム教国で、昔はペルシャ（現在のイラン）の一部だったが、国民の大部分はトルコ人と同じ民族だ。アゼルバイジャンもソ連の一部だったが、アルメニアとは昔から争いが絶えず、最近（２０２２年）も小さな戦争を起こした。これにはアメリカやトルコがからんでいる。

トルコの東南部はイラン、イラク、シリアと国境を接しており、これら3国のこの一帯は重要な油田地帯だ。そしてその一帯には、国を持たない最大の民族、**クルド人**が住んでいる。シリアとイラクの油田はクルド人地帯に集中しており、イラクのクルド人自治区は１９

91年にアメリカがイラクに侵攻した湾岸戦争の後、アメリカとイスラエルにより国家のように扱われて**〝クルディスタン〟**と呼ばれている。だがイラクのクルド人とシリアのクルド人は仲が悪く、トルコは国内のクルド人をシリアに追放してシリアのクルド人をテロ組織と認定している。クルド人地帯はいずれも有力な氏族が支配しており、彼らはマフィア的な形態で石油ビジネスをコントロールしている。

こういったさまざまな事情により、コーカサスからこの一帯にかけては、昔から地政学的・軍事的に情勢が非常に複雑で不安定な地域だった。**アフガニスタンと同様、コーカサスも南から〝ハートランド〟に至る道の入り口なのだ。**

黒海の北に広がる**ウクライナ**もかつてはソ連の一部だった。ウクライナの黒海沿岸から南に突き出たクリミア半島にはソ連の海軍基地があり、そこを母港とするソ連の黒海艦隊は、ボスポラス海峡とダーダネルス海峡を通ってエーゲ海に抜け、地中海を通って大西洋に出入りしていた。この事情は、今日のロシア海軍においても変わらない。

トルコは1936年に結ばれた国際条約により、これらの海峡の管轄権を持っている。第二次世界大戦中、トルコは中立の立場から、ドイツやイタリアの艦船がこれらの海峡を行き来して黒海に出入りするのを認めていた。だがソ連は連合国側だったので、ドイツやイタリアの艦船が海峡を通るのを阻止しようと、トルコにさまざまな圧力をかけていた。

アメリカとイギリスにとって大戦中はそれでよかったが、戦後の1946年3月にギリシャで左右両派による内戦が激しくなると、この地域におけるソ連の影響力を排除する必要がでてきた。ソ連はギリシャで内戦が拡大したのと時を同じくして、イラン北部のトルコとイラクとの国境近くに再び陸軍を進駐させていた。同年4月、アメリカは地中海の第六艦隊に編入した戦艦ミズーリをイスタンブールに派遣し、ソ連を威嚇した。戦艦ミズーリとは、1945年9月2日に甲板で日本の降伏文書の調印式を行ったあの戦艦である。海峡海域に艦船を派遣していたソ連は反発し、米英に対して首脳会談を要求した。

海峡をめぐる米ソのにらみ合いはしばらく続いたが、10月末になるとソ連はなぜか要求を引っ込め、その海域に派遣していた艦船を年末までに引き揚げてしまった。

ルーマニアとギリシャをめぐるイギリスとロシアの駆け引き

ソ連が海軍を引き揚げたのにはわけがあった。戦争末期の1944年10月にチャーチルがモスクワを訪問してスターリンと交わした密約により、ドイツが降伏したらソ連がルーマニアの支配権の90パーセントを取り、イギリスがギリシャの支配権の90パーセントを取ることが合意されていたのである。(注2)スターリンがギリシャ共産党を支援せず、前述のようにイギリスに妥協するよう助言したのはそのためだった。

この会談はチャーチルのほうから要請したもので、チャーチルが戦時中に危険を冒してまでモスクワに出かけていったのには次のような事情があった。

1941年にドイツ軍に攻め込まれたソ連は、2年間に及ぶ激戦のすえドイツ軍を領土内から押し返すことに成功したが、ソ連軍はそれだけにとどまらず西進を開始した。一方、戦争末期の1944年6月にフランスのノルマンディーから上陸を開始した米英軍は、ベルリンを目指して東に向けて進んだが、序章で述べたようにそのスピードは遅かった。チャーチルは、東欧に展開するドイツ軍を撃破しながら西進するソ連軍のペースを見て、このままでは米英軍より先にソ連軍がベルリンに到達してしまうと焦った。

なんとしてでもソ連軍が到達する前にベルリンを占領したかったチャーチルは、イギリス陸軍の司令官が作成した「米英軍の大規模な空挺師団をオランダに降下させ、フランスに上陸した米英軍の東進を支援する」という作戦を承認した。この作戦は**マーケットガーデン作戦**の暗号名で呼ばれていた。

だが同作戦は1944年9月に決行されたが、降下した米英軍の空挺師団はドイツ軍の猛攻に遭って全滅し、作戦は悲劇的な失敗に終わった。目的が達成できなかったのだから完全な失敗である。アメリカやイギリスでこの不都合な事実が語られることはほとんどない。

チャーチルがそれから1ヵ月もたたない10月はじめにモスクワに行ったのは、この作戦が失敗したため、スターリンと取り引きする必要に迫られたからだった。チャーチルのほうが弱い立場にあったことは、彼が外相をともなってわざわざモスクワまで出向いた事実が明確に示している。

この会談におけるチャーチルのもくろみは、少なくとも南欧の東端だけでも米英側が確保して、**ソ連の支配を東南ヨーロッパの東半分と東欧に限定させることだった。**それでチャーチルは、ルーマニアとブルガリアをソ連に渡すかわりにギリシャを押さえようとしたのだ。ポーランドをソ連に取られるのは、もはや防げないと諦めていたのかもしれない。

スターリンにとっては、ギリシャの支配権を得るよりも、イギリスがルーマニアの支配権を譲ることのほうが重要だった。ブルガリア／ルーマニアから東ドイツに至る南北の線が、ソ連の防衛ラインだったからだ。ギリシャからユーゴスラビア、オーストリアに至る線は西側の影響が大きく、ソ連が将来にわたってコントロールを維持するのは難しそうだった。

図5：ソ連（当時）の防衛ライン

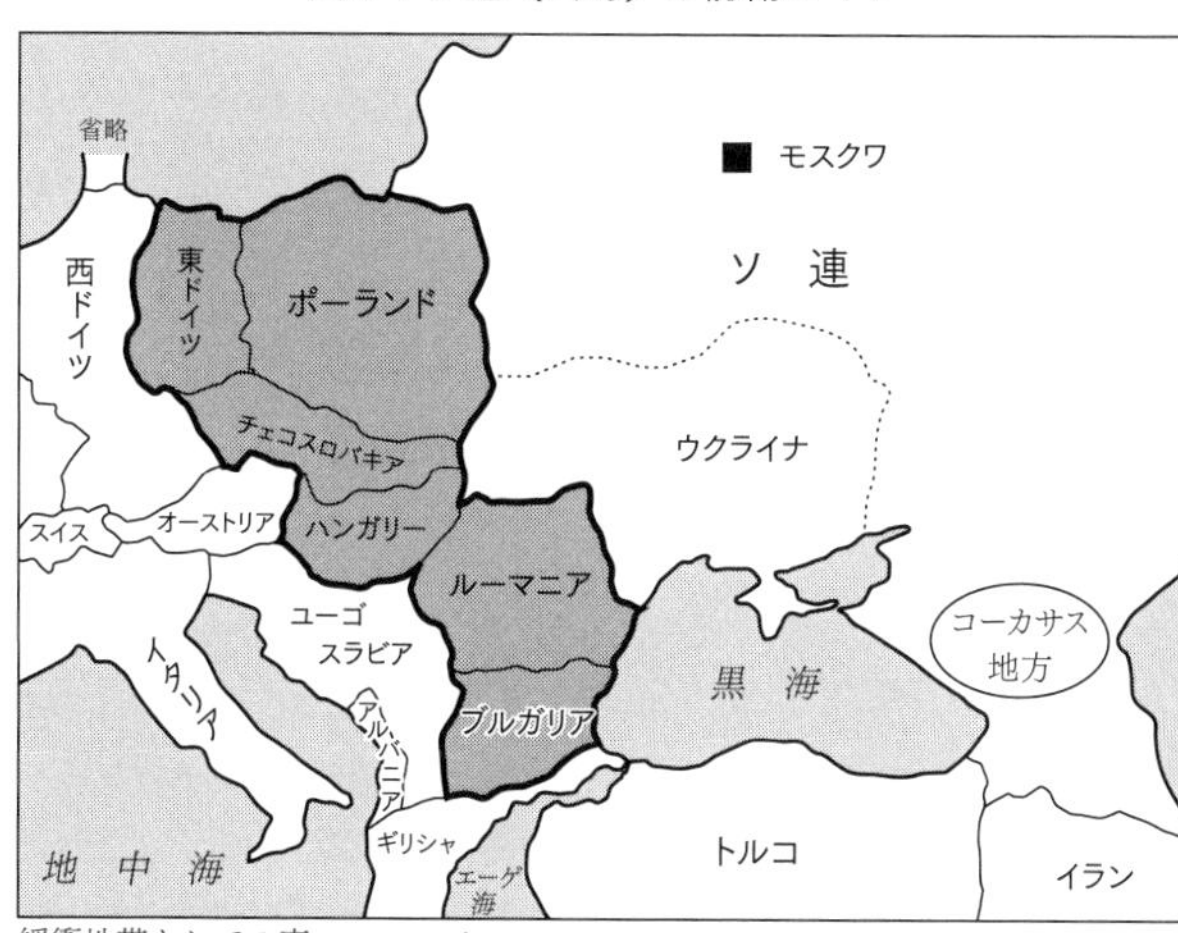

緩衝地帯としての東ヨーロッパ

　スターリンはチャーチルの提案を受け入れ、さらに地中海をイギリスの勢力範囲とすることを認めるかわりに、黒海がソ連の勢力範囲であることをチャーチルに認めさせた。**「黒海は我々の内海である」**と明言したということだ。ソ連のこの思考は、今日のロシアにとっても同じである。

　こうしてギリシャを確保したイギリスだったが、大戦で国が疲弊したイギリスは財政的にも軍事的にもギリシャ右派への支援を続けることができなくなり、戦後の1947年2月、その役をアメリカに譲ってしまう。その結果、ソ連軍もイギリス軍もいなくなったこの戦略的に重要な地域は、アメリカの影響下に置かれることとなったのだ。

はたしてスターリンは、そうなることまで予測していただろうか。後述するように、アメリカはその直後にトルコを支配下に置くことにも成功している。ソ連にとって、ギリシャとトルコという、海峡地帯の両側をアメリカに押さえられたのは、その後の冷戦を闘ううえで大きなハンディとなった。ソ連がイスタンブールから艦船を引き揚げてから2ヵ月もしないうちにイギリスがアメリカにバトンタッチした状況を見れば、チャーチルが事前にアメリカ側と示し合わせていた可能性もないとは言えないかもしれない。

実際にそうだったのかどうかはともかく、アメリカはソ連に入れ替わってイスタンブールに海軍を派遣し、トルコはそれまでの中立政策をやめて、アメリカが提案していた1億ドルの経済・軍事援助を受け入れた。当時の1億ドルは、今のおよそ11億ドルに相当する。そしてアメリカは、その直後から次々と対ソ連戦略を展開していくことになる。

トルーマン・ドクトリンとドミノ理論

ギリシャ右派への支援をイギリスから引き継いだ1ヵ月後の1947年3月、アメリカのトルーマン大統領はソ連による共産主義の拡散と闘うことを議会で宣言し、これをもって〝共産主義との闘い〟が正式にアメリカの根本政策となった。その時に示された反共政策が**〝トルーマン・ドクトリン〟**と呼ばれるものだ（ドクトリンとは外交の正式な根本政策を指す）。

同年7月、トルーマンは「もしギリシャで左派が勝てば、周辺国がドミノ倒しのように次々に共産化してしまう」との主張を始める。アメリカ政府はギリシャとトルコをソ連の脅威から守るために無償の経済・軍事援助を行うことを決定し、トルーマンは４億ドルの支出を議会に求めた。

この時のトルーマンの主張は**ドミノ理論**と呼ばれ、その後もアメリカが「ソ連の影響力の拡大を防ぐためなら、どんな政権であろうが支援する」理由になった。「どんな政権でも」とは、「たとえ国民を抑圧する独裁政権でも」ということだ。その根底にあったのは、「たとえ全体主義の極右独裁政権でも、共産化を防ぐためならかまわない」との考えだった。そして**このトルーマン・ドクトリンこそ、後に途上国で数々の戦乱が発生する最大の要因となるのである。**

ポツダム会談でトルーマンの補佐官を務め、後にアメリカ大統領になったアイゼンハワーは、「あの時ギリシャとトルコを押さえておかなかったら、あの地域がドミノ倒しの最初の駒となって、間違いなく世界中へと共産主義が広がっていっただろう」と語っている。

結局ギリシャの内戦は、１９４９年10月に共産ゲリラが降伏して終了した。彼らの敗北の決定的な要因となったのは、彼らがソ連に軍事援助を求めたため、ソ連と対立していたユーゴスラビアのティトーが支援を打ち切ったことだった。ティトーはイギリスとのつながりも維持していた。

このギリシャ内戦については、その後に起きた多くの出来事に埋もれて今では語られることもないが、同国の政府軍に1万６０００人近い戦死者と3万９０００人近い負傷者を出し、左翼ゲリラには推定およそ5万人の戦死者、非戦闘員や一般の民間人に推定15万８０００人もの犠牲者を出した悲惨な内戦だった。右派の勝利により、その後のギリシャには独裁政権による抑圧的な専制政治が続くことになったが、アメリカがギリシャに民主主義をもたらそうとしたことはなかった。

理由をこじつけるアメリカ、秘密主義のソ連

トルーマンが反共ドクトリンを発表した時、アメリカ政府は次のように説明した。

「第二次世界大戦が終わって我々は平和を目指していたが、ジョージ・ケナンという外交官がモスクワからワシントンに打電した緊急報告により、ソ連が軍備拡大をはかっていることがわかったので、我々はソ連封じ込め政策に転換した」

このケナンの報告が、いわゆる**「ケナンの長文電報」**と呼ばれるものだ。だが、世界一の大国となったアメリカの根本政策が、一人の外交官の電報によって急に根底から変更されるなどということがあり得るだろうか。しかもケナンが電報を送ったのは1946年2月で、トルーマン・ドクトリンの発表より1年以上も前のことだ。ケナンは後に、自分が送った電報が反共ドクトリンの理由として使われたことに不快感を示している。アメリカの反ソ連政策は、はじめから決まっていたものだったと考えるべきだろう。

アメリカの指導者たちは外交政策を国民に説明しなければならないので、常に理由をつけて自分たちの行動を正当化する必要がある。そのため長年アメリカ政府の発表を聞いていると、いつも言い訳ばかり言っているように聞こえてくる。だが全体主義のソ連の指導部は何事においても国民に説明する必要性など感じておらず、事前に何かを発表することもなかっ

た。ソ連という国がいつも不気味に見えたのは、何をしようとしているのかがよく見えなかったためだ。

イギリスのチャーチルは、トルーマン・ドクトリンが発表される1年前の1946年3月に行った演説のなかで**「鉄のカーテン」**という言葉をはじめて使っている。それは「中がまったく見えない」という意味だ。実際、ソ連には秘密主義の暗いイメージが常につきまとっていた。

「資本主義」対「共産主義」の冷戦システムが確立

トルーマンの宣言は、冷戦時代の東西の対立が「資本主義」対「共産主義」という**イデオロギーの対立**を軸として始まったことを明確に示したものだった。この対立はトルーマンの宣言とともに冷戦のシステムとなり、世界中に急速に広まっていった。

だが序章で述べたように、その対立はドイツでナチスが台頭する前の時代に、すでにヨーロッパに存在していたものだった。戦後のアメリカが戦前のヨーロッパと違ったのは、**アメリカは〝共産主義の脅威〟をキャッチフレーズに使い、メディアやハリウッド映画を派手に使って国民への宣伝を進めたということだ。**

一方のソ連も、戦後になると世界各地への〝共産主義の輸出〟に力を入れるようになり、外国の左派政党や地下組織への支援を強化していった。いつの時代にも、強権的な支配者による専制や悪質な資本家に抑圧され、搾取されている国民と貧困は世界にあふれている。彼らにとって、共産主義が福音のように聞こえたとしても無理もないことだったに違いない。

だがそのソ連自身はどうだったかと言えば、国内が常に不安定で、共産党の独裁政権に国民が抑圧されている状態は戦前も戦後も変わらないという矛盾に満ちていた。１９４０年代には幾多の国民がシベリアに強制移住させられ、死に追いやられている。戦時中には今日のバルト海沿岸諸国、ベラルーシ、ウクライナ、ポーランドの人々も同様の扱いを受けていた。戦後になってソ連の衛星国にされた東欧諸国の人々は、傀儡の独裁共産政権に抑圧され続けた。

スターリンが権力を握ったボルシェヴィキ（ロシア革命を行ったレーニンのグループ）は、一種のカルト集団だった。スターリンはカルトの教祖のような存在であり、同志や腹心さえ多くを殺害している。疑心暗鬼もカルトの特徴の一つである。共産主義であれ資本主義であれ、独裁国の国民は常に抑圧の犠牲にされたのだ。

その後、そして今

１９５２年、アメリカは１９４９年にできたばかりの**ＮＡＴＯ（北大西洋条約機構）**にギリシャとトルコを加入させた。ＮＡＴＯは、ソ連の軍事力に対抗するためにアメリカが西ヨーロッパのおもな国の軍隊を束ねて作った軍事同盟である。それ以来、トルコはＮＡＴＯの重要なメンバーとして大きな役を担ってきた。トルコが重要だった最大の理由は、前述の地政学的な位置である。トルコの重要性は、昔も今も、米英にとってもロシアにとっても変わっていない。

だがトルコは北大西洋から遠く離れており、ヨーロッパの国でもなければキリスト教国でもない。イスタンブールの主要な部分はボスポラス海峡の西側（ヨーロッパ側）にあるとはいえ、トルコは西アジアの国であり、イスラム教の国だ。しかもトルコは常にギリシャと敵対しており、キプロス島の領有をめぐる両国の対立に終わりは見えない。アメリカはソ連に対抗するために西欧とは異質のトルコをギリシャと一緒にNATOに加えたが、トルコと欧米の本質は水と油だ。トルコ人は中央アジアに住む民族と同じユーラシア系民族であり、ヨーロッパの白人とは文化面でも大きく異なる。

さて、それから70年が過ぎた今日、アメリカや西欧とのさまざまな軋轢が拡大したトルコは、NATOにとどまったまま、かつて何度も戦争をした相手であるロシアとのつながりを強めている。[注3] また近年トルコはイランとの経済協力を強化しており、欧米人を入れない形での西アジアの発展を目指している。イランのテヘランからトルコのイスタンブールに通じる鉄道も開通した。

トルコは中国に対しても、以前は「新疆のウイグル人イスラム教徒を弾圧している」と非難していたが、今ではその主張を引っ込め、北京政府との関係を強めている。新疆のウイグル人は、かつて「東トルキスタン」（「東のトルコ人の国」を意味する）の名で独立宣言をしたことがあったほどで、トルコ人と同じ系統の民族である。そのウイグル人への支援よりも、中国との関係が重要になったということだ。イギリスやアメリカがウイグルのイスラム教徒を扇動して反中国活動を行わせ、この地域を不安定にしてきたことも、トルコがウイグル人を支援しなくなった理由の一つだ。今のトルコは、欧米に協力するよりユーラシアの発展に参加する方向に向きつつある。

トルコはかつて、東南ヨーロッパからアラビア、北アフリカに至る広大な地域を数百年にわたって支配した**オスマン帝国**という大国だった。現代版オスマン帝国復活の夢を持つトルコは軍事力強化に力を入れ、今ではNATO加盟国のなかでアメリカに次ぐ規模の軍隊を持つまでになっている。今日、その**トルコがアメリカと距離を置き、NATOの一員でありながらロシアにも中国にも接近する姿勢を見せている**のは、世界に起きている大きな変化の一例である。

一方、クリミアの海軍基地を母港とするロシアの黒海艦隊は、ボスポラス海峡とダーダネルス海峡を通らなければ地中海／大西洋に出ることができない。しかもクリミアの海軍基地は、ロシアにとって数少ない不凍港（真冬に凍結しない港）の一つだ。こういった事情もソ連時代から変わっていない。

したがって、ロシアにとってこれらの海峡の通行権の維持は、国家の核心的な利害にかかわるものであり、絶対に譲ることはできない。アメリカやイギリスはなんとしてでもロシア艦隊を閉じ込めて無力化したいところだが、今のところ何をしても成功しない。2021年中旬、米英両国は黒海に入れる海軍の艦船を増やしてクリミアに軍事的な圧力をかけようとしたが、逆に、ロシアがカスピ海艦隊を黒海に移動させて対応したため撤退した。ロシアはカスピ海と黒海を結ぶ運河を作っていたのだ。

今ウクライナで起きている戦乱は現代版グレートゲームの最も明らかな事例であり、ロシアはこの闘いに国家の存亡を賭けている。これも旧冷戦が新冷戦に直接つながっていることを示す良い例だろう。

（注1）ユーゴスラビアは1990年代に起きた紛争で現在のスロベニア、クロアチア、北マケドニア、セルビア、ボスニア・ヘルツェゴビナなどに分解した。

（注2）これはチャーチルのほうからスターリンに提案した取引だった。チャーチルはさらに、ユーゴスラビアとハンガリーは半々に、ブルガリアはソ連が75パーセント、イギリスが25パーセントの支配権を取ることも提案し、スターリンが承諾した。2人の会談は10月9日に行われた。

（注3）トルコにはNATO軍が使用する米軍の巨大空軍基地があり、またトルコはウクライナに軍用ドローンを輸出する一方で、NATOの一員でありながらアメリカの圧力をはねのけてロシアの最新鋭対空ミサイルを導入し、ロシア制裁に加わっていない。究極の全方位外交である。またトルコは原発の建設をロシアに発注し、さらにアナトリア半島にロシアの〝ターキッシュ・ストリーム〟というガスパイプラインを通している。これが将来南欧につながれば、トルコはロシアとヨーロッパをつなぐガスパイプラインの最大のハブになり、2022年秋にテロ攻撃で爆破されたロシアのバルト海沿岸とドイツを結ぶ〝ノードストリーム2〟パイプラインはどのみち必要なくなる。
エルドアン大統領は「2016年に起きたクーデター未遂事件の裏にはアメリカに亡命している政敵のギューレン師がおり、クーデターを仕組んだのはアメリカだ」として、同師の身柄引き渡しを要求している。このクーデターが発生する直前にそのことを知らせてエルドアン大統領を間一髪で救ったのはロシアの情報機関だったと言われている。

（おもな出典・参考文献）

◆“Studies in the History of the Greek Civil War, 1945-1949” by Lars Bærentzen, John O. Iatrides and Ole L. Smith, 1987, Museum Tusculanum Press, Copenhagen.

◆“Background on Conflict with USSR” by D.M. Giangreco and Robert E. Griffin, 1988, Harry Truman Library and Museum.

◆“The Real History of the Cold War” by Alan Axelrod, 2009, Sterling Publishing.

◆『「三つの帝国」の時代』パラグ・カンナ著、玉置悟訳、講談社、２００９年

◆『インテリジェンス　闇の戦争』ゴードン・トーマス著、玉置悟訳、講談社、２０１０年

第2章　ベルリン・ロックダウン

占領したドイツの首都ベルリンを舞台に、米英とソ連の対立が激化する。中央銀行・新通貨の創設や大空輸作戦など、強引に事を進めた米英側が勝利を収めたものの、大国同士の思惑に踊らされたドイツは東西に分裂してしまった。

戦後のドイツはポツダム会談の合意に基づき分割された。合意の内容はその前のヤルタ会談で合意されたこととほぼ同じで、「アメリカ、イギリス、ソ連は、ドイツが降伏した時点でそれぞれの軍が占領していた地域をほぼそのまま引き継ぐ」というものだった。こうして東ドイツはソ連軍が、西ドイツは北部をイギリス軍が、南部を米軍が管理することになった。

それから少しして、フランスが南西部の一角に軍を送り駐留を開始した。フランスの駐留も、また1945年2月のヤルタ会談で決まっていた。フランスは連合国の勝利にまったく貢献していなかったが、おこぼれをもらったのだ。アメリカのルーズベルトとソ連のスターリンは反対したが、イギリスのチャーチルが強引に主張して決めたのだった。

首都ベルリンはソ連占領地域に含まれていたが、分割占領の合意によりさらに**東ベルリン**と**西ベルリン**に分けられ、東ベルリンはソ連軍、西ベルリンは北部がフランス軍、中部がイギリス軍、南部が米軍の管理となった。西ベルリンの英米仏軍が管理する地区はすべて、ソ連が管理する東ベルリンと境界を接しており、西ベルリンは東ドイツ内を通る鉄道や道路で西ドイツと結ばれていた。いわゆる「飛び地」である。

ドイツ占領をめぐる米英とソ連の思惑

戦後の統治を行うため、アメリカ、イギリス、フランス、ソ連の占領軍は、ポツダム合意に基づき「連合軍管理理事会」を設置して共同で軍政を敷いた。同理事会の仕事は、ナチス時代のドイツ軍やドイツ政府の組織の解体から戦犯の裁判、ナチスが作った法律の廃止と新たな法規、通達、命令の作成に至るまで、多岐にわたった。だが終戦直後の日本と異なり、ドイツは4ヵ国の軍に占領されたため、占領政策もアメリカのGHQが日本で行ったようにスムーズにはいかなかった。米英とフランス、ソ連の政策はもともと異なっており、それぞれの占領軍の主張の違いや利害の対立が次第に大きくなっていったのだ。

米英両国には秘かな計画があった。その計画とは、米英仏3国が占領している地域を合併して独立させ、新しい通貨を制定して**ブレトン・ウッズ体制**(注1)に組み入れるというものだった。

米英にとって、戦争で荒廃した西ヨーロッパを復興してソ連と対峙させるには、占領した西ドイツを西側のシステムに組み入れることが必要だった。ドイツの産業インフラは廃墟となったが、ドイツ人の持つ工業力、産業基盤、勤勉さが、ヨーロッパの復興に欠かせなかったからだ。この事情は戦後すぐの日本と同じだ。日本もまた廃墟となったが、米英にとって日本人の持つ工業力、産業基盤、勤勉さは、極東でソ連と対峙するために必要不可欠だった。

さらに、ドイツはヨーロッパの中心部（西欧と東欧、北欧と南欧のちょうど中間）という、地政学的にも重要な位置を占めている。その意味でも、米英にとって西ドイツを西側のシステムに組み込むことは非常に重要だった。だが、同時にそれは**ドイツの東西分割を固定化してしまうことになる。**ドイツ人は全土を統一して独立したいという願いを持っていたが、その願いが考慮されることはなかった。

アメリカのトルーマン大統領が〝トルーマン・ドクトリン〟（第1章参照）を議会で宣言する2ヵ月半ほど前の1947年1月1日、米英両国は彼らの占領地域を合併させて新しい通貨を導入する準備を開始した。新通貨・ドイツマルクの制定を急いだのは、新通貨を西側の金融システムに組み入れて**マーシャル・プラン**（注2）にリンクさせる必要があったからだ。

じつは、米英両国は西側3国の占領地域の合併を前年の7月にすでに決めていたのだが、フランスとソ連が「ポツダム合意に反する」として反対したため計画は進んでいなかった。フランスは米英の占領地域に自分たちの占領地域を合併させることを拒否しており、ソ連のスターリンは東欧諸国と東ドイツをアメリカのマーシャル・プランに加入させるのを拒否していた。

こうしたことから、1947年3月から4月にかけて、ドイツの将来について協議する**4ヵ国外相会議**がモスクワで開かれたが、米英の主張とフランス・ソ連の主張が対立して何も決まらなかった。その同じ3月にアメリカのトルーマンが反ソ連政策の〝トルーマン・ドクトリン〟を議会で宣言したばかりであり、ソ連が反発したのは当然だった。

だが米英は、フランスとソ連を無視して次の計画に駒を進めた。その計画とは、両国が合併した占領地域にフランスの占領地域を加えて3国の占領地域を一つにまとめ、そこに米英軍が管理するドイツ人の立法機関と行政機関を作るというものだった。つまり、フランスの主張には耳を貸さず、フランスの占領地域をも取り込んで、自分たちの軍政のもとに西ドイツを分離独立させるということだ。4ヵ国外相会議は同年12月にも開かれたが、主張の溝は埋まらなかった。

米英の動きを知ったソ連は、「そのような独断的な行動はポツダム合意に反する」と強硬に反対し、連合軍管理理事会の定例会議が紛糾した。占領政策は同理事会で協議して決めることになっていたため、ソ連の言い分は当然だった。だがそのソ連にも、じつは秘かな計画があった。

ヨーロッパで戦争が終わると、米軍は徐々に撤収して兵士の帰国が始まり、駐留米軍は縮小しつつあった。そこでスターリンは、米軍はいずれ大部分が西ドイツから引き揚げるだろうと考え、西ドイツ各地で共産党の活動を強化し、将来はドイツ全土を共産化して統一しようともくろんでいた。ドイツでは戦前から共産党や社会党の力が強く、ヒトラーが共産党を非合法化して弾圧したほどだ。戦後になるとフランスとイタリアでも共産党が躍進し、1947年までに両国とも共産党が最大の政党になり、発足まもない連立政権は不安定になっていた。前章で取り上げたギリシャ内戦が激しくなったのもちょうどそのころだ。米英やヨーロッパの大資本家は、ヨーロッパ全域で共産主義が支持を増やしている事態に危機感を抱いていた。

このような背景のもとで、東ドイツではすでにスターリンの命令により共産党と社会党が合併して「社会主義統一党」が結成され、独裁体制を強化していた。

かつてレーニンは次の言葉を残している。

『ドイツを支配する者がヨーロッパを支配する』

スターリンが東ドイツの独裁政権を強化したのも、米英両国が西ドイツを分離独立させようとしていたのも、**ドイツがヨーロッパの〝要(かなめ)〟である**ことをよく知っていたからだ。それについては今日のＥＵにおいても変わるところはない。

だがレーニンは、「ドイツを支配するのはドイツ人でなければならない」とは言っていないことを見落としてはならない。

１９４８年1月末、米英仏３国の占領軍の代表がロンドンに集まり、ドイツの将来を決めるためにオランダ、ベルギー、ルクセンブルクの代表を加えて6ヵ国による会議を開くことを決めた。このロンドン会議は2月23日に始まり、１週間ほどして西ドイツを連邦制の国にすることが合意された。

なぜその会議に、戦争で重要な役など演じていない3国が参加しているのだろうか。それは、この会議が将来の西ドイツの金融システムを決めるためのものだったからだ。西ドイツを戦後の西側のシステムに入れるには、中央銀行を設立して戦前のマルクとは異なる新しい通貨を発行させる必要がある。そこで、西ドイツを独立させる前に中央銀行を設立する必要があったのだ。こうして西ドイツは、独立と同時にロンドンを頂点とする西側の世界金融システムの傘下に入ることになった。

まもなく、米英が占領する地域に「ドイッチェ・レンダー銀行」という銀行が設立され、占領軍の監督のもとで機能する中央銀行としての権限が与えられた。だがその銀行を運営していたのはドイツ人ではなく、アメリカとイギリスから派遣された〝金融アドバイザー〟と呼ばれる人々だった。こうして新しいドイツマルク紙幣を発行し、外国為替を扱うことになったこの銀行が、1957年にできたドイツ連邦銀行の前身である。

中央銀行の強引な設立と西ベルリン封鎖

ロンドン会議が終わって3週間ほど過ぎた1948年3月20日、連合軍管理理事会の定例会議が開かれた。だがその会議でソ連代表が米英仏の代表に「ロンドンの6ヵ国会議で何を決めたのか」と問い詰めたところ、米英仏代表が「本国から最終結果について連絡が来ていないのでわからない」と白を切ったため、ソ連代表が全員席を立って退場する事態に陥った。ソ連は同理事会の3月の議長国だったが、その後会議を一度も招集しなかったので、理事会は事実上これで終わりになった。

ソ連はもちろん、ロンドン会議での内容をしっかり把握していたはずだ。それまで西ドイツの米英仏占領地域から西ベルリンに向かう列車は、東ドイツ内のソ連占領地域をフリーパスで通過できたが、このことがあって以来、ソ連は東西ドイツの境界で列車を止めて乗客のパスポートや身分証明書を検査するようになった。

だが米英両国はかまわず次の段階に駒を進めた。次の段階とは、西ドイツ憲法の制定の準備である。一方のソ連は、米英仏占領地域から西ベルリンに向かう列車の運行を遅らせるなどの圧力をかけ始めた。同年4月1日、西ベルリンに向かう道路と鉄道の規制がさらに強化され、鉄道貨物は原則的にすべて止められたうえ、客車の乗客もトラックの荷もすべて検問所で調べられることになった。

このソ連の措置を受けて、西ドイツ駐留米軍司令官は、西ベルリン行きの米軍軍用列車に武装護衛官を乗せて検問を拒否するよう指示した。それまでの対立はいくら激しくても論争だった。軍が武力を前面に出すというのはかなり危険な行為である。

ところが、東ドイツ内の鉄道の信号はすべてソ連軍がコントロールしていたため、西ベルリンに向かった米軍の軍用列車は引き込み線に入れられてしまい、進めなくなってしまった。結局、米軍の列車はみな西ドイツに引き返すほかなくなり、西ドイツ駐留米軍司令官はやむなく軍用列車の運行を止める決定を下した。それ以後、必要不可欠な物資は空路で送られることになった。

ソ連にしてやられた米軍司令官はおさまらず、歩兵一個師団に守られたトラック隊の車列で検問所を強行突破する作戦案を陸軍参謀長に具申した。だが陸軍参謀長は「もし銃撃戦でも起きれば、米ソが直接衝突する戦争にエスカレートする危険性が高い」としてその案を却下した。

その頃、ソ連の戦闘機が西ベルリン上空に侵入して低空飛行し、住民を威嚇する事件がたびたび起きていた。4月5日には、西ベルリンの空港に着陸しようとしたイギリスの小型旅客機に対して進路をはばむように飛行したソ連の戦闘機が空中で衝突し、戦闘機のパイロットと旅客機の乗員乗客14人の合計15人が全員死亡するという事故が起きてしまった。

この事故でソ連外相は遺憾の意を表明したが、西ベルリンはソ連占領地域である東ドイツ内にあるため、その上空をソ連の軍用機が飛行すること自体は違法ではなかった。問題はソ連機が威嚇飛行をしていた事実にあり、ソ連政府は事態がエスカレートするのを避けるため、西ベルリンの空港に発着する飛行機の空域に戦闘機が侵入するのを禁じた。

一方フランスは、ロンドンで開かれた6ヵ国会議でも自分たちの占領地域を米英占領地域に合併する案に抵抗していたが、同会議が開かれていた最中の2月末近く、チェコスロヴァキアでソ連が背後から操る共産党による無血クーデターが発生し、共産政権が誕生したことに衝撃を受けた。チェコスロヴァキアはアメリカのマーシャル・プランに参加しようとしていたため、スターリンにつぶされたのだ。

そして3月20日の連合軍管理理事会でソ連代表団が退席した前述の出来事があり、フランスは米英の計画に合わせる以外に道がなくなってしまった。フランスは独自の中央銀行を設立する計画だったが、フランスの占領地域単独では経済圏として小さすぎたうえ、アメリカから「フランスがあくまでも独自の占領地域を維持しようとするなら、マーシャル・プランによる経済支援からフランス占領地域を除外する」と圧力をかけられた。フランスはやむなく合併に同意した。

中央銀行の設立がなぜこうも大事なのだろうか。カネを印刷して発行する権限を持つからだ。政府は国債を発行し、中央銀行はそれを買い取る形で政府にカネを貸し付け、また市中銀行にも貸し出して利息を取る。中央銀行はその国の経済を支配する中心となる。しかも当時はこれから戦後のヨーロッパを復興しようという時代であり、中央銀行の利潤は大きく膨らむことが見込まれていた。

同年6月1日、アメリカとイギリスが合併した占領地域にようやくフランスの占領地域が加わり、西ドイツが一つのかたまりになった。そして6月20日には新しいドイツマルクの流通が始まり、西ドイツ連邦共和国の成立が実現に近づいた。ソ連外相は、「米英が西ドイツで新通貨を発行したのは、〝ドイツの経済は全体が一つのものとして扱われる〟と規定したポツダム合意に違反している」と強く抗議した。

じつは、米英両国は、フランスが合併に同意する何ヵ月も前から、すでに新貨幣を作り始めていた。そして同年春には、2万3000個の箱に入れられた1035トンの新貨幣が秘かにフランクフルトの銀行ビルに運び込まれていたのだ。米英は何事も強引なのだ。

だがソ連もただ手をこまねいていたわけではなかった。西ベルリンに向かう鉄道貨物はすでに止められていたが、西ドイツでドイツマルクの流通が始まった翌日、すべての旅客列車の運行とアウトバーンへの車の流入が止められ、その3日後には東ドイツでも東独マルクが発行された。彼らも対抗して新通貨を作っていたのだ。

ソ連は西側がドイツマルクの使用をやめれば封鎖を解くと提案したが、西ドイツ駐留米軍司令官が拒否したため、締め付けをさらに強化した。西側から西ベルリンに通じるすべての陸路が遮断され、川を渡る船もすべて止められ、こうして西ベルリンは完全に封鎖された。

大空輸作戦――米ソ対立の最初の象徴

この事態を受けて、アメリカ政府は連合軍の輸送機で西ベルリンに生活物資をピストン輸送する決定を下した。こうして始まったのが、有名な**ベルリン大空輸**だ。空輸はおもに米英空軍によって行われ、オーストラリア空軍も一部参加した。こうして、ソ連による西ベルリンの封鎖と、それに対抗する米英の大空輸作戦は、戦後の「米英対ソ連」の対立が直接的な形で具体化した最初の出来事となった。

当時はまだプロペラ輸送機の時代で、しかも多くが双発の中型機だった。4発機もあるにはあったが、搭載力は今日の大型機のように大きくはなく、輸送機は鉄道のように大量の物資の輸送には使えないと考えられていた。だが米英軍は大量の輸送機をかき集めて文字通り分刻みで発着させるピストン輸送を行い、次第に空輸の効果が現れていった。

年が明けるまでに空輸作戦の成功は決定的となり、完全封鎖が始まってから11ヵ月後の1949年5月中旬、スターリンは封鎖を解除した。もはや西ドイツ連邦共和国の成立を阻止できないのは明らかであり、スターリンはドイツ統一をあきらめて東ドイツを分離独立させることにしたのだ。

同年5月23日、西ドイツ連邦共和国の臨時政府が発足し、米英の計画が成就した。スターリンは同年10月に東ドイツを独立させ、ドイツは東西に分裂した国家となった。空輸作戦は封鎖が解かれた後も9月まで続けられ、15ヵ月間に総計２３０万トン以上もの物資が運ばれて航空機の能力を証明するという、予期しなかった副産物をもたらした。

さらに、この作戦を行うなかで、大量の航空機を過密スケジュールで発着させる航空管制技術が確立し、後に民間航空路が世界各地を結んで大量の旅行者や貨物を運ぶ時代が訪れるのを可能にした。当時の米軍司令官たちが予想もしなかったこのことこそ、ベルリン大空輸作戦がもたらした最大の成果だったと言えるかもしれない。

この空輸作戦における米英軍の最大の不安は、東ドイツに駐留しているソ連軍のほうが西ドイツにいる米英軍よりはるかに強大だということだった。米軍統合参謀本部は、もしソ連が輸送機を撃墜したらどうするかを真剣に討議した。

というのは、空輸作戦を行っていた米英の輸送機は東ドイツ上空を無許可で飛んでいたからだ。つまり彼らは15ヵ月にわたり、大量の輸送機で朝から晩まで領空侵犯をくり返していたことになる。厳密に法的に言えば、ソ連は領空侵犯に警告を発し、それでも飛行が続けられれば撃墜する権利があった。

もし万が一、そのような事態が発生し、ベルリンをめぐってソ連と戦争になれば、東ドイツの内部に取り残された小さな陸の孤島である西ベルリンなど、ひとたまりもなく陥落してしまうのは目に見えていた。通常兵力で劣るアメリカの頼みの綱は原爆だったが、１９４８年の時点でアメリカが所有する原爆はまだ数が少なく、東欧の広い地域に展開するソ連軍を殲滅するのは困難だった。ベルリン大空輸は成功したから良かったものの、じつは大きな不安を抱えた瀬戸際作戦だったのだ。だが幸いにして、ソ連は米英の輸送機に脅しをかけるようなことはしなかった。

この例に見られるように、**米英の強引なやり方に対してソ連が一歩譲るというパターン**は、その後も冷戦の全期間を通じて見られることになる。[注3]

スターリンの失敗はなんだったのか

ソ連によるベルリン封鎖と西ドイツの分離独立のいきさつには、その後の米ソ関係を見るうえで参考になる点がいくつかある。

まず、ドイツが米英ソ3国により分割占領された時に、米英両国はソ連占領地区を通って西ベルリンにアクセスする権利について、ソ連と正式に合意していなかったということがある。米英仏3国がその点に関してソ連と話し合いをしたことは一度もなく、ソ連も西ベルリンへのアクセスを保証していたわけではなかった。米英仏の人々は東ドイツという他国の領土内を勝手に通っていたのであり、それゆえにソ連が西ベルリンに通じる陸路を遮断した時に非難できなかった。法的に言えば、ソ連によるベルリン封鎖は、東ドイツ領内をそれまで無許可で通行していた人たちの通行を禁じたにすぎない。

だが、ソ連が米英軍の軍用物資だけでなく西ベルリン市民の生活物資の供給まで止めたのは、西ベルリンの200万人以上の市民を人質に取ったのと同じだった。人道上許されないという非難が起きたのは当然だった。西ドイツ駐留米軍司令官は、「もし西ベルリンへの生活物資の流入を止めれば、ソ連は200万人以上の西ベルリン市民の生活物質を供給しなくてはならなくなるので、完全封鎖まではやらないだろう」と陸軍参謀長に報告していた。

大空輸が始まったのち、西ベルリンではソ連の封鎖に抗議する集会が開かれ、50万人もの市民が集まった。そこで演説した議員の**「世界の人よ、ベルリンを見捨てないで」**という言葉に世界中の人々が心を動かされた。

ここで重要なのは、ソ連が行った封鎖は合法ではあったが、世界中からひんしゅくを買ったという点だ。その反対に、米英が進めた西ドイツの中央銀行設立や憲法制定は協定に違反していたが、強引に進められてしまえばソ連には阻止する方法がなかった。合法的な行動をしたソ連が〝悪者〟で、違法なことをした米英が〝正義の味方〟になったというわけだ。

さらに、ソ連政府の権威主義的で強圧的な態度は、東西ベルリンのどちらの市民からも支持を得られなかった。ソ連が占領して以来、東ベルリン市民は強制移住させられるなどさんざんな目にあっている。西ベルリン市民が占領者の米英を支持していたのとは対照的に、ソ連を支持する東ベルリン市民はほとんどいなかった。東側から西側に脱出する人は後を絶たず、東ベルリンでは暴動すら発生している。

スターリン時代のソ連は、戦後になってもまだ戦前の恐怖政治の感覚のままだった。まして占領したベルリンで、住民の心をつかむことなどまったく考えていなかったのも不思議ではない。ベルリン封鎖は**「市民を抑圧する共産国ソ連」**のイメージを世界に広めただけだった。

加えて、アメリカは宣伝が巧みだが、ソ連は下手だった。西ベルリンで行われた50万人大集会にしても、おそらく企画したのは米英政府で、この集会は世界中にソ連の〝悪役〟ぶりをPRするのに使われた。ところがソ連が行った宣伝といえば、現地でビラをまいたり、境界の反対側から拡声器でわめき立てたりするだけで、彼らは世界に向かって効果的な発信をしていない。西ベルリンの米軍は、クリスマスに、小さな手製のパラシュートにキャンディーやチョコレートを結びつけて空からばらまくことまでやっている。アメリカ人は人の心を操るのがうまいのだ。

とはいえ、力で押さえつけて支配するよりは、たとえ演技でも大衆を味方につけるほうがよいことは確かだ。ソ連の宣伝は教条的で、たとえ事実であっても学習するのは活動家くらいのものだった。西側諸国の人々は微笑みが人の心をなごませることを知っているが、ロシア人は〝笑わない〟ことで知られている。彼らは良くも悪くも生真面目なのだ。だが**アメリカ人は人を喜ばせたり楽しくやることが上手だが、その微笑みと偽善が同じコインの表と裏だったりすることもよくある。**

それはともかく、アメリカは大空輸を成功させて、自由と民主主義を守る〝解放者〟のイメージを広めることに成功した。そういうアメリカのメッキが剝がれ始めるのは、1960年代末のベトナム戦争末期になってからのことだ。

(注1) ブレトン・ウッズ体制:第二次世界大戦終了後、西側資本主義諸国に構築された国際金融システムのこと。ドルの価値を金(きん)1オンス(約30グラム)あたり35ドルに固定し、そのドルに対して各国の通貨の

為替レートを設定した。１９４４年夏に、アメリカ東北部のニューハンプシャー州ブレトン・ウッズで開かれた連合国の会議で合意されたことからこの名がある。

（注２）マーシャル・プラン：第二次世界大戦後の西ヨーロッパを復興させるため、アメリカが１９４８年から１９５２年にかけて行った経済支援。各国の貿易障害をなくし、産業を近代化させ、共産化を防ぐことも目的に含まれていた。最大の受益国はイギリスで、総額の約半分が与えられた（だが序章で述べたレンド・リース法による借金との相殺で、最終的には返済額のほうが大きかった）。注目すべきは、同盟国だったフランスより敵国だった西ドイツへの援助額のほうが大きかったことだ。また西欧各国は援助物資をアメリカからタダでプレゼントされたのではなく、代金をクレジットの形で支払い、その資金はそれぞれの国にプールされてさらに復興のために投資された。

（注３）ベルリン大空輸は軍事作戦として行われたものであり、かかるコストを完全に無視していた。もしスターリンがその後もずっと封鎖を解かなかったら、アメリカは膨れ上がるコストを負担し続けただろうか。米英の強引なやり方に対して、ソ連が最後まで押さずに一歩譲るという冷戦のパターンはここにも見ることができる。

（おもな出典・参考文献）

◆"Airbridge to Berlin: The Berlin Crisis of 1948, its Origins and Aftermath" by D.M. Giangreco and Robert E. Griffin, Harry S. Truman Library & Museum.
◆"The Real History of The Cold War" by Alan Axelrod, 2009, Sterling Publishing.
◆"To Save a City: The Berlin Airlift, 1948-1949" by Office of Air Force History, U.S. Air Force, 2015.

第3章　核兵器開発競争が始まる

米ソ両大国の対立がいっそう鮮明となり、その対立は必然的に、人類が発明した最悪の兵器――核兵器の開発競争を引き起こすことになった。

第二次世界大戦後の世界がそれまでと軍事的・国際政治的に決定的に異なることになった最大の要因は、核兵器の登場だった。アメリカは大戦末期に世界初の核保有国になったが、〝世界唯一の核保有国〟の地位を長くは保てなかった。

ベルリン封鎖が解除されてまもない1949年8月末、ソ連が核実験に成功し、アメリカに衝撃が走った。アメリカは第二次世界大戦中に、イギリスとカナダの協力のもとで原爆開発プロジェクトの**マンハッタン計画**に大勢の物理学者や技術者を投入し、莫大な費用をかけて原爆の製造に成功したが、ソ連はわずか4年で追いついてしまったのだ。

だがソ連は、すべて独自の力で核実験までこぎ着けたのではなかった。マンハッタン計画に浸透した協力者を通じて、戦時中から技術情報を入手していたのだ。ソ連は外部から技術情報を得なくても原爆をいずれ完成させる力を持っていたが、マンハッタン計画の情報を入手したことで、開発にかかる時間と経費を大幅に節約することができた。

た。

ヴェノナ計画――米英によるソ連の暗号解読研究

ソ連に情報を渡していた協力者のなかで、とくに重要な役を演じたのがクラウス・フックスというドイツ人の物理学者だった。フックスはドイツに生まれ育ったが、学生時代に共産党に入っていたため、ヒトラーのナチ党（正式には「国家社会主義ドイツ労働者党」）が政権を取ると迫害を恐れてイギリスに亡命し、後にアメリカに渡ってマンハッタン計画に参加していた。

定説によれば、フックスによる機密漏洩が発覚したきっかけは、第二次世界大戦末期に米英の情報機関が共同で開始し、戦後も引き続き行われていた**ヴェノナ計画**と呼ばれるソ連の暗号解読研究から得た情報だったとされている。

ソ連の情報機関は、暗号通信に使う乱数表を１回ごとに使い捨てにするワンタイムパッド方式という方法を用いていた。この方法は、正しく使われさえすれば暗号の解読は実質的に不可能だが、ソ連の情報機関はそのいくつかを２つずつ作るという過ちを犯した。

１９４３年10月、米軍の情報機関ＯＳＳ（アメリカ戦略情報局）[注１]が、フィンランド陸軍にいるエージェントを通じて入手したソ連の暗号コード表のいくつかに、同じものが２回使われた形跡があるのを発見した。それらのコード表は、ドイツ軍がソ連領内に侵攻した１９４１年の後半に作られたものだった。おそらく、モスクワを目指して進撃するドイツ軍のスピードがあまりに速かったため、ソ連の情報機関は各地のソ連軍の暗号班に渡す乱数表が短期間に大量に必要になり、使い捨てにするパッドの作成が間に合わなくなっていくつかを２つずつ作ったのだろうと考えられている。

　じつは米英両国は、すでに1942年からソ連の暗号通信の解読を試みていた。イギリスではその年に国内におけるソ連の非合法活動が発見され、**MI6**（エムアイシックス）(注2)のミンギス長官がソ連の情報機関とコミンテルン(注3)の通信を解読するよう指示している。アメリカでは陸軍のシギント（通信その他の電波情報を傍受することにより行う諜報活動。シグナルズ・インテリジェンスの略）部門が、やはりその年にソ連の通信を収集するための小さな班を作った。その翌年、米陸軍のシギントは日本の外務省の暗号通信の解読に成功し、日本人が交わしていた通信の内容からソ連の動きを知った。

　1943年8月、アメリカ陸海軍の暗号解読チームは協力しあうことになり、共同でソ連の暗号システムの解明に取り組んだ。彼らは終戦までに規模を拡大し、ロシア語ができる300名以上のスタッフを擁するまでになったが、当時のソ連は同盟国だったので、暗号解読の研究自体は機密とされていた。

　ドイツが降伏してまもない1945年6月、米英両国は共同でソ連の暗号解読研究を行って情報を共有することに合意した。この合意は戦後も延長され、それがさらに発展してヴェノナ計画になったのだ。そしてその研究のための重要なソースになったのが、OSSが入手したソ連の暗号コードブックだった。

　もっともソ連の暗号を解読する研究には、傍受して磁気テープに保存してあった膨大な量の暗号通信をすべて分析するという、気の遠くなるような作業が必要だったため、戦時中はほとんど解読が進んでいなかった。解読がようやく進み始めたのは、戦後になって大量の分析官や暗号学者を投入した後の、１９４６年になってからだ。

そのきっかけは、戦後まもない１９４５年9月、カナダのオタワでソ連大使館の暗号係が亡命するという幸運な出来事だった。ヴェノナチームの暗号解読が進み始めたのはそれからで、さらにその暗号係の証言から、米英の情報機関はソ連が戦時中にマンハッタン計画をさぐっていたことを知った。ソ連の情報機関がアメリカの原爆開発計画について話し合っている具体的な通信がはじめて解読されたのは、１９４６年12月のことだ。

発見された情報漏洩者

ソ連の原爆実験より少し前の１９４９年8月はじめ、戦時中の記録を調べていたＮＳＡ（アメリカ国家安全保障局）[注４]の暗号分析官が、マンハッタン計画の中枢部で研究にたずさわっていたある人物について、ワシントンにいるソ連の諜報員とモスクワの指揮官が交わしていた通信を発見した。分析官たちがその情報を別の通信とつき合わせて分析を続けた結果、情報提供者には当時アメリカの大学に通っていた妹がいることがわかった。

そこでＦＢＩ（アメリカ連邦捜査局）が全米の大学の記録を調べ、当時ペンシルヴェニア州の大学に通っていたクリステル・フックスという名の女性を割り出した。ＦＢＩはクリステルを捜し出して尋問し、兄のクラウスがすでに出国してイギリスに住んでいることを知った。クラウス・フックスは戦後の１９４６年8月にイギリス政府の要請でイギリスに戻り、ロンドン近郊にある原子力研究所で理論物理学部門の主任を務めていたのである。

1949年末、FBIから連絡を受けたイギリスの**MI5**（エムアイファイブ）[注5]がフックスを聴取し、翌年1月、フックスは技術情報をソ連に渡していた事実を自白した。フックスは逮捕され、裁判にかけられて14年の実刑判決を受けた。公判はわずか85分で終了した。同年12月、フックスはイギリス国籍を剝奪された。

ロンドンの黒い霧

イギリスのMI5はアメリカのFBIから連絡を受けるよりかなり前からフックスをマークしていたが、具体的な証拠をつかめないでいた。フックスはイギリスに戻ったのち、ロンドン郊外の原子力研究所で仕事をしながら、1947年末近くから1949年3月までの間に、ソ連の諜報員に6回会って資料を渡していた。そのなかには初期の水爆の設計に関する資料も含まれていた。

一方、ソ連の情報機関はヴェノナ計画のことを早くも1945年につかんでいただけでなく、驚くべきことにアメリカのOSSにも協力者が浸透していた。そして1949年3月、ソ連の情報機関はMI5がフックスの情報漏洩について調べていることをつかみ、ロンドンでフックスから情報を受け取っていたソ連の諜報員はただちにフックスとの接触を断った。

MI5によるクラウス・フックスの聴取・逮捕にはすっきりしない点もある。MI5は、フックスが学生時代にドイツ共産党に加入していたことも、イギリスに渡ったのちに戦争が始まったため敵性外国人として拘束され、カナダの収容所に入れられていたことも、その収容所で共産主義者の活動家と親しくなっていたこともつかんでいた。それにもかかわらず、MI5はフックスが渡米した時にそれらの情報をアメリカ当局に知らせていなかったのだ。これはMI5の大きな失策と考えられ、明るみに出れば米英間の外交問題に発展する可能性があった。そこでMI5はその情報をイギリスの首相にも外務省にも伏せたまま、フックスの取り調べを開始したのだという。

フックスの裁判にも奇妙な点がある。フックスがマンハッタン計画の機密をソ連に渡していたのはアメリカのロス・アラモス国立研究所にいた時であり、捜査を行ったのはアメリカのFBIだ。本来ならばその件に関する裁判はイギリスではなくアメリカで行われるべきであり、もしそうなっていたらイギリスと違って死刑をまぬがれなかった可能性が高い。だが彼はアメリカでは裁判にかけられておらず、イギリスで有罪となったのはイギリスで行われた機密漏洩についてだけだった。しかも有罪の根拠は本人の自供だけで、スパイ行為の具体的な証拠は裁判で一つも示されなかった。

ヴェノナ計画は最高機密だったので、ソ連の暗号通信を解読して判明したことを裁判で証拠として使うことができなかったという事情はわかる。だがフックスがアメリカのロス・アラモス研究所に勤めていた時に彼とソ連の諜報員との間の連絡係を務めていたハリー・ゴールドという人物は、フックスの自白からアメリカで裁判にかけられて懲役30年の刑となり、さらにゴールドの証言により有罪が確定したローゼンバーグ夫妻は死刑になっている（ハリー・ゴールドは服役後15年に減刑されて1965年に出所した）。だが彼らのケースでも判決理由は証言と自白だけで、物証はなかったのだ。つまりフックスも、もしアメリカで裁かれていたら、ヴェノナ計画で判明した事実を証拠として使わなくても死刑をまぬがれなかった可能性が高い。

クラウス・フックスはなぜアメリカで裁かれなかったのか？　1940年代末から1950年代は、米ソのスパイ合戦が花盛りの時代でもあった。そしてソ連のスパイや情報提供者のほとんどはアメリカ人ではなく、イギリス人だった。この時期に、イギリスでは政界や情報機関の上層部を揺るがす大きなスパイ疑惑事件がいくつも起きているが、いずれもうやむやになっている。クラウス・フックスに関するイギリス当局のファイルは、なぜか今でも機密が解かれていない。

情報漏洩者の素顔

ドイツに生まれ育ったフックスは、前述したとおり、学生時代に共産党に加入していたため、1933年にヒトラーのナチ党が政権を取るとナチスの迫害を恐れるようになった。若いころから物理と数学に秀でた才能があり、国を出ることを考えていたフックスは、同年夏にフランスのパリで開かれた反ファシズム会議に出席した時に知り合ったイギリス人夫妻に招かれ、9月にイギリスに渡った。(注6)その時、彼はまだ21歳だった。

彼を招いたイギリス人夫妻は資産家で、ブリストル大学の後援者だった。フックスは夫妻から同大学の物理学教授を紹介されて研究助手になり、4年間の研究の後、量子力学に関する論文を書いて博士号を取得した。だが彼は大学で教えるのには向かないタイプだったので、その教授から別の大学の物理学教授を紹介され、そこでも研究助手をしながら論文を2つ書いて理学博士号を取得した。その教授もドイツから逃れて来た難民の出身だった。

フックスがイギリスに渡った年に、ドイツにいる父が反政府的なスピーチをしたとして逮捕され、1ヵ月留置された。大学で神学の教授をしていたクリスチャンの父は平和主義者で、ヒトラーの政策に反対していたのだ。さらに、兄夫婦と姉夫婦も共産党に参加していたことから逮捕され、妹のクリステルは一時スイスに逃れた。姉夫婦は3年後に再び逮捕され、兄夫婦はチェコスロヴァキアに脱出した。姉はまもなく釈放されたが、夫が6年の刑を受けたのを悲観し、列車に飛び込んで自殺している。ちなみに彼の母親も彼が21歳の時に自殺しており、そのころ彼は母の母も自殺していたことを知った。

フックスはこうした暗い家庭の苦しみから逃れるために好きな物理や数学に没頭した。そしてそうした苦悩が、彼の後の人生を決定することになる。彼は自分の進む道について他人の意見に従うことが多く、確固とした意思を持っていなかった。

後にフックスは、「共産党に入ったのは、ただ何かの組織に入らなければならないと思ったからだ」と語っている。彼は固い信念を持った共産主義者でもなければ、ソ連のシンパでもなかったのだ。

諜報員は情報提供者をリクルートする時、精神的に不安定な傾向のある人間を狙うことが多い。確固たる人生観を持たない者や心が不安定な者は転びやすいからだ。ソ連の諜報員にとって、クラウス・フックスは情報提供者としてうってつけだったに違いない。

姉夫婦が再逮捕された年に、父はアメリカのクエーカー教徒（プロテスタントの宗派の一つ）

の友人に連絡を取り、クリステルを逃がしてペンシルヴェニア州の大学に入れるよう手配した（ペンシルヴェニアはクエーカー教徒の本拠地として知られている）。クリステルはアメリカに向かう途中でイギリスに立ち寄り、兄のクラウスに再会している。彼女はアメリカで結婚し、マサチューセッツ州ボストン近郊に定住した。クラウスも、後にアメリカで暮らすようになってから、クリスマスにマサチューセッツの妹夫妻を訪ねて休暇をともに過ごしている。2人は仲が良かったようだ。

1939年9月にヨーロッパで第二次世界大戦が始まると、イギリスでは敵性外国人の摘発が始まった。クラウス・フックスはドイツ国籍のままだったため1940年6月に逮捕され、イギリスの収容所を経てカナダの収容所に送られた。だが彼が師事していた物理学教授が政府に働きかけ、彼は年末に解放されて翌年1月にはイギリスの大学に戻ることができた。すでに述べたように、イギリスのMI5はフックスが学生時代にドイツ共産党に入っていたことや、カナダの収容所で共産主義者の活動家と親しくなったことをつかんでいたが、優秀な物理学者が一人でも多く必要だったイギリス政府は彼に研究を続けさせることを優先したのだ。

愛国心と激しい自己嫌悪と

1941年6月に、ヒトラーがソ連との不可侵条約を破棄してソ連侵攻を開始すると、フックスはナチスの戦争拡大に危機感を募らせた。彼はカナダの収容所で知り合った共産主義活動家にロンドン・スクール・オブ・エコノミックス（イギリスのトップクラスの経済大学）の教授を紹介され、連絡を取った。その教授も反ヒトラーのドイツ人で、フックスにソ連大使館に勤める武官の秘書官を紹介した。その武官はＧＲＵ（ソ連軍の情報機関）の要員だった。

翌１９４２年、フックスはイギリス連邦国籍を与えられ、やはりドイツから亡命したある物理学教授にスカウトされてイギリスの極秘原爆開発計画に加わった。その後まもなく、彼はソ連大使館の武官の秘書官の求めに応じて、イギリスの原爆開発研究に関する情報を渡すようになった。

１９４３年末近く、フックスは、イギリスの原爆開発計画に参加するようリクルートした物理学教授から、今度はアメリカのマンハッタン計画に参加するよう誘われ、その教授とともに渡米してニューヨークのコロンビア大学で行われていた濃縮ウラン製造法の研究に参加した（コロンビア大学はマンハッタンにあり、〝マンハッタン計画〟という通称はそこで研究が始まったことに由来する）。渡米の直前、彼はロンドンのソ連大使館の武官の秘書官から、ニューヨークに着いたらソ連の諜報員が接触してくると知らされた。

１９４４年８月、フックスはニューメキシコ州サンタフェ郊外にあるロス・アラモス国立研究所の理論物理学部門に転勤になった。その研究所の所長もドイツから亡命した物理学者だった。ロス・アラモスにおけるフックスの研究は、濃縮ウランやプルトニウムに核爆発を起こさせるための超高圧を作り出す〝爆縮〟（密閉された内部での爆発）の計算法だった。爆縮は原爆を起爆させるプロセスで最も重要な部分だ。高速中性子を使って瞬時に高速臨界を起こさせる彼の計算法は、今ではその分野の古典になっているという。

フックスは1945年7月にニューメキシコ州の砂漠で行われた世界初の原爆実験に立ち会っている。核爆発を特徴づけるのは、爆発時の閃光、その直後に現れる巨大な火の玉、そしてキノコ雲、の3つだ。その凄まじい威力を目のあたりにした彼は何を思っただろう。

戦後の1946年8月、すでに述べたように、フックスはイギリス政府の要請でイギリスに戻り、ロンドン近郊の原子力研究所の理論物理学部門の主任に就任した。そして翌年末近くからソ連の諜報員に再び技術情報を渡し始めている。

1949年末近くにMI5の聴取を受けたフックスは、はじめ容疑を否定したが、翌年1月、自ら尋問官に連絡を取り、すべてを打ち明けた。その時フックスは尋問官に、「イギリスを愛する気持ちと、広島を破壊したプロジェクトにかかわったことへの自己嫌悪で、何年もの間、心が分裂状態だった」と述べたという。

「彼」は中国にも核をもたらしたのか?

アメリカのマンハッタン計画は最高機密だったが、情報が漏れる可能性はあちこちに存在していた。計画そのものが、はじめから大きな矛盾を抱えていたからだ。

マンハッタン計画はアメリカ国防総省のプロジェクトであり、その最高責任者は米陸軍の少将だったが、開発にかかわった科学者や技術者はみな大学教授や企業の人間など民間人だった。米陸軍は厳重な機密保持を求めたが、科学の研究には科学者たちの自由な意見の交換やディスカッションが欠かせない。そこで米軍側は妥協し、彼らが自由に会話することを認め、採用する科学者の人選についても彼らにまかせることになった。軍人や官僚には難解な原子物理学や核分裂は理解できなかったからだ。

ところが、マンハッタン計画は１０００人もの物理学者や技術者を必要としたが、当時のトップクラスの物理学者の多くはアメリカ人ではなく、ヨーロッパから来た外国人だった。そして当時のインテリには左派が多かったため、反ヒトラーや反ファシストの物理学者を集めようとすれば、多くが左翼系の人物にならざるを得なかったのだ。彼らのなかには共産党とつながりがある者もまれではなく、マンハッタン計画の技術ディレクターである**オッペンハイマー**ですら妻や友人が左翼や共産党員と親しいという状態だった。研究開発の中枢部から技術情報がソ連に漏れるのは時間の問題だったといえよう。

私事になるが、筆者は今から35年ほど前の１９８０年代半ば、アメリカ東部のマサチューセッツ州に住んでいた時に、クリステル・フックスの娘と知り合った。彼女はクエーカー教徒のクリスチャンで、マサチューセッツの北隣のバーモント州に住んでいた。彼女によれば、伯父のクラウス・フックスが原爆製造に必要な技術情報をソ連に渡したのは、共産主義を信奉していたからではなく、もしアメリカが核を独占したら世界中がアメリカの思うままに支配されてしまうので、ソ連も核を持つことで軍事力のバランスをとる必要があると考えたからだったという。この話は彼女の親しい友人たちも知っていた。[注7]

彼女は多発性硬化症[注8]を患っていた。先日、ふと彼女は今どうしているだろうと思い、人づてに訊ねてみたところ、症状の進行は止まっており元気だということだった。母親のクリステルは２００７年頃に亡くなったという。

クラウス・フックスはイギリスで服役したが、のちに減刑され、1959年に出所が認められて故郷のドイツ(当時は東ドイツ領)に帰った。そして東ドイツの核開発研究所に勤めている時に、中国から来た技術者に原爆製造の理論計算について教えたと言われている。中国はフックスが東ドイツに帰ってから5年後の1964年に原爆実験に成功した。

はたしてクラウス・フックスは、ソ連だけでなく中国にも核を拡散することで世界の軍事力、ひいては国際政治力のバランスを取ろうとしたのだろうか。彼が何を考えていたのか、あるいは誰かに指示されていたのかどうかは「神のみぞ知る」だが、ソ連と中国が核を保有したことで、アメリカを中心とする米英仏の核独占が崩れたことは確かだ。

近年では1990年代末にパキスタンとインドが核実験を行い、北朝鮮の核が問題となった。だが冷戦初期にソ連が核を持ったことは、それらの国のケースとは根本的に意味が異なる。それらの国の核の脅威が狭い地域に限定されているのに対し、ソ連はアメリカに対抗しうる戦略的な力を持っていたからだ。ロシアのある国際政治の専門家は、**「もしソ連が核を持たなかったら、どこかの段階でアメリカは間違いなくソ連を核攻撃していただろう」**と述べている。(注9)

エスカレートする核兵器開発競争

米ソ両国は原爆(原子爆弾)に続き、さらに破壊力が大きい水爆(水素爆弾、正式には「熱核爆弾」と呼ばれる)の開発を進めた。原爆が核分裂のエネルギーを放出して爆発するのに対し、水爆は核融合のエネルギーにより爆発する。〝水素爆弾〟と通称される理由は、水素の同位体である重水素と三重水素が核融合により巨大なエネルギーを放出して爆発するためだ。

その核融合を起こさせるには超高温超高圧の巨大なエネルギーと強力な放射線の照射が必要であるため、水爆は2つの部分から成り立っている。プライマリーと呼ばれる中心部分は核分裂爆弾（原爆）でできており、重水素と三重水素から成る水爆の本体がその周囲を取り囲んでいる（ミサイルの弾頭の場合は、それらは縦に配列されている）。水爆を爆発させるには、まずプライマリーに核分裂（原爆の爆発）による爆縮を起こさせ、その超高温超高圧のエネルギーが重水素と三重水素を圧縮するのと同時に、原爆の爆発で生じた強烈な放射線を重水素と三重水素に浴びせて核融合反応を生じさせる。水爆はこのように複雑な構造を必要とするため、はじめて爆発実験を行った実験用水爆は初期の原爆よりはるかに巨大だった。

アメリカのトルーマン大統領は、フックスが逮捕される2日前に水爆の開発計画を承認し、同1950年3月10日に水爆開発プログラムをスタートさせるよう指示している。その4日後、ソ連も水爆の開発を開始したと発表し、米ソの核兵器開発競争は新しい段階に突入した。

アメリカによる世界初の水爆実験は、フックスの裁判からおよそ2年10ヵ月後の1952年11月1日に、南太平洋のマーシャル諸島にあるエルゲラブ島で行われた。対するソ連は、翌年8月に首相が「水爆を所有しているのはアメリカだけではない」と発言。ソ連はそのころ水爆を完成させつつあったが、爆発実験に成功したのは2年後の1955年11月22日だった。なお、中国が初めて水爆実験に成功したのは、原爆実験から3年後の1967年のことだ。

ところで原爆も水爆も、兵器として使うにはそれらをターゲットに向けて運ぶ手段がなければならない。原爆が登場した初期の頃は、通常の爆弾と同じように空から投下する方法しかなく、運搬手段は爆撃機だった。その目的のために、米空軍は太平洋戦争末期に日本への空襲で多用されたピストンエンジン4発のプロペラ機、B－29を原爆搭載用に改造した。初期の原爆は巨大で、1機のB－29に1発しか搭載することができなかった。

1950年代後半になると、米ソとも原爆より破壊力がずっと大きい水爆を搭載して長距離を高速で飛行できる大型の爆撃機を生産した。それらの爆撃機は、今でこそジャンボやエアバスなどの大型旅客機と並べば細くて小さく見えるが、当時の感覚では目を見張るほどの巨体だった。イギリスもまだその頃は多くの軍用機を国産しており、アメリカやソ連より少し小型の核攻撃用爆撃機を3機種、生産している。

核を搭載する爆撃機が高性能化するとともに戦闘機の開発競争も激しくなり、とくに敵の爆撃機による攻撃から本土を守るために、米ソとも迎撃戦闘機の開発に力を注いだ。新鋭機が次々に登場した1940年代末から1950年代末にかけて、爆撃機と迎撃機の開発は、より強靭な矛と盾を作ろうとするのと同じでシーソーゲームだった。この10年間に、航空機はピストンエンジンのプロペラ機からマッハ2で飛行できる超音速ジェット機にまで進歩をとげている。

1950年代末近くになると、アメリカ海軍も核攻撃能力のある攻撃機を空母に配備し、空母はますます大型化し、原子力潜水艦も登場した。陸の大国であるソ連は本格的な空母を配備しなかったが、[注10] 原潜は実戦配備した。そして米ソとも、空軍と陸軍が核搭載弾道ミサイルを実用化した。アメリカの兵器産業は1950年代を通じて拡大・発展の一途をたどり、後にアイゼンハワーが大統領退任の演説で警告した〝**軍産複合体**〟が形作られていくことになる（詳しくは第5章）。

（注1）OSS（アメリカ戦略情報局）：第二次世界大戦中に作られたアメリカの情報機関。戦後に生まれたCIAの前身として知られているが、CIAが文民の組織であるのに対し、OSSは米軍統合参謀本部の下部組織で、国防総省に属していた。1945年にトルーマンがOSSを廃止して1947年にCIAを設立したのは、予算に議会の承認を必要とせず国防総省の監督下にない秘密活動を可能にするためだった。

（注2）MI6：イギリスの「情報局秘密情報部」の通称。イギリス外務省に属し、海外での諜報活動をおもな任務としている。

（注3）コミンテルン：「共産主義インターナショナル」の略。ソ連政府に属さずに世界各国の共産党を結ぶ組織だった。第二次世界大戦でソ連が連合国側に加わったことから1943年に消滅した。

（注4）NSA（アメリカ国家安全保障局）：CIAやFBIと並ぶアメリカの主要な情報機関の一つで、国防総省に属するシギント組織。現在のNSAは数千名の数学者、暗号学者、分析官を擁し、100個近い偵察衛星、世界中に張り巡らされた傍受施設、何百台もの大型コンピューターを使用して世界中の通信の傍受、電波情報の収集・分析を行っている。長官はアメリカ・サイバー軍司令官が兼任している。

（注5）MI5：イギリスの「情報局保安部」の通称。イギリス内務省に属し、防諜とイギリス国内の安全保障をおもな任務としている。

（注6） クラウス・フックスはナチスの迫害から逃れるためにイギリスに亡命したことから、彼をユダヤ人と考えた作家もいるが、彼の一家はプロテスタントのキリスト教徒でありユダヤ人ではない。父親は牧師でライプツィヒ大学の神学教授をしており、彼はそのつてで同大学に入学している。

（注7） この逸話は2020年に出版された"Atomic Spy"という本にも書かれている。

（注8） 多発性硬化症：神経を包んでいる組織が破壊され、身体のあちこちが硬化していく病気。年とともに進行し、全身が硬くなり動かなくなっていく難病で、有効な治療法は確立されていない。

（注9） マンハッタン計画の最高責任者だった米陸軍のレズリー・グローブス少将は、1954年に、「私はこのプロジェクトの責任者になってから2週間以内に、我々の敵はソ連でありこのプロジェクトはそのことに基づいて行われていると確信した」と述べている。また同計画に参加したレオ・ジラードという科学者は、バーンズ国務長官が「原爆（保有）の最大の利益は日本に対する効果ではなく、ヨーロッパでソ連を扱いやすくすることだ」と言ったと述べている。これらの発言からも、アメリカが戦時中からソ連を敵視し、冷戦への助走を始めていたことがわかる。

（注10） ソ連はヘリコプターや垂直離着陸機を運用する〝航空巡洋艦〟と呼ばれる軽空母を建造したが、搭載機の試験レベルにとどまった。ソ連崩壊後、ウクライナ海軍が係留したまま放置していた1隻を中国がスクラップとして買い取り、それをスクラップにせずリニューアルして中国初の空母「遼寧」に作りかえた。中国はその過程で空母建造技術を習得し、2番艦、3番艦を自力で建造した。また今日西側の数ヵ国で使用され、日本も自衛隊が不本意ながら導入しているアメリカのF－35戦闘機は、ソ連がこの空母で運用するために開発した垂直離着陸機の技術を流用している。アメリカはソ連崩壊後にその垂直離着陸用エンジンを入手し、F－35の開発に使用した。

（おもな出典・参考文献）

◆"Atomic Spy: The Dark Lives of Klaus Fuchs" by Nancy Thorndike Greenspan, 2020, Viking.
◆"The Real History of the Cold War" by Alan Axelrod, 2009, Sterling Publishing.

◆NSA-2, The Soviet Problem–The Early Days.
◆“Secret Wars” by Gordon Thomas, St. Martin’s Press, 2009.

第4章　朝鮮戦争の謎を解く

第二次世界大戦後、初めて行われた戦争の舞台は朝鮮半島だった。半島に対する深い知識も関心もないアメリカにとって、戦争の勃発は寝耳に水だった。さらに「核」に対するマッカーサーの無知も相まってもう少しで核兵器が使用される可能性があった。

ソ連が原爆実験に成功してから10ヵ月後の1950年6月末、極東の朝鮮半島で火の手が上がった。この戦争は北朝鮮軍が韓国に攻め込んで始まったが、その遠因は、太平洋戦争で日本が敗北し、日本による朝鮮半島の統治が終わったことにあった。

第二次世界大戦終了時のいきさつ

序章で述べたように、ドイツが崩壊してからきっかり3ヵ月後の1945年8月8日、スターリンはルーズベルトの要請通り日本に宣戦布告し、翌日には早くもソ連軍が満州（中国東北部）に侵攻を開始した。だがその時点でルーズベルトはすでに死去しており、後を継いでポツダム会談に出席したトルーマンは、アイゼンハワーの助言を受けてスターリンの意図を疑っていた。

朝鮮半島の戦後処理については、すでに１９４５年2月のヤルタ会議でルーズベルトが米ソの共同信託統治を提案しており、その内容がきわめて曖昧だったにもかかわらず、スターリンはとくに質問もせず同意していた。スターリンはヨーロッパの戦後処理については強硬な発言をくり返したが、朝鮮半島についてはとくに何も要求しなかったのだ。

その理由の一つには、ヨーロッパではドイツを破った主役はソ連であり、アメリカは脇役だったが、極東でソ連は重要な役を演じなかったということが考えられる。ソ連にとって、朝鮮半島はヨーロッパの戦後処理ほど重要ではなかったと言えよう。

ソ連にとって重要だったのは、朝鮮半島がソ連に敵対的な国や勢力によって統一されないことだけだった。１９９０年代になって明らかになった、当時のソ連の高官が書いた文書によれば、スターリンは半島全体のコントロールは１９５０年まで考えていなかったとある。

それがもし事実なら、アイゼンハワーの「スターリンは極東全域を支配しようとしている」という推測は正しくなかったことになる。頑固な反共産主義者だったアイゼンハワーの個人的な憶測だったのかもしれない。

スターリンの考えは「半島内の異なる勢力の間に力のバランスを維持させ、ソ連に敵対的な勢力には半島を統一させない」というものだった。したがって、ルーズベルトが提案した米ソ共同信託統治案は歓迎できる内容だったが、アメリカの大統領がトルーマンに替わると、ソ連はトルーマンの反ソ連路線のもとで朝鮮が統一される事態を断固として防がねばならなくなった。

１９４５年7月に始まったポツダム会談では、イギリスのチャーチルが「米ソ共同信託統治案は（米ソが結託して）大英帝国を分解させようとする企てだ」として強硬に反対し、「ほかに話し合うべき事柄はたくさんある」と主張して議題にあげるのを拒否したため、朝鮮をどうするかについては何も決まらなかった。ルーズベルトの米ソ共同信託統治案はチャーチルにつぶされたのだ。

結局その件は外相会談に回されたが、そこでも討議されず、軍の高官による連合軍のミーティングで話題に上っただけだった。そのミーティングではソ連の陸軍大将が、「ソ連が半島の陸地を管理し、アメリカが空と海を管理するのはどうか」と奇妙な提案をしている。赤軍はスターリンと違って朝鮮半島を支配したかったのかもしれない。いずれにせよ、朝鮮半島について具体的なビジョンのある人物はアメリカにもソ連にもいなかったことになる。

ポツダム会談が8月2日に終わると、1週間のうちにアメリカの原爆投下とソ連の参戦という、日本の運命を決める出来事が立て続けに起きる。そしてその数日後にトルーマンがスターリンに書簡を送り、**38度線で米ソが占領地域を南北に分け合う提案**を行った。スターリンはその書簡を8月14日に受け取り、その日のうちに受け入れることを決め、半島を南下中のソ連軍に38度線で止まるよう命じた。スターリンは半島をアメリカに対する緩衝地帯にするという考えだったため、南北に分けるという提案は受け入れられるものだったのだ。

この提案でトルーマン政権は、38度線で南北に分ければソウルがアメリカ側に入るので有利になると考えたのだが、実際にはそう簡単にはいかなかった。ソ連軍は平壌（ピョンヤン）に進駐するとただちに南との境界を閉鎖して鉄道も郵便も止め、それまで北から南に送られていた石炭や食糧のほか電力まで止めてしまったのだ。これで南朝鮮は困窮することになった。

もっとも、北朝鮮に進駐したソ連軍がそれらを止めたのは、アメリカが押さえた南朝鮮を締めつけるのが目的ではなく、自分たちが使うためだったと言われている。彼らは満州や北朝鮮から南に逃れようとする十数万人もの人々の流れは止めなかった。その過半数は帰国を望む日本人で、そのほかは満州や北朝鮮で働かされていた南朝鮮出身の数万人の労働者だった。

満州にいた日本人は、軍人、官吏、民間人入植者など、総計55万人以上がソ連軍によってシベリアに抑留され、強制労働に従事させられて5万数千人の方々が亡くなった。なんとか北朝鮮まで逃げることができた人は38度線を越えることができて幸運だった。

アメリカはソ連軍の北朝鮮進駐から2週間ほど遅れて9月はじめに米軍を仁川（インチョン）に上陸させ、進駐軍による南朝鮮の直接統治を試みた。朝鮮半島に残留していた日本軍は、38度線より北にいる部隊はソ連軍に、南にいる部隊は米軍に投降するよう命じられた。

ソ連は占領を開始すると積極的にソ連型の共産国家を作る作業を始め、戦時中から抗日パルチザンとして知られていた**金日成**（キムイルソン）をリーダーに据えて間接統治を開始した。だがソ連は南朝鮮に共産勢力を育てる気はなく、ソウルにあった朝鮮共産党中央委員会の支援要請には応じなかった。

一方、米軍はそれまで朝鮮半島に足を踏み入れたことがほとんどなかったため、朝鮮の事情をよく知らなかった。ソ連は古くから朝鮮との交流があったが、多くのアメリカ人にとって朝鮮半島は未知の土地だったのだ。こうした事情から、米軍は南朝鮮の統治に代理人を使う計画を立てていた。

朝鮮半島は米ソともに関心が薄かった

1945年10月、米軍はアメリカ在住の**李承晩**を南朝鮮に帰国させた。李承晩はそれまで足かけ30年近くアメリカで暮らしていたため英語ができ、キリスト教徒で反共産主義の独立運動家だった。それだけでもOSS（アメリカ戦略情報局。第3章の注1を参照）に気に入られるには十分だった。

李はアメリカで朝鮮独立の支援を求める活動をしていたが、アメリカの国務省は李の言動や過去の記録から彼を信用していなかった。国務省は「この男は問題ばかり起こすので、信用するのは危険」としてパスポートの発行を拒否していたほどだ。(注1)

だがOSSのある人物が強く推薦したことから、米軍が李承晩を受け入れることになった。米軍は李を1945年9月2日に輸送機に乗せて東京に送り、マッカーサーと秘かにミーティングをさせた後、マッカーサーの専用機でソウルに送り込んだ。このOSSの要員が、アメリカ国務省が発行を拒否していたパスポートを李承晩のために手配した。将来、李が権力の座についたら、個人的に金銭的な見返りをする約束ができていたと言われている。

この一連の動きは、南朝鮮に李承晩政権を作ったのはOSSと米軍であり、**トルーマン政権もアメリカ国務省もはっきりした朝鮮政策を持っていなかった**事実を示している。実際、1950年1月にアメリカ国務長官ディーン・アチソンが発表した国防戦略に、朝鮮半島と台湾は含まれていなかった。しかもトルーマン大統領は同年4月に、「朝鮮で問題が起きても、アメリカにとって戦争をする原因にはならない」とのアメリカ政府の立場を承認している。

だがそのわずか2ヵ月後に朝鮮戦争は勃発した。

問題は、李承晩はそれまで30年間ほとんど朝鮮に住んだことがなかったため、現地には少数の支持者がいる以外、人脈もなければ実績もなかったということだった。李は北に侵攻して朝鮮を統一し、半島の支配者になりたいとの野望を隠さなかったが、すべて米軍頼りで、「平壌など3日で落としてみせる」と大口をたたいていたのも米軍をあてにしての発言だった。米軍軍事顧問団の司令官は、「もしそのようなことを望むなら、アメリカは軍事顧問をすべて引き揚げ、経済援助も停止する」と李承晩にクギを刺している。

そのような人間に国をまとめられるはずはなく、李を使った米軍の統治は大混乱に陥った。南朝鮮では日本の統治が終わった直後からさまざまなグループが入り乱れて争っており、労働者のストや市民の暴動も頻発していた。38度線付近では共産ゲリラの活動も活発で、民衆の蜂起や警察への襲撃が相次ぎ、米軍は戒厳令を敷くまでになった。だがなお米軍は混乱を収めることができず、終戦時に追放した元日本総督府の関係者を呼び戻して協力を求めている。

１９４８年、収まらない混乱に手を焼いた米軍は総選挙を行い、李承晩を大統領に据えて南朝鮮を独立させた。ちょうどヨーロッパではベルリン大空輸がまっ最中のころで、西ドイツに臨時政府が設立されたのはその翌年だ（第2章を参照）。

一方、ソ連も、その少し後に金日成に選挙を行わせ、金日成が北朝鮮の独立を宣言した。

これも、米英が西ドイツを独立させた少し後にソ連が東ドイツを独立させたのと同じで、**アメリカがまずなんらかの行動に出て、ソ連はそれに対応する形で行動する**というパターンだ。ドイツと異なる点は、北朝鮮ではソ連軍がまもなく撤収し、米軍も翌1949年に南朝鮮から引き揚げてしまったことだ。この両国の動きもまた、米ソとも朝鮮半島を重要視していなかったことを如実に示している。

だが独立はしたものの、韓国では兵士の反乱や市民の暴動が衰えを見せず、共産ゲリラと右翼の闘いも激しくなり、内戦の様相を呈するまでになっていった。そのような混乱に陥った最大の原因は、すべて米軍頼りだった李承晩が建国のビジョンを持っていなかったことにある。

それと対照的に、北朝鮮はソ連から軍事援助を受けて着々と軍備を整え、金日成は自信を深めていた。共産主義国家の是非はともかくとして、少なくとも金日成は共産主義国家を作るというビジョンを持っていたのだ。

金日成を使ったスターリンの読み

そもそも、ソ連と中国と北朝鮮の三者のつながりは強固なものではなく、それぞれが独自の考えを持っていた。金日成の考えもソ連の考えとは違っていて、半島全体を共産化して統一することが望みだった。それは韓国の李承晩が、北を征服して半島の支配者になりたいと思っていたのと同じである。金日成は1949年春に、独自の計画に基づきソ連に南進の許可を求めたが、スターリンは許可を与えなかった。中国がまだ内戦中だったうえ、その時点ではまだ韓国に米軍がいたからだ。

だがその後まもなく米軍が韓国から引き揚げ、その年の夏にソ連が原爆実験に成功し、秋には毛沢東の共産軍が蔣介石の国民党軍を破って中華人民共和国が誕生する。ソ連は中国と北朝鮮への軍事援助を続けていたが、アメリカ政府は李承晩を信用していなかったので韓国をあまり援助しておらず、できたばかりの韓国軍は貧弱で戦車も持っていなかった。極東米軍総司令官のマッカーサーも北朝鮮の軍事力を過小評価しており、半島のことなどまったく気にかけていなかった。アメリカにとって、ソ連に対する防衛線は日本列島であり、朝鮮半島は含まれていなかったのだ。

この状況をじっくり観察していたスターリンは、翌１９５０年春、金日成に南進の許可を与えた。ただし、それには条件がついていた。**ソ連は軍事顧問を送るが軍は派遣しない、援軍が必要になったら毛沢東が軍を送る、**の2点である。ソ連は東ヨーロッパの広い地域に軍を駐留させており、もしヨーロッパと極東で同時に戦争になったら対処しきれない。そこで、「我々は血を流してまでは助けないが、金日成がやりたいと言うのならやらせてみよう。あとの面倒は毛沢東にみてもらえ」というわけだ。金日成は中国に行って毛沢東に会い、同意を得た。毛沢東の側近たちは、１９４９年に中華人民共和国ができてまだ日が浅いことから、アメリカと戦争になるリスクを負うことに難色を示したが、毛沢東が最終的に決断したと言われている。

北朝鮮軍の快進撃とマッカーサーの解任

1950年6月25日、北朝鮮軍が数ヵ所からいっせいに38度線を越えて南に侵攻を開始し、戦争の火蓋が切って落とされた。(注2) 米軍は38度線の北側に北朝鮮軍が集結しているという情報を得ていながら侵攻を想定しておらず、ソウルはわずか3日で陥落した。アメリカはただちに国連安全保障理事会の開催を求め、ソ連が欠席したため国連軍の派遣が決定された。国連軍と言っても中身は大部分が米軍である。

ソ連は前年に誕生したばかりの中華人民共和国を西側諸国が承認しないことに抗議して、その年の1月から国連安全保障理事会をボイコットしていたが、北朝鮮の侵略を受けて開かれた緊急理事会も欠席したのだ。出席して拒否権を行使すれば決議の採択を阻止できたのに、なぜスターリンはソ連代表を欠席させたのだろうか。

それは**「北朝鮮と中国をアメリカと闘わせる」**ということだったのだろう。その証拠に、アメリカ政府はモスクワのアメリカ大使館を通じてソ連政府に北朝鮮の攻撃をやめさせるよう要請したが、ソ連政府は仲介を拒否している。「戦争をやめさせる気はない」という露骨な表明だ。

極東米軍総司令官のマッカーサーは「日本にある(米軍の)すべてを投入する」と宣言し、米軍は大慌てで態勢を整えて7月はじめに韓国に到着し、韓国軍を指揮下に入れた。だが韓国軍は装備が貧弱なうえ訓練が行き届いておらず、ほとんど役に立たなかった。

150輛のソ連製戦車を先頭に9万人の大軍が攻め込んできた北朝鮮軍に対し、7月を通じて直接戦闘にかかわった米軍の主力はわずか一個旅団の4000人だった。この師団は7月だけで30パーセントの死傷率を被り、米韓軍はわずか3週間で半島南端の釜山まで撤退する惨状に陥った。

一方の北朝鮮軍は、装備も整い訓練も行き届き、士気も高く、破竹の勢いで進撃したが、弱点は兵站物資の不足だった。一気に進撃を続ければ、補給線も一気に延びてしまう。北朝鮮軍は7月23日には釜山（プサン）包囲にかかるまで南下したが、肝心の補給が続かなくなり、動きが止まってしまった。

世界一の軍事力を自負する米軍にとって、北朝鮮のような小国（当時の北朝鮮の人口は1000万人前後だった）の軍隊に米軍の歴史始まって以来の大撤退を強いられたのは屈辱的だった。**ペンタゴン**（アメリカ国防総省）は7月から8月にかけて大急ぎで極東米軍を増強し、航空戦力の指揮系統を整えた。

9月15日、米軍の増援部隊が仁川への再上陸に成功し、北進を開始した。この時は上陸した米軍7万人に対して北朝鮮軍の仁川守備隊はわずか2000人で、彼らは米軍の上陸をまったく予想していなかった。6月末に北朝鮮軍が南進を開始した時とまったく逆の状態だったわけだ。

この上陸作戦はマッカーサーが7月から主張していたが、リスクが高すぎるとしてそれまで統合参謀本部が許可しなかったものだった。ところが一か八かでやらせてみたら難なく成功してしまったことから、その後のマッカーサーの傍若無人な言動を統合参謀本部が抑えられなくなる大きな要因となっていく。

仁川から上陸した米軍は、北から半島南部に通じていた北朝鮮軍の補給路を切断し、その効果があって、釜山に閉じこめられていた米軍は包囲の突破に成功した。上陸した米軍はそのまま北進してソウルを奪還し、10月はじめには38度線を越えて北に攻め込み、同月末近くには中国との国境である鴨緑江まで到達した。その過程で、退却する北朝鮮軍は米軍機の空爆により大きな被害を出している。

マッカーサーが「感謝祭（11月の第4木曜日）までに北朝鮮軍など殲滅する」「米軍兵士たちはクリスマスまでには帰国できるだろう」などと発言したのもこの頃だ。だがこの急速な北進で、米軍は7月に一気に南進した北朝鮮軍と同じ誤りを犯すことになったのだ。すなわち、補給線が延びきってしまったということだ。

そしてさらに、米韓軍が鴨緑江に到達したのとほぼ同じころ、川の北側に集結していた中国の推定26万人(注3)の義勇軍が川を渡り始め、米韓軍への攻撃を開始する。米韓軍は10月末近くから11月末までに大きな被害を出し、12月はじめには再び撤退する羽目に陥った。こうして米軍は、クリスマスまでに帰国できるどころか、再び38度線の南側まで押し戻されてしまった。

中国が送った軍隊が義勇軍と呼ばれたのは、人民解放軍が参戦したとなれば正式に中国とアメリカの戦争になってしまうので、志願兵が参加したという形にしたためだ。したがって、義勇軍とは名ばかりで、中身は人民解放軍の正規軍だった。

その後の戦局は一進一退を続け、翌1951年春になると、38度線のあたりで戦況は膠着状態に陥った。トルーマン大統領は停戦を考えていたが、マッカーサーは強硬な発言をやめず、後述するように、トルーマンと衝突して解任されてしまう。そして同年６月、ソ連が停戦を提案し、米朝交渉が開始された。戦争が始まってから１年後のことだった。

交渉は断続的に続き、それにともない激しい戦闘は行われなくなり、米朝どちらも勝つ見通しが立たないまま時間だけが流れた。そして１９５３年１月にアメリカでトルーマンが退任してアイゼンハワー政権がスタートし、かたや３月にはソ連のスターリンが死去して、新しい時代が訪れた。板門店でようやく休戦協定が結ばれたのは、交渉開始から２年後の同年７月のことだった。

金日成の誤算

中国軍が参戦してくれたおかげで北朝鮮軍は壊滅をまぬがれたが、中国が介入しなければ北朝鮮は間違いなく崩壊していただろう。威勢よく進撃したのは最初の２ヵ月半だけで、その後は中国軍が参戦するまで退却を続けた。米軍は北朝鮮軍への空爆を強化し、冬になると、東京の横田基地に駐留するＢ－29が北のインフラへの猛爆を開始した。北朝鮮の主要な街や工業地帯はＢ－29の絨毯爆撃でほぼ壊滅している。(注４)

北朝鮮をこのような状態に陥らせる結果となった金日成の「独自の計画」による目算とは、どのようなものだったのだろうか。

１９９２年に北朝鮮軍の元高官をインタビューした記録によれば、金日成がモスクワに行ってスターリンに南進の許可を求めた時に通訳が書きとめたメモが残っており、そこに「スターリンはアメリカの介入を心配して難色を示したが、金日成は素早く攻撃すれば3日で勝てると主張した」と書かれているという。金日成はその理由として、①韓国には共産党員が20万人いる、②韓国の南部では共産ゲリラが我が軍をサポートする、③米軍は準備ができていないので反応する時間がない、と述べている。

だが実際には、韓国の共産党員も共産ゲリラも北朝鮮軍の南進に呼応して蜂起することはなかった。米軍は緒戦で後れをとったものの、短期間で対応した。金日成の楽観的な予測は外れたのだ。

さらにこの元高官は、「金日成は、アメリカのアチソン国務長官が1950年1月に発表した国防戦略に朝鮮半島が含まれていなかったことを知って、それなら南を攻めてもアメリカは行動しないと考えたのかもしれない」と語っている。

ほんとうに金日成は、このような杜撰な予測や推測で戦争を始めたのだろうか。これでは亡くなった国民はうかばれまい。

マッカーサーが解任された本当の理由

マッカーサーは太平洋戦争でアメリカを勝利に導いた連合軍総司令官として、米国民やメディアから英雄のように扱われていた。だが彼は1948年の大統領選挙に色気を出し、共和党の候補者を選ぶ予備選挙に出馬したが、有力者の支持が盛り上がらず早々とレースから脱落している。かつての部下だったアイゼンハワーが軍人というよりはむしろ政治的な人間で、次第に政治家として頭角を現していったのとは対照的に、マッカーサーは政治に向かないタイプの人間だったのだ。この点を理解すると、マッカーサーにまつわるゴタゴタがなぜ起きたのかが見えてくる。

前述のとおり、マッカーサーは１９５１年４月11日にトルーマンに解任された。その理由については、満州への爆撃や原爆の使用などの強硬な主張をくり返してトルーマンと衝突したためだったと言われているが、じつは原爆使用の主張は解任の理由ではない。ペンタゴンの内部では、北朝鮮軍が侵攻を開始してまもない１９５０年７月上旬に、すでに原爆使用の可能性が話し合われているのだ。最初に原爆の使用を口にしたのはアイゼンハワーだった。

マッカーサーの傲岸不遜な発言やトルーマン批判がエスカレートしていったのは、１９５０年９月15日の仁川再上陸作戦が成功してからだ。それまでペンタゴンの上層部が認めなかった作戦を一か八かでやらせてみたら成功したのだから、自己顕示欲の強いマッカーサーが得意満面になったのも不思議ではない。この作戦の成功でアメリカ国内のマッカーサー人気が爆発的に高まり、統合参謀本部はマッカーサーを批判することができなくなった。

だが、米軍が緒戦で短期間に未曾有の屈辱的な退却を余儀なくされ、しかも多数の戦死、負傷、行方不明、捕虜を出したのは、マッカーサーが北朝鮮軍の力を見くびっていたことが原因だ。とくに海兵隊の戦死率は受け入れがたいレベルにまで達しており、そのすべての最終責任は、敵を侮って準備を怠っていた総司令官に帰着するのである。(注５)

ところがマッカーサーは、部下を現地司令官として韓国に派遣して、自分は東京で取り巻きに囲まれて居心地の良い生活を続けており、現地を視察に行っても日帰りで東京に戻ってしまい、朝鮮半島に一晩も滞在したことがなかった。またマッカーサーははじめから「北朝鮮に侵攻して（中国との国境の）鴨緑江まで進撃する」と挑発的な発言をくり返していたが、その発言は「38度線より北で行う作戦については、ホワイトハウスの承認を必要とする」という鉄則を無視したものだった。

なぜ北進にホワイトハウスの承認が必要だったかというと、38度線より南で行われていた戦闘は侵入してきた敵を撃退するための防衛的なものだったが、38度線より北に攻め込むとなれば、他国への侵略になるからだ。それでアメリカは北進するために国連の承認を必要としたのである。加えてトルーマン政権は、北に攻め込むことで中国だけでなくソ連の参戦を誘発し、第三次世界大戦に発展する可能性を懸念していた。(注6)

仁川の再上陸作戦から1ヵ月後の10月15日、太平洋のウェーク島でトルーマンとマッカーサーの会談が持たれた。ウェーク島というのは実際には〝島〟ではなく、草木も生えていないただの環礁で、コンクリートを流し込んで作った滑走路と軍の建物以外は何もないところだ。

そのような場所で2人が面会したのは、マッカーサーがアメリカ本土まで行くのを拒否したからだという説があるが、じつは中間選挙(注7)を目前にひかえたトルーマンが国民の注目を集めるために行ったパフォーマンスだったというのが真相だ。トルーマンは、太平洋戦争末期にルーズベルト大統領がフィリピンにいるマッカーサーを訪問して激励し、それがアメリカのメディアに大きく報道されて国内のルーズベルト人気が高まった前例に倣おうとしたのだろう。

ところがマッカーサーは、そのことを見透かしたかのようにわざと遅れて到着し、トルーマンを滑走路わきで待たせたうえ、対面した際には敬礼せず握手をしている。軍人が国の最高司令官である大統領に対して敬礼しないというのは相当な非礼だ。これだけでも、マッカーサーのトルーマンに対する態度がどういうものだったかがわかる。マッカーサーが予備選に出馬したものの早々と脱落した１９４８年の大統領選挙で、トルーマンが大統領に再選された「因縁」と結びつけるのは考えすぎだろうか。

もっとも、この会談がトルーマンの国内向け政治パフォーマンスだったのは見え見えで、２人は朝鮮戦争の戦略についてはまったく話し合わず、交わした会話は東アジア情勢全般に関する漠然とした内容ばかりだった。トルーマンは大統領専用機に記者団を同乗させてウェーク島まで連れて行き、会談を取材させたが、東京から記者団を同行させたいというマッカーサーの要望は却下している。

こうしたことを考えれば、マッカーサーがトルーマンの政治宣伝のダシに使われたと感じて不快だったのもよくわかる。だがマッカーサーはこの時に大きなミスを犯した。トルーマンから中国やソ連が参戦する可能性を問われ、こう答えたのだ。

その可能性はほとんどないですよ。心配する必要はありません。中国軍は満州に30万人いますが、鴨緑江のむこうに集結しているのはそのうちの10万から11万５０００人以下です。そのうちの５万から６万人くらいが川を渡って来るかもしれませんが、彼らには空軍の支援がありません。もし平壌まで来ようとしたら、（我々の空爆で）大量殺戮ですよ。

ところがその時、中国軍はすでに渡河作戦の準備を終えており、その会談の数日後には大軍が川を渡り始めたのだ。そして10月末近くには米軍への攻撃が始まり、米軍は11月を通じて大きな被害を出したあげく12月2日に撤退を開始する。

だがマッカーサーは、その後になってもなお、撤退の衝撃を大したことではないかのように語り、そういう態度のために事実上すべての米軍の高官と対立することになった。ペンタゴンの高官たちは「叱責されてもマッカーサーは大統領の命令に従わない」と考え始めた。

マッカーサーが統合参謀本部にはじめて原爆使用の裁量権を求めたのは、米軍が北朝鮮北部から撤退を開始してから1週間後の1950年12月9日だった。そして撤退終了前日の同年12月24日、マッカーサーは原爆34発（一説によれば26発）を使う具体的なターゲットのリストを統合参謀本部に提出している。だがそれらの要請はいずれも却下された。

ところがトルーマンは、すでに11月30日に記者の質問に答えて「北朝鮮に対する原爆の使用は考えている」と発言している。しかもその同じ日に、統合参謀本部から米空軍に「（核の使用を含む）実戦能力を高める準備をせよ」との命令が伝えられているのだ。

マッカーサーはさらに翌1951年3月10日にも多数の原爆を使って大がかりな反攻に出る作戦案を提出したが、再び却下されている。ところがその案が却下された直後の3月14日、ヴァンデンバーグ空軍参謀長が、「原爆使用に関する報告を見ると、すべて準備完了のようだ」と書いているのだ。

これはいったいどういうことなのか。

ホワイトハウスやペンタゴンの高官たちは、マッカーサーを除外して作戦計画を練っていたのだ。彼らは「あのような男に核使用の裁量権を与えることはできない。もし核を使うなら、もっと信頼のおける司令官が必要だ」と考えていたと言われている。つまり**トルーマン政権は、原爆を使う可能性を検討していたからこそ、マッカーサーを解任する動きが始まったのである。**

その後に起きた一連の出来事は、マッカーサー解任への気運が徐々に高まっていった経緯をはっきりと示している。

戦争を中国に拡大しようとしていた

1951年3月中旬、38度線よりかなり南まで後退していた米軍が、なんとか中国軍を38度線まで押し返すことに成功した。その状況を受けて、トルーマンは停戦交渉を呼びかける準備を開始した。

3月20日、それを知ったマッカーサーは、アメリカ議会の下院院内総務に宛ててトルーマンを激しく批判する書簡を送った。下院院内総務はそれを4月5日に議会で読み上げ、それを知ったマッカーサーは「私信を議会で公表した」と激しい怒りを表している。

3月23日、マッカーサーは停戦交渉を始めようとしているトルーマンを強い言葉で批判すると同時に、中国を激しくこき下ろすコミュニケ（声明書）を発表した。だがそのようなコミュニケの発表は、前年12月にトルーマンが出した「軍や国防総省の人間が公式な発言をする場合は、事前に内容を国務省と調整すること」という「大統領指示」に完全に違反していた。マッカーサーはトルーマンが停戦交渉を呼びかける前にそのコミュニケを発表することで、停戦交渉の開始を阻止しようとしたのである。

翌3月24日、マッカーサーは現地司令官リッジウェイに、38度線の北20マイル（約32キロ）まで前進する許可を与えた。それについてもマッカーサーはワシントンの許可を得ておらず、その前進許可はトルーマンが停戦交渉の呼びかけを行うのを妨害するのが目的だった。

後にトルーマンはマッカーサーのそれらの行動について、「あの男を蹴り倒して北シナ海に突き落としてやりたいと思った。私の一生であの時ほど腹が立ったことはない」と公言している（〝北シナ海〟という名称はないが、当時アメリカでは〝南シナ海〟や〝東シナ海〟に対して渤海湾や黄海のあたりをそのように呼ぶことがあった。なおトルーマンは言葉遣いが汚いことで有名だった）。

それまで米軍統合参謀本部は、〝国民の英雄〟としてメディアが絶賛するマッカーサーを解任した場合に自分たちに降りかかってくる火の粉を考えると行動できずにいた。だが大統領の指示を公然と無視したマッカーサーのこうした言動は、解任の方向に流れをつけることになった。

さらに驚くべきことに、その少し前の3月中旬、マッカーサーが東京のスペインとポルトガルの大使館の外交官に、「朝鮮での戦争を中国に拡大して、共産中国の問題を永久的に決着させる自信がある」と話していたことが、それらの大使館が本国に送った公電を情報機関が傍受し、トルーマンに報告されている。マッカーサーは北朝鮮との停戦を阻止しようとしていただけでなく、中国とも戦争をしようとしていたのだ。

だがトルーマンはその発言を理由にマッカーサーを解任することはできなかった。なぜなら、その理由で解任すれば、アメリカの情報機関が同盟国の外交公電を傍受し、暗号の解読をしている事実が公になってしまうからだ。

同年4月7日、マッカーサーは、朝鮮半島沖から北朝鮮への空爆を行っていた米海軍の空母2隻に、日本海から移動して台湾海峡に向かうよう命じた。4月11日の現地時間の午前11時、台湾海峡に到着した2隻の空母から多数の艦載機が発進し、中国領海ぎりぎりの上空を、編隊を組んで威嚇飛行を開始した。

それとほぼ同じころ、米海軍の駆逐艦が、汕頭市（台湾海峡に面する中国東岸の町）の沖3マイル（約4・8キロ）の、中国領海のすぐ外側の指示された位置に到着した。中国側はその駆逐艦を約40隻の武装機帆船で取り囲み、洋上でにらみ合いとなった。ところが艦載機は近くを飛んでいたにもかかわらず、武装機帆船に取り囲まれた駆逐艦の上空に来るまでになぜか2時間もかかっている。マッカーサーはなぜそのようなことをさせたのか。考えられる唯一の可能性は、**艦載機は中国の武装機帆船が駆逐艦を攻撃するのを待っていた**ということだ。

だが中国側は挑発に乗らず、駆逐艦を攻撃しなかった。

その数日前に、トルーマンは中国に米朝停戦交渉開始に同意するよう圧力をかけるため、原爆搭載型B－29(注8)の飛行隊をアメリカ本土からグアム島に移動させている。マッカーサーは停戦交渉が始まりそうだと警戒感を強め、交渉開始を妨害するために中国を挑発して駆逐艦を攻撃させようとしたのに違いない。公海上にあったアメリカの駆逐艦を中国が攻撃したとなれば、戦争を始める理由にすることができる。駆逐艦の乗員たちは、自分たちが囮に使われているとは夢にも思わなかっただろう。

一方、トルーマンは4月6日から7日にかけて、マッカーサーの扱いについてマーシャル国防長官、ブラッドリー統合参謀本部議長、アチソン国務長官、ハリマン大統領特別顧問の4人と2日連続で協議を行っている。翌8日、統合参謀本部は「解任すべし」という結論に傾いていたが、マッカーサーの国民的な人気の高さとメディアが英雄扱いしていることから、まだ決定をためらっていた。

4月9日、ブラッドリーが統合参謀本部の考えをトルーマンに伝え、トルーマンは「4人が全員一致して解任を助言した」として解任を決定し、解任の命令書が統合参謀本部議長の名で作成された。だがその後になってブラッドリーは「マッカーサーを解任すべきと大統領に断言したわけではない」と述べている。早くマッカーサーを解任したいトルーマンとは対照的に、ブラッドリーはこの期に及んでもなお降りかかる火の粉を恐れ、保身をはかろうとしたのだ。統合参謀本部議長といえば軍の制服組のトップだが、より上位の政治の世界から見れば駒の一つでしかない。

解任の通達は米国東部時間の4月11日に本人に伝えられる予定だったが、「連絡が取れない」という理由で陸軍長官に伝わらず、しびれを切らしたトルーマンが同日午後8時（日本時間の12日午前10時）に記者会見を開き、解任の発表を行った。トルーマンが台湾海峡の出来事をいつ知ったのかは不明だ。

東京にいたマッカーサーは、その記者会見の模様を米軍ラジオ放送のニュースで知った部下に聞いた夫人から伝えられたという。本人が通達を正式に受け取ったのは日本時間の12日午後3時だった。もし中国の武装機帆船団が11日にアメリカの駆逐艦を攻撃していたら、マッカーサーの解任は1日遅れで間に合わず、トルーマン政権は窮地に立たされていただろう。もし中国と戦争になっていたら、マッカーサーの解任はなかったに違いない。

朝鮮半島を放射能の壁で防ぐ——狂気の原爆大量投入計画

マッカーサーの原爆使用計画は幸いにしてすべて却下されたが、彼の頭にあった「多数の原爆を使用する計画」とはどのようなものだったのだろうか。

当時アメリカは、「マーク4」と呼ばれる新しい実戦型プルトニウム原爆を300発近く完成させており、「マーク3」までの旧式な原爆の在庫と合わせると420発近くを所有していた。そのうち実戦で使用可能なものは、「マーク3」と「マーク4」を合わせて350発程度だった。「マーク3」までは一つひとつ手作りで製造されており、運用も非常に面倒だったが、「マーク4」になって量産が可能になり、運用も簡素化された。「マーク3」は長崎に投下された「ファットマン」と同型だ。

一方、ソ連は1949年夏に原爆実験に成功したものの、朝鮮戦争の時点で完成していたのは推定わずか25発で、しかもソ連は爆撃機から投下して爆発させる実験をまだ行っていなかった。つまり当時のソ連の原爆はまだ実戦で使えるレベルではなく、実質的にアメリカの核独占状態が続いていたと言ってよい。マッカーサーが1950年12月に原爆を使うターゲットのリストを提出したのは、アメリカが多数の原爆を使ってもソ連は対抗できないという背景があったからと思われる。

1954年1月に行われた「ニューヨークタイムズ」のインタビューで、マッカーサーは次のように発言している（このインタビュー記事が掲載されたのは、マッカーサー死去後の1964年4月9日だった）。

朝鮮での戦争は、私が闘いを遂行することを剝奪された戦争だった。（もし私の思うようにやらせてもらえていたら）私はあの戦争を10日くらいで終わらせることができたのだ。……まず（北に進出している）海兵隊を南に移動させ、その後ろに、満州の付け根の部分に沿ってコバルト60を使った原爆を30発から50発落とす。その目的は、半島を日本海から黄海まで横切る、放射能に汚染された広い帯状の地帯を作ることだ。（もしくは）車やトラックや飛行機を使って放射性物質をばらまいてもよい。コバルト60の放射能は60年から120年は消えないから、そうなれば少なくとも60年は北（中国やソ連）から朝鮮への侵入はない。これこそ切り札だっただろう。

マッカーサーは最大で50発もの原爆を使用する裁量権を要求していたが、これが彼の考えだったのだ。当時はまだアメリカでも政治家や軍高官の多くが核分裂や放射能のことをほとんどよく理解しておらず、マッカーサーも原爆とは巨大な威力のダイナマイトのようなものといった程度の認識しかなかったと言われている。

もっとも、1880年生まれのマッカーサーがそのように思っていたとしても、無理もないことだったかもしれない。あのアイゼンハワーですら、大統領に就任した後の1950年代半ばに「原爆の平和利用」なるものを提唱しているのだ。山を崩して道路を作ったり、陸を切り開いて運河を作ったりするのに、ダイナマイトのかわりに原爆を使って爆破すればよいというアイデアだった。知らないとは恐ろしいことだ。

米軍は、中国の台湾攻撃に備えて原爆を準備していた

北朝鮮軍が緒戦で米韓軍を朝鮮半島の南端まで追い詰めた1950年7月末、統合参謀本部は原爆搭載型B－29を10機と、それらに搭載する「マーク4」型原爆をグアム島のアンダーセン空軍基地に移動することを決定した。だがそれは朝鮮半島での使用を想定してのことではなく、北朝鮮軍の大攻勢に呼応して**中国が台湾を攻撃する可能性に備えたもの**だった。そのころのアメリカ政府内には米軍を朝鮮半島から撤退させる考えを口にする人もいたほどで、この決定は朝鮮半島を捨てて台湾を死守する選択肢が検討されていたことを意味する。

その3週間後、トルーマンの承認を得て、原爆搭載型B－29の飛行隊がグアムに到着した。カリフォルニアの基地を離陸した際に1機が墜落したため、到着したのは9機だった。そのため、後にグアムに送られた原爆は9発だった。まもなく、さらに10機の原爆搭載型B－29が追加されてグアムに移動した。

このホワイトハウスの決定には重要な意味があった。原爆は政治的に微妙な兵器であることから、アメリカ政府は第二次世界大戦終了後に原爆を米軍の管理から外し、原子力委員会の管理下に置いていたが、この決定により再び米軍の手に直接ゆだねられることになったのだ。だが統合参謀本部と原子力委員会はマッカーサーが不用意に原爆を使ってしまう事態を警戒し、原爆をマッカーサーの指揮権が及ばない戦略空軍（戦略爆撃機を運用する米空軍の一部門）の管理下に置いた。

トルーマン政権はさらにもう一つの安全策を講じている。原爆のグアムへの移動を承認するにあたり、核爆発を起爆する〝ピット〟と呼ばれる部分（原爆の中心部にある核物質）を外したままにしておくよう指示したのだ。実際に原爆を使用するには、この〝ピット〟を装着しなければならない。

翌1951年4月はじめ、グアムに移動した原爆は分解して沖縄の嘉手納空軍基地に運び込まれたのちに組み立てられ、あとは〝ピット〟を取り付けるだけの状態になった。3月14日に空軍参謀長のヴァンデンバーグ大将が「すべて準備完了のようだ」と書いているのは、そのころピットが到着したか、または送る用意が整ったことを指していたと考えられる。米軍は嘉手納に原爆搭載型B－29を配置したことで、中国本土と北朝鮮のどちらでも原爆攻撃ができる態勢を整えた。

そして4月5日、極東のソ連軍が増強していることに警戒感を高めた統合参謀本部は、「中国から（さらに増援の）大軍が侵入してきたら、（注9）または満州の基地から（ソ連の）爆撃機が発進するようであれば、ただちに中国軍と満州の基地に対して原爆の使用を許可する」との指令書を作成した。ただし、この指令書は作成されただけで、現場への通達は行われなかった。

その少し後、トルーマンは沖縄で組み立てられた９発の原爆へのピットの装着を許可し、東京の横田基地に戦略空軍の指揮管制センターが設置された。このトルーマンの発令は、マッカーサー解任の数日前のことだった。マッカーサーを解任して戦争が中国に拡大するのを回避する態勢を取りつつも、最悪の事態には備えていたということになる。当時はまだ日本が主権を回復する前の時代であり、沖縄に原爆が持ち込まれることになんら法的な問題はなかった。

それから２ヵ月後の同年６月、米朝停戦交渉が始まるのを受けて原爆のスタンバイは中止され、複数の資料によれば原爆搭載型Ｂ－29はすべて帰国したとされている。

ところがその４ヵ月後、米朝交渉が行われている最中の同年10月に、米空軍は模擬核または通常爆弾を搭載したＢ－29を沖縄の嘉手納基地から発進させ、北朝鮮のターゲット上空まで往復飛行する原爆攻撃のリハーサルを行っている。この演習は**ハドソン・ハーバー作戦**と呼ばれ、横田基地の指揮管制センターと嘉手納のＢ－29を結ぶ複雑な原爆攻撃のプロセスをテストすることが目的だったとされている。

米軍はなぜ唐突にこのような演習を行ったのだろう。米朝交渉が行き詰まり、北朝鮮や中国に譲歩するよう圧力をかけるためだったのか、それともソ連が満州や遼東半島の基地に爆撃機の配備を始めたという説が事実だったのだろうか。

その真相が明らかになることはないだろうが、ここで一つの疑問がわく。米軍は停戦交渉開始に合わせて原爆搭載型B－29を帰国させたはずではなかったのか、ということだ。もしそうであるなら、この演習に使ったのは通常型のB－29であり、「原爆攻撃のリハーサル」というのはブラフだったことになる。その可能性もあることを示す例として、アメリカは第2章で述べたベルリン封鎖の時に、原爆搭載型B－29の飛行隊をヨーロッパに派遣しているが原爆は持ち込んでおらず、それはブラフだったということがあった。

もう一つの可能性は、この演習はブラフではなく、原爆も原爆搭載型B－29も嘉手納に置かれたままだったということだ。

米朝交渉は始まったものの、決裂する可能性は常にあり、もし決裂すれば中国軍の大攻勢が再び始まる可能性も否定できなかった。停戦交渉というのはたんに戦闘をやめるための話し合いではなく、自分たちに有利な条件で停戦するために行うものだ。停戦が最終的に合意されるまでは、アメリカが原爆の無言の圧力を加えるのをやめなかった可能性は十分あり得る。

ここで重要になるのは、「ハドソン・ハーバー作戦」で使われたB－29が搭載していたのが演習用の模擬核だったのか、それとも通常の爆弾だったのか、という点だ。模擬核というのは形状も重量も本物の原爆と同じに作られており、たとえ模擬核であっても通常型のB－29に搭載することはできないからだ。本章の（注8）で示したように、原爆搭載型B－29はその目的のために爆弾倉と投下システムが改造されており、同じ機体に通常爆弾か原爆かのどちらかを選んで搭載することはできない。

したがって、もし模擬核を使ってリハーサルをしたのなら、原爆搭載型B－29を使ったということであり、沖縄に原爆搭載型B－29がとどまっていたことになる。もし通常型のB－29を使ったのなら、積んでいたのは通常爆弾だ。だが通常爆弾を積んだ通常型のB－29で「複雑な原爆攻撃のプロセスのテスト」ができるだろうか。そう考えれば、この演習に使われたのは原爆搭載型B－29であり、それらのB－29は嘉手納を去っていなかった可能性が高いことになる。

すでに述べたように、朝鮮戦争の時点でアメリカは核を独占した状態にあったが、その使い方についてはまだ研究が進んでいなかった。そこで、**核の最もよい使い方は「あるのかないのかを曖昧にしておくこと」だ**という考えが有力になった。その頃、あるアメリカの軍事専門家は、「実際に使ってしまったら、核の政治的な効果は半減してしまう。それよりも、あるのかないのかをわからなくしておいたほうが抑止力として効果がある」と述べている。

後に核が外交交渉を有利に進めるためのカードとして使われる時代がくるが、この軍事専門家の発言から推測すれば、その考えはこの米朝交渉の時に始まっていたといえる。皮肉なことに、今では北朝鮮が日本に対して核カードを使っている。北の核がどの程度のものなのか、実戦に使えるものなのか、そうではないのか、弾道ミサイルに搭載できるのかできないのか、といったことははっきりしていない（おそらく実戦で使えるレベルのものではないだろう）。曖昧だからこそ有効なカードになるのだ。

なぜ原爆は使用されなかったのか

アメリカが原爆を準備した目的は、まず第一に、台湾に対する中国の動きを牽制するためであり、第二に北朝鮮を停戦交渉に応じさせるためだった。状況次第では実際に使うことも視野に入れていたとしても、それは第一の目的ではなく、トルーマンも使用には消極的だった。

さらに、イギリス政府が原爆を使用しないようにとアメリカ政府に圧力をかけていた。それはロンドンの国際金融資本が反対していたということでもある。イギリスのアトリー首相はわざわざ念を押すために1950年12月にワシントンを訪問し、第二次世界大戦末期に米英で結ばれた原子力協定にある「アメリカが原爆を使用するには、イギリス政府の承認を必要とする」という条項を持ち出している。

政治判断だけでなく、現実的な理由もあった。当時はアメリカでも原爆が生産され始めたばかりで、戦術核はまだ登場しておらず、アメリカの原爆はすべてB－29に搭載する戦略核だった。戦略核とは、人口の多い主要都市や、大きな軍事基地、空港、港、発電所、ダム、工業地帯など、国家の基盤となるインフラを一挙に破壊するためのものだ。朝鮮のように山が入り組んだ土地で行われている限定的な戦争で、戦術的な目的のために戦略核を使った場合にどれほど効果があるかは未知数だった。

戦略的なターゲットについても、満州や北朝鮮のインフラは密集していなかったうえ、戦前に日本が建設した古いものばかりだったため、とくに核を使わなければならないということもなかったのだ。アメリカはすでに通常爆弾で十分すぎるほど爆撃をしており、重要な場所はほぼ破壊し尽くしていた。

さらに、アメリカにとって最優先事項は、ヨーロッパでソ連との戦争が起きた場合に備えることだった。そのため米軍は朝鮮で戦争をしている間もヨーロッパに多くの兵力を駐留させており、ソ連との戦争に備えて原爆を温存しておく必要があった。

また朝鮮戦争は核兵器の使用という〝タブー〟についての良いテストケースになったとも言われている。マッカーサーは中国を原爆攻撃せよと主張したが、核を持っていなかった当時の北朝鮮や中国に対してひとたび核を使ってしまえば、将来、核を使うことへのハードルが低くなってしまうと考えられた。その点をとくに主張したのがイギリスとフランスだった。

こういったさまざまな理由から、アメリカは原爆を使わなかった。そのかわりアメリカは通常爆弾やナパーム（焼夷弾）による絨毯爆撃を行った。絨毯爆撃ができるなら核を使う必要はないのだ。

アメリカが行った絨毯爆撃により、北朝鮮のおもな街は面積の50パーセントから100パーセントが破壊された。平壌も75パーセントが破壊されている。北朝鮮爆撃にアメリカが使った爆弾の量は、太平洋戦争で使われた爆弾の総量を上回る63万5000トン（うちナパームが3万2557トン）に及ぶ。爆弾メーカーにとっては、絨毯爆撃で何万トンもの爆弾を使ってくれたほうが利益は大きい。この戦争で発生した北朝鮮民間人の大量の死傷者は、絨毯爆撃の犠牲者なのだ。

最も語られることのなかった戦争

朝鮮戦争は南北朝鮮の兵士や中国義勇軍に合計100万人以上（正確な数は不明）の犠牲者を出したが、米軍もまた大きな損害を被った。アメリカ国防総省が公表している数字によれば、朝鮮戦争における米軍の戦死は3万3686人、戦闘以外の原因による戦場での死が2830人で、戦場での死者は合計3万6516人となっている（この数字は最近修正されて3万6574人とされている）。

だがそれ以外にも「戦場以外での死」（負傷して病院に収容されたのちに死亡したケースなどが考えられる）が1万7672人もあり、それを加えれば米軍の死者の数は5万4188人（修正後の数字を使えば5万4246人）になる。負傷者は数十万人に及ぶだろうし、そのほかに数万人の行方不明者や数千人の捕虜がいる。最大の被害者は南北朝鮮の人々だ。少なくとも200万人以上が亡くなったと言われている。

それにもかかわらず、朝鮮戦争は、アメリカ政府はもちろん、帰還兵も国民も、その実態を語ることがほとんどなかった戦争だった。戦争終了後にハリウッドが大作映画を次々に製作し、ロカビリーなどのポップミュージックが大流行したのは、この戦争を国民に早く忘れてもらいたかったアメリカ政府にとってはありがたかったに違いない。朝鮮戦争が〝忘れられた戦争〟と呼ばれるゆえんである。帰還兵が戦争の実態について大声で語るようになるのは、後のベトナム戦争の時代になってからのことだ。

（注１）李承晩はアメリカ滞在中に日本人だと自称していたことが知られているが、彼が戦前アメリカに渡った頃の朝鮮は日本の統治下にあったため、李承晩は日本のパスポートを持っていたのではないだろうか。だが日本は１９４５年夏の敗戦で主権を失ったため、戦前の日本のパスポートは無効になったはずで、李はアメリカ政府にパスポートを発行してもらう必要があったと考えられる。

（注２）韓国軍はその前から何度も38度線の北側に侵入して占領するなどしていたが、そのたびに北朝鮮側に撃退されていた。そういうこともあって、「最初に発砲したのは韓国側だった」と書いている歴史家もいるが、北朝鮮軍の侵攻は十分に計画されて実行されたものであり、韓国側の発砲が開戦の原因でないことは明らかだ。

（注３）この時の中国義勇軍の規模については、ソースにより18万人、26万人、20万人から30万人と大きな開きがある。中国義勇軍は１９５０年10月から１９５１年春にかけてのおよそ半年間に、５回にわたり総計１００万人以上が北朝鮮に入ったと言われている。

（注４）絨毯爆撃とは、特定のターゲットを狙って爆弾を落とすのではなく、一定のエリアに大量の爆弾やナパーム（焼夷弾）をまとめて落とし、そのエリア全体を破壊することを言う。この時の爆撃を指揮したのは、第二次世界大戦で東京大空襲やドイツのドレスデン爆撃を行ったカーティス・ルメイだ。だがそのころになるとソ連が最新鋭迎撃戦闘機の派遣を開始し、アメリカのＢ－29も多数が撃墜されている。アメリカの記録によれば、撃墜されたＢ－29は57機に及び、事故その他を含めて78機のＢ－29が朝鮮で失われた。ソ連の戦闘機は満州の基地から発進していたので、アメリカは基地をたたくことができなかった。

（注５）あるソースによれば、米軍は開戦から仁川の再上陸までの2ヵ月半に、戦死４５９９人、負傷１万２０５８人、行方不明２１０７人、捕虜４０１人の大被害を出したとある。

（注６）上海にある華東師範大学の「冷戦国際歴史研究所」が２０１０年に発表したズイフア・シェンとい

う研究者の論文によれば、スターリンは朝鮮での戦争が米ソの直接武力対決に発展することを心配しており、中国軍が鴨緑江を渡って北朝鮮に入り米軍部隊を攻撃したのを確認するまで、空軍の戦闘機による直接支援を承認しなかったとある。米ソとも内心では同じことを心配していたのだ。

（注7）中間選挙：アメリカでは大統領選挙から次の大統領選挙までのちょうど中間である2年後に総選挙が行われ、大統領の仕事ぶりを国民がどう評価するかが示されることになっている。

（注8）原爆搭載型B－29：当時の原爆は巨大だったので、爆弾倉を改造し専用の投下システムを備えたB－29が必要だった。改造したB－29に原爆を搭載するには、まず爆弾倉の扉を開いた状態の機体をウィンチでつり上げ、台車に載せた原爆をその下に差し入れてから、つり上げたB－29を徐々に降ろして爆弾倉に収納した。

（注9）その少し後、中国は「第五次戦役」として新たに70万人の大軍を送り込んでいる。

（おもな出典・参考文献）

◆"The Korean War: A History" by Bruce Cumings, Random House, 2010.
◆"The Korean War" by Max Hastings, Simon & Schuster, 1988.
◆Soviet Aims in Korea and The Origins of The Korean War, 1945-1950: New Evidence From Russian Archives, by Kathryn Weathersby, Florida State University, Woodrow Wilson International Center for Scholars, Cold War International History Project, 1993.
◆"The Korean War: The Outbreak, 27 June-15 September 1950" by William J. Webb, U.S. Army Center of Military History.
◆"American Military History Volume II, The United States Army in A Global Era, 1917-2008, Richard W. Stewart (General Editor), Chapter 8 "The Korean War, 1950-1953", 2010
◆The Korean War: An Overview, by Michael Hickey, BBC History.
◆"Why Did Truman Really Fire MacArthur?" ... The Obscure History of Nuclear Weapons and the Korean

War Provides the Answer, by Bruce Cumings, The George Washington University Columbian College of Arts and Sciences, History News Network.

◆"How the Korean War Almost Went Nuclear" by Carl A. Posey, *Air & Space Magazine,* July 2015.

◆Charles Willoughby Papers, box 8, interviews by Bob Considine and Jim Lucas in 1954, published in the New York Times, 9 April 1964.

◆"U.S. Planned to A-Bomb N. Korea in 1950 War" Nuclear Weapons And Aircraft Waited For Orders, by Wayland Mayo, B-29s Over Korea.

◆"What If the United States had Used the Bomb in Korea?" by Robert Farley, *The Diplomat,* January 05, 2016.

◆"From Hiroshima to Glasnost: At the Center of Decision" by Paul Nitze, Grove/Atlantic, 1989.

第5章　米ソ核戦争が語られた時代

アイゼンハワー、フルシチョフをそれぞれ新たな指導者とした米ソ両国は際限のない軍拡・核兵器競争を繰り広げていく。ソ連の戦略核攻撃力の低さをアメリカは知っていたが、ソ連の脅威を前面に押し出し、ひたすら兵器の増産をはかる。そしてその結果、アメリカに巨大な〝軍産複合体〟という怪物が誕生する。

米朝停戦交渉が始まってから1年半余りが過ぎた1953年1月、アメリカではトルーマンが退任して**アイゼンハワー**政権が誕生した。この1年半の間に、米軍は韓国軍の装備と訓練の強化を進め、朝鮮半島の現場を韓国軍に肩代わりさせて主力部隊を引き揚げる準備を始めていた。

アメリカは朝鮮での膠着状態をいつまでも続けているわけにはいかなかった。アイゼンハワーにはやらねばならないことがたくさんあったのだ。その第一は全世界的な冷戦戦略の再構築であり、次はそれと並行して行う海外利権の拡大だった。

一方ソ連も、その年の春のスターリンの死去による政局の混乱があり、やはりいつまでも極東の僻地(へきち)にかかわっているわけにはいかなくなった。ソ連にとって、朝鮮半島はアメリカに対する緩衝地帯になっていればそれでよい。実権を握りつつあった**フルシチョフ**は、スターリンとは異なる新しいスタイルの共産主義国家の建設を模索していた。

傀儡政権を使って諸外国を支配したアメリカ

アイゼンハワーの考えでは、戦争はコストがかかりすぎて国の繁栄に寄与せず、また**マッカーシーの赤狩り**(注１)のようなことをやっていても国内が息苦しくなるだけで、海外における共産主義のドミノを止める効果はないということだった。

アイゼンハワーの戦略とは以下のようなものだった。まずソ連の軍事的な脅威に対しては、大量の戦略核による報復攻撃能力を持つことにより、アメリカ本土への先制攻撃を行わせないようにする。そしてそのために大規模な戦略核、弾道ミサイル、戦略爆撃機の開発・生産を進め、同時に情報機関の機能を強化し、海外に派兵するのではなくＣＩＡの秘密活動によって共産主義のドミノを阻止する。アイゼンハワーは、この方法のほうが大規模な常備軍を維持するよりも安上がりであり、国防予算を減らすことができると考えた。

さらに、アイゼンハワー政権はアメリカ企業の海外での権益拡大をバックアップし、経済力でソ連を封じ込める戦略を推進した。この政策にはアメリカの大企業が関係していた。彼らの目的はもちろん金儲けだ。

まもなくアメリカは熱核爆弾（水爆）の小型軽量化に成功し、核戦力の大増強を開始する。そして**アイゼンハワーが退任するまでの８年間に、米軍は一万数千発もの核弾頭や核爆弾を保有するまでになった**(注２)のだ。

だが、当時はまだ放射能の危険性が正しく認識されていなかったため、アイゼンハワー在任中の8年間に行われた核爆発実験はすべて地表、空中、水中など、大気圏内の実験だった。この8年間にアメリカは162回、ソ連は83回、イギリスが20～30回、フランスが4回の大気圏内核実験を行っている。すべての核実験を地下で行うよう義務づける協定が米英ソの間で結ばれたのは1963年のことだ（フランスは協定への参加を拒否した）。1945年からそれまでの18年間にこれらの4ヵ国が行った大気圏内の核実験を合計すれば500回以上に及び、大量の放射性物質が大気中に飛び散り世界中に降り注いだ。

世界初の原子力潜水艦が完成したのもアイゼンハワー政権時代の1954年だった。またアイゼンハワーは〝核の平和利用〟を唱えた。原子力発電所が作られるようになったのもこの時代だ。ただし原発の完成はソ連のほうが先だった。

経済面でも、**アメリカが自国を豊かにする方法はけっして平和的なものではなかった。**ルーズベルトは戦前のヨーロッパ列強の帝国主義による植民地支配を批判していたが、アイゼンハワー政権が進めた海外権益の拡大も実質的には植民地支配と似たようなものだった。アメリカは途上国に傀儡の独裁政権を作って支配させ、現地の独裁者とアメリカ企業を通じて支配と収奪を行った。傀儡の独裁政権はそれらの国の共産化を防ぐうえでも機能した。障害となる政権はＣＩＡがクーデターを起こして転覆させた。この政策を押し進めたのが、**ジョン・フォスター・ダレス**国務長官と**アレン・ダレス**ＣＩＡ長官の〝ダレス兄弟〟だ。

ダレス兄弟の計画に基づき、アイゼンハワー政権は1953年にイラン、1954年には南米のグアテマラでクーデターを起こして政権を転覆した。また1955年には南ベトナムで独裁者ゴ・ディン・ジェムに政権を作らせ、インドネシアでは１９５７年から民族主義者の**スカルノ**大統領の力を弱める秘密作戦を、キューバでは１９６０年に**カストロ政権**を転覆させる秘密作戦を開始した。また同年にはアフリカ・コンゴ（現在のコンゴ民主共和国）の社会主義者ルムンバ首相を殺害する計画をスタートさせたが、ルムンバは翌１９６１年、ＣＩＡが実行する前に旧宗主国ベルギーの情報機関が操る反対勢力に殺されたため、アメリカは直接手を下さなかった。

一方のソ連は守りを固めることにエネルギーを注ぎ、東欧圏の結束を固めることを優先した。１９５５年にソ連を中心とする**ワルシャワ条約機構**が設立されたのは、よく言われるようにアメリカが軍事同盟**NATO**（北大西洋条約機構）を作ったので対抗して軍事同盟を作ったというよりは、スターリン死去により、東欧のタガがゆるむことを警戒したソ連が東欧諸国への引き締めを強化するためだった。そのことは、ＮＡＴＯ結成からワルシャワ条約機構が作られるまでに6年もたっていたことを見ればわかる。ポーランドやハンガリーでソ連に対する反乱が起きたのは、ソ連が東欧諸国を力で押さえつけている状況をよく示していた。

またソ連は、中東のイラクで１９５８年に流血のクーデターを起こして共産政権を誕生させたものの、アメリカのように世界各地の途上国に積極的に介入していく意思はなかった。だがソ連に支援を求めていたコンゴのルムンバが殺害された事件がきっかけとなり、ソ連はアフリカや中南米でも社会主義運動への支援を強化する必要にせまられた。アメリカより経済規模がずっと小さいソ連にとって、途上国への支援は大きな負担となっていく。

ＩＣＢＭの開発競争が始まる

朝鮮戦争の頃までは、原爆も普通の爆弾と同じように爆撃機から投下する方法しかなかったが、１９５０年代半ばになると弾道ミサイルが登場し、それに核弾頭を積む研究が進んだ。弾道ミサイルは次第に射程の長いものが作られるようになり、１９５０年代末までに、米ソ両国は自国領土内から発射して相手国に直接撃ち込むことができる大型ロケットを完成させた。これに核弾頭を搭載したものが**ＩＣＢＭ**（大陸間弾道ミサイル）だ。

ＩＣＢＭは打ち上げられると宇宙空間まで上昇し、そのまま弾道を描いて飛翔、大気圏に再突入し、ターゲットに向かって落下する。大気圏に再突入する時の速度は音速の20倍にもなるため、撃墜するのは不可能であり、核弾頭を搭載したＩＣＢＭは究極の兵器と考えられた。

だが実際に使用できるＩＣＢＭを作るには、射程の長さや搭載力だけでなく、正確に姿勢や飛翔コースを制御できる大型ロケットが必要になる。そこで、米ソのどちらが先にそのようなロケットを完成させるかに世界の関心が向けられるようになった。

そのようなロケット技術の完成を示す最も明らかな方法は、人工衛星を打ち上げることだった。人工衛星を打ち上げるのもＩＣＢＭを発射するのも、基本的には同じ技術だからだ。

そうしたことから、米ソのどちらが先に人工衛星を打ち上げるかに世界の注目が集まっていたさなかの１９５７年10月４日、ソ連が人工衛星スプートニク１号の打ち上げに成功したというニュースが世界を駆け巡り、この競争はソ連に軍配が上がった。

当時のアメリカでは、宇宙開発は軍事から切り離して純粋な科学的研究に限るべきだという考えが強く、人工衛星打ち上げ計画でもアイゼンハワーは軍用ロケットを使わない方針を決めていた。それはかつて南極探検が始まったころ、南極は平和的な研究の場にすべきであるとして、領土の主張や軍事基地の建設を禁止したのと同じ考えだ。２度の世界大戦への反省から、１９５０年代には宇宙開発においても理想主義的な考えが影響を与える余地がまだあったのである。

アメリカはその方針に従い、海軍の気象観測ロケットを使って人工衛星を打ち上げる計画だったが、海軍はまだロケットの技術が未熟だったため開発が遅れていた。一方のソ連はそのようなことにこだわらず、軍の弾道ミサイルを改造したロケットを使った。そのソ連の弾道ミサイルは、戦時中にドイツが開発したロケットの技術がベースになっていた。

アメリカも、弾道ミサイルを製造する技術をドイツから入手したという点では同じだった。したがって、アメリカも弾道ミサイルを改造したロケットを使っていれば、もっと早く人工衛星を打ち上げることはできたはずなのだ。

第二次世界大戦終了後、米ソはともに、ドイツが戦時中に行っていた多くの軍事研究を持ち帰り、技術者を連行した。多くのドイツ人兵器技術者はソ連軍を恐れて南西に逃げ、進んで米軍に投降した。だが彼らはみな肩書上はナチ党員だったため、アメリカ政府は彼らを合法的に入国させることができなかった。そこで米軍が〝**ペーパークリップ作戦**〟と呼ばれる秘密作戦を行い、１５００人ものドイツ人技術者や情報機関幹部を移住させた。

そのなかの一人に、戦争末期にドイツがロンドン攻撃などに使ったＶ－２と呼ばれる弾道ロケットを開発した**フォン・ブラウン**がいた。米軍は数基のＶ－２ロケットを持ち帰り、フォン・ブラウンとそのチームを連行してアメリカに移住させた。ソ連も未完成のものを含む１００基分ものＶ－２を接収し、やはりフォン・ブラウンの部下だった多くの技術者を連れ去った。

アメリカで暮らすことになったフォン・ブラウンは市民権を与えられ、陸軍のためにＶ－２を発展させたレッドストーン中距離弾道ミサイルや、その改良型のジュピターを製作した。第６章で述べるキューバ危機の時にアメリカがトルコに配備していたミサイルがこのジュピターであり、１９６１年にアメリカがはじめて有人弾道飛行を行った時に使われたロケットがレッドストーンだ。これらの中距離弾道ミサイルは、本格的なＩＣＢＭが完成する前の数年間に作られた。

アメリカでは空軍も弾道ミサイルの開発を行っており、空軍の中距離弾道ミサイル「ソー」の開発を主導した２人も、ドイツから移住した元Ｖ－２ロケットの技術者だった。このように、陸軍と空軍が別個に弾道ミサイルの開発を行って成果を競い合っていたため、予算も労力も重複して無駄が多かった。そこで１９５６年に国防長官が英断を下し、飛翔距離が２００マイル（約３２０キロ）以上のものは空軍に一本化され、陸軍はそれ以下のものを扱うことになった。

ソ連も移住させたドイツ人技術者に協力させて、Ｖ－２をもとに大型の弾道ミサイルを開発した。世界初のＩＣＢＭであるソ連のＲ－７は、１９５７年に６０００キロの飛翔に成功している。ソ連ではドイツ人に協力させる前からすでにロケット技術がアメリカより進んでいたので開発のペースが速かったのだ。世界初の人工衛星スプートニク1号を打ち上げたロケットはこのR－7を改造したものであり、１９６1年にガガーリンが乗った世界初の有人衛星ボストーク1号を打ち上げたロケットはそれを発展させたものだった。現在も国際宇宙ステーションに飛行士を運んでいるソユーズはそれをさらに発展させたものだ。

一方、フォン・ブラウンは、１９５８年にＮＡＳＡ（アメリカ航空宇宙局）が設立されたため、2年後に軍を辞めてその宇宙センターの所長に就任した。彼は子供の頃から宇宙ロケットの開発が夢で、本当は兵器には興味がなかったのだ。その後、月に人間を送るアポロ計画が始まると、彼はアポロ宇宙船を打ち上げるサターン・ロケットの開発を主導した。

フォン・ブラウンは、ソ連がスプートニク1号を打ち上げるよりずっと前から、彼が開発したレッドストーン中距離弾道ミサイルを使えば人工衛星を打ち上げることができると主張していた。だが陸軍と海軍の間に縄張り争いがあったため彼には機会を与えられなかったとされている。アイゼンハワーをはじめアメリカ政府の上層部に、「ドイツ人で元ナチ党員のフォン・ブラウンに頼むのはアメリカの沽券にかかわる」という意識があったとしても不思議はないかもしれない。

だがソ連はスプートニク1号打ち上げ成功のわずか1ヵ月後に、さらに大型のスプートニク2号の打ち上げにも成功し、フルシチョフ第一書記は鼻高々だったが、アメリカは海軍の気象観測ロケットに固執して失敗をくり返していた。

１９５７年12月、アイゼンハワー政権はアメリカ初の人工衛星の打ち上げを全米の家庭に見せるため、鳴り物入りでテレビの生中継を行った。だが全国の国民が見守るなかで、ロケットは発射台を離れたとたんに大爆発を起こして打ち上げは失敗に終わり、アイゼンハワーはマスコミから「こんなにすごい打ち上げ花火は見たことがない」とからかわれて大恥をかいた。

やむなくアメリカ政府はフォン・ブラウンに打ち上げを依頼し、それからわずか2ヵ月足らず後の1958年1月末、スプートニク1号の成功に遅れること4ヵ月で、アメリカはようやく最初の人工衛星を打ち上げることができた。打ち上げに使われたロケットは彼のレッドストーン弾道ミサイルをベースにしたものだった。打ち上げを成功させたのがドイツ人の元ナチ党員だったことも、使われたロケットがナチスドイツのV-2を発展させたものだったことも、もちろん国民には知らされなかった。

アメリカはその翌月にも人工衛星を打ち上げたが、衛星の重量は15キログラムにも満たなかった。だがソ連の衛星ははるかに重く、同じ年の5月に打ち上げたスプートニク3号は1・3トンもあった。フォン・ブラウンが打ち上げに使ったロケットは中距離弾道ミサイルを改造したものだったが、ソ連が打ち上げに使ったのはより大きなICBMを改造したものだったため、はるかに強力だったのだ。

アイゼンハワーとフルシチョフの微妙な関係

1958年11月、大型ロケットの製造と宇宙開発競争で一歩先んじたソ連のフルシチョフは、アメリカに対し、「西側は6ヵ月以内に西ベルリンから軍を引き揚げて東ドイツと平和条約を結び、ベルリンを非武装地帯にすべきだ」と要求した。フルシチョフはさらに、「もしアメリカが応じなければ、西ドイツから東ドイツ領内を通って西ベルリンに通じている電話回線を遮断し、東ドイツの電話局経由に切り替える」と宣言した。

米英仏と西ドイツは対策を協議したが結論が出なかったため、フルシチョフは翌年5月の返答期限を撤回し、訪米してアイゼンハワーと会談することになった。ここにも**「土壇場でソ連が一歩譲る」**パターンが表れている。同年9月、アイゼンハワーはフルシチョフをキャンプ・デイビッドの大統領別荘に招待し、2人はリラックスした雰囲気で2日間にわたって話し合った。フルシチョフの「ベルリンを非武装地帯にして平和条約を結ぶべき」という案は正論であり、アイゼンハワーは微笑作戦に切り替えざるを得なかったのだ。

しかもその2年前に、ＣＩＡが秘かに西ベルリンから東ベルリンにあるソ連軍司令部の真下まで地下トンネルを掘り、ソ連軍の電話会話を盗聴していた事実が発覚した事件があって以来、アイゼンハワーは旗色が悪かった。その事件では、地下トンネルを発見したソ連軍が兵士を突入させ、最新式の盗聴装置が奪われたうえトンネルは破壊されている。ソ連は盗聴をはじめから知っていて、偽情報を通信していた可能性も考えられた。

フルシチョフにしてみれば、ソ連の支配下にある東ドイツ内に米英仏が西ベルリンという飛び地を確保したまま居座っていることがそもそも不愉快だった。ソ連政府の見解では、それら西側3国の人間や貨物が東ドイツ領内を通って西ベルリンにアクセスできるのも、東ドイツ領内に敷かれた電話線を使って西ベルリンと通話ができるのも、ソ連の好意によるものだった。「平和条約を結ばないのなら、電話回線を東ドイツ経由に切り替える」という最後通牒には、西側3国に対するソ連政府のいら立ちが表れていた。

フルシチョフはアイゼンハワーにこう言った。

「なぜ平和条約を結ぶことがアメリカにとって〝平和への脅威〟になるのか、理解できない」

これにはアイゼンハワーも言い返すことができなかった。2人は「喫緊の問題は核兵器であり、ベルリンの問題は軍事力でなく交渉で解決すべき」という点で原則合意し、翌年5月にパリでサミット会談を開くことが決まった。

ところがパリ・サミット直前の1960年5月1日に、次項で述べるようにアメリカのU－2偵察機がソ連の領空深く侵入して撃墜されるという事件が発生し、米ソの関係が再び悪化してサミットは中止になってしまった。フルシチョフはそれでもなお会談を望んだが、国内の強硬派から「この期に及んで会談に応じるのは弱腰だ」と突き上げられたのだ。

じつはアイゼンハワーも、はじめはU－2をソ連の領空に侵入させる偵察には許可を与えなかったのだが、好戦的なCIA長官アレン・ダレスに説き伏せられたのだ。興味深いことに、アレン・ダレスの兄であるジョン・フォスター・ダレス国務長官はU－2の使用に反対していた。

アイゼンハワーとフルシチョフは論争もしたが、どことなく波長が合うところがあった。冷酷なスターリンと異なり、フルシチョフには人間味があった。フルシチョフは〝スターリン批判〟を行い、西側との〝雪解け〟を提案して**東西平和共存**を唱えた。共産主義国と資本主義国は「お互いの存在を認めて共存すればよい」との考えだった。アイゼンハワーは譲歩する気など微塵もなかったものの、「米ソの直接衝突を避ける」という原則は持っていた。

だがU－2撃墜事件ののち、フルシチョフはアイゼンハワーに謝罪を要求したが、アイゼンハワーは拒否し、2人の間にかすかに存在していた対話のムードは吹き飛んでしまった。**争いを望む勢力は米ソともに存在したが、のちの歴史が示すように、アメリカのその勢力はソ連のその勢力よりもずっと大きかった。**本書の第6章が示すように、ケネディの時代になると彼らの動きはさらにはっきり見えてくることになる。

U－2偵察機撃墜事件

U－2とは、ソ連領空への侵入を目的として、CIAがロッキード社に開発を依頼した極秘偵察機だ。当時のソ連の迎撃機や対空ミサイルが到達できない高度2万1000メートルの高空を長時間飛行しながら、地上の写真を撮影するという任務をおびていた。その目的のために、U－2の胴体中央部は下向きに搭載された大型の望遠カメラと、数千コマもある長いフィルムが巻かれた巨大なリールで占められていた。当時はまだ偵察衛星がない時代で、写真偵察機は重要な存在だった。

2万1000メートルというのは、現在の国際線の旅客機が飛行する高度のほぼ2倍の高度だ。そのような高高度を長時間飛行できる飛行機はそれまで存在しなかった。U－2の開発を依頼されたロッキード社の秘密軍用機開発部門は、1980年代末になると世界初のステルス戦闘機F－117を開発し、通称〝スカンク・ワークス〟として知られるようになる。

本来なら、米軍の偵察機の名称には頭に〝R〟がつくが、U－2の〝U〟という分類記号は汎用機を意味している。それはこの飛行機がNASAの前身であるNACAという組織が使う気象観測機という偽装のもとに開発されたためだ。U－2の運用は空軍が行っていたが、所属はCIAで、登録上は軍用機ですらなかった。

U－2は1956年7月から1960年5月1日までの3年9ヵ月間に、30回にわたってソ連領空奥深くまで侵入して偵察飛行を行っている（これはアメリカの資料によるもので、ソ連の資料では24回となっている）。フルシチョフはキャンプ・デイビッドでアイゼンハワーと会談した時に、U－2がくり返し領空侵犯を行っている事実を知っていながら話題にしなかった。ソ連の防空レーダーは機影をとらえていたが、当時のソ連はそのような高高度を飛ぶU－2を撃墜できなかったため、プライドの高いフルシチョフは話題にできなかった。

アメリカはソ連が撃墜できないのを良いことに、U－2による偵察飛行を続けていたが、1960年5月1日、運命の時が訪れる。ゲーリー・パワーズ空軍大尉が操縦するU－2が、ソ連領空で撃墜されたのだ。フルシチョフはソ連の防空部隊が14発の対空ミサイルを発射してU－2を撃墜したと発表し、得意満面でアメリカを非難した。

その日、パワーズはパキスタン北部のペシャワールにある飛行場を離陸し、北上してまずカザフスタンのバイコヌールに当時あったソ連のICBM発射基地を上空から撮影した。予定ではウラル山脈の西側に沿ってさらに北上し、いくつかの核開発施設を撮影したのち、さらに北上してノルウェーにある米軍基地に着陸することになっていた。バイコヌールは、今では国際宇宙ステーションに宇宙飛行士を運ぶソユーズを打ち上げる基地として知られている。

だがフルシチョフは撃墜の発表をした際に、パラシュートで脱出したパワーズが捕らえられた事実を伏せていた。アメリカ側は撃墜されたパワーズは死亡したと思っていたため、アイゼンハワーはフルシチョフの罠にはまり、「同機は気象観測機で、誤ってソ連領空に迷い込んだ」と弁明した。その言い訳を待ち構えていたフルシチョフは、パワーズが生きていてすべてを自白したことを明らかにし、アイゼンハワーの面目は丸つぶれになった。

ＣＩＡも、２万メートルもの高度で撃墜されたパイロットがまさか生還したとは考えていなかった。しかもパワーズは捕虜になった際に、自殺用の毒薬入りピルを飲んでいなかった。ＣＩＡは、パイロットは捕虜になったら拷問されるだろうと考え、自殺用のピルを与えていたが、飲むか飲まないかは本人の判断にまかされていた。

パワーズはソ連で裁判にかけられ、スパイ罪で有罪となり、懲役３年、強制重労働７年の刑を言い渡されたが、２年後に米ソのスパイ交換で帰国している。帰国後、彼はアメリカ議会の上院で証言に立たされ、「墜落するＵ－２から脱出した時に、なぜ自動破壊装置で電子機器やフィルムを破壊しなかったのか」と追及された。

撃墜の謎

この撃墜事件には不可思議な点があった。ソ連が公表した、地上につぶれて横たわるＵ－２の写真を見ると、爆発物で破壊された形跡がないのだ。ソ連はパワーズ機の電子機器を無傷で回収したうえ、同機が撮影した写真を現像して公表している。

フルシチョフは「弾頭のついていないミサイルで直撃した」と述べたが、それは得意のホラだった。公式には、ソ連の対空ミサイルがU－2の後方で爆発し、U－2はその爆風で主翼が胴体から分解して墜落したとされている（ミサイルや砲弾は、直撃しなくてもターゲットの至近距離に到達した時点で爆発する）。だが、当時のソ連の対空ミサイルは高度2万メートルまで到達できなかったはずだ。

U－2は2万メートル以上の高高度を飛ぶため、パイロットは宇宙服のような与圧された特殊な飛行服を着ており、酸素マスクをつけていた。パワーズは「墜落するU－2から脱出する時に酸素マスクのチューブがからまったので、引きちぎって脱出した」と証言している。だが、もしそれが2万メートルもの高度だったら、酸素マスクなしで脱出して生還するのはまず不可能だったに違いない。パワーズのこの証言は、撃墜された時に彼のU－2がもっと低い高度を飛んでいた可能性を示している。

ここで、U－2の秘密について記しておこう。まず左ページの写真が示すように、主翼が極端に細長い形をしている。これがU－2の大きな特徴であり、ここに第一の秘密がある。U－2は普通の飛行機ではなく、モーターグライダー（エンジンを積んだグライダー）だったのだ。

第二の秘密は、U－2は飛行中に停止させたり再点火したりできる特殊なエンジンを積んでいたということだった。このエンジンと細長い主翼との組み合わせにより、U－2は偵察目標の上空に到達するとエンジンを止め、滑空してゆっくり旋回しながら写真を撮影していたのだ。U－2の主翼は薄くて細長く、あまり燃料が入りそうには見えないが、エンジンを

止めて滑空することで長時間の飛行が可能だった。(注3)
ところがその日、最初の目標で写真撮影を終えたパワーズがエンジンを再スタートさせようとしたところ、おそらく点火装置が故障してエンジンがかからなかった。それで彼のU－2は次第に高度を下げていった。もし、公式発表のように対空ミサイルが後方で爆発し、爆風で主翼が胴体から分解して墜落したのなら、それはU－2の高度がかなり下がってからと考えるのが普通だ。2010年に公開されたアメリカ政府の資料に、「パキスタンの北部にあるNSA（アメリカ国家安全保障局。第3章の注4を参照）の長距離レーダーが、高度2万メートル近くを飛んでいたパワーズ機が高度1万メートルくらいまで降下してから機影が消えたのを捉えていた」とある。(注4)

U2偵察機

通常の飛行機は、左右の翼の桁(けた)が胴体内でつながってしっかり固定された構造になっているが、U－2は機体の重量を軽くする必要があったこと、胴体中央部が大型カメラと長いフィルムを巻いた巨大なリールで占められていたことから、両翼の桁はつながっていなかった。そのためU－2は主翼と胴体の結合部が弱く、強い風圧を受けて分解してしまったのだ。

だがはたしてその風圧は、対空ミサイルの爆発によるものだったのだろうか。次に示すのは、その時にパワーズ機を迎撃したソ連の戦闘機のパイロットが１９９０年代後半になって語った話だ。

その元戦闘機パイロットの証言によれば、彼は当時最新鋭の、完成したばかりで機関砲がまだ搭載されていないスホーイＳｕ－９戦闘機で迎撃して体当たりするよう命じられたという。機関砲と砲弾は非常に重いので、それらが搭載されていなければ機体がかなり軽くなり、より高高度まで上昇できる（別の資料では、「その目的のために機関砲を外して軽くしたＳｕ－９を使って」となっている）。体当たりといっても、これは旧日本軍の特攻のようなことではなく、同機の主翼前縁をＵ－２の垂直尾翼などにぶつけて墜落させる方法のことだ。それでも空気の薄い２万メートルの高空でぶつければ、ぶつけたほうも無事では済まないかもしれない。彼は死を覚悟したという。

だがＳｕ－９の上昇限度は１万６０００メートルほどだったので、いくら機関砲を積んでいなくても、通常の方法で２万メートルまで上昇するのは無理だった。そこで彼は数千メートルの高度で水平飛行をしながらアフターバーナー[注5]を吹かして超音速に加速し、ズームアップ[注6]により一気に上昇した。

ところがＳｕ－９のレーダーの調子が悪く、急上昇した彼はパワーズ機を発見できなかった。そこで地上のレーダーの誘導でパワーズ機に接近したところ、パワーズ機の速度が極端に遅かったため、彼は主翼をぶつけるのに失敗し、パワーズ機を追い越してしまった[注7]。するとパワーズ機は彼のＳｕ－９が作り出していた後方乱気流に入って上下に大きく揺れ、主翼が胴体から分離して墜落したというのだ。

U－2がグライダーだったことを示す出来事はいくつかある。一つは1956年にアメリカ国内でテストをしていたU－2が不時着した事故だ。この時はミシシッピー川の上空でエンジンを止めて飛行した後、再点火して西に向かったが、まもなくエンジンが激しく振動して再び止まってしまった。そこでパイロットは地上のスタッフと交信しながら不時着に適した場所を探したが、よいところが見つからず、そのままニューメキシコ州アルバカーキにある空軍基地まで、じつに500キロ近くを無動力のまま飛行して不時着している。

もう一つは、パワーズ機撃墜事件のつい半年ほど前に、東京郊外の埼玉県入間市に当時あったジョンソン基地（後の入間基地）を離陸したU－2のエンジンが故障し、藤沢飛行場に不時着したという事件だ。その出来事は「航空情報」という専門誌がスクープし、現場が米軍により立ち入り禁止になる前に、地上に横たわるU－2の写真を撮影して特集している。その少し前から、日本に配備されているU－2が航空機マニアの間で〝黒い天使〟と呼ばれて話題になっており、またその日の藤沢飛行場ではたまたまグライダーの大会が開かれていたことから望遠レンズつきカメラを持った人が数多くいたのだ。（注8）

アメリカの偵察機は頻繁にソ連や中国の領空に侵入していた

それではU－2がそのころ日本で何をしていたのだろう。ソ連の極東地域、中国北東部、北朝鮮などの領空に侵入して写真偵察をしていた以外、日本駐留の理由は見あたらない。

余談になるが、U－2撃墜事件から10年ほどたった、ベトナム戦争真っ只中の1970年代はじめ、学生だった筆者は本土復帰前の沖縄に2ヵ月ほど滞在していたことがある。その時に地元の人から、マッハ3で飛行する米軍の秘密偵察機SR－71が嘉手納空軍基地に駐留していると聞いた。フェンスの外から基地のなかは見えないので、嘉手納で実物を見たことはないが、時折、夜中に他の軍用機とは違う独特なジェットエンジンの音が聞こえた。〝ブラックバード〟の異名があったSR－71が、夜の闇にまぎれて嘉手納を離陸してどこに行っていたのだろう。

沖縄から飛び立つとすれば、行き先はおそらく中国か北ベトナムだ。アメリカの資料を見ると、SR－71もベトナム戦争に参加した軍用機のリストに入っている。SR－71もロッキードのスカンク・ワークスが開発したものだった。

偵察衛星がまだなかった冷戦前期から中期にかけて、アメリカはU－2やSR－71などといった〝敵が撃墜できない偵察機〟をソ連や中国の領空に頻繁に侵入させ、偵察していたのだ。このことは、今では秘密でもなんでもない。むしろアメリカにとっては技術の高さを示す誇るべきことであり、今ではU－2もSR－71もアメリカの航空博物館などに展示され、任務に関する説明も読むことができる。

〝爆撃機ギャップ〟論と〝ミサイル・ギャップ〟論

U－2の偵察飛行によって判明した興味深い事実の一つに、**ソ連の戦略核攻撃力はCIAが推測しているよりずっと小さい**ということがあった。それまで、ソ連はアメリカを核攻撃できる新型のバイソン戦略爆撃機を１００機ほど実戦配備していると考えられており、アメリカは立ち後れているとされていたのだ。この議論は米ソの爆撃機の戦力に差があるということから〝爆撃機ギャップ〟論と呼ばれ、欠陥機だったＢ－47[注9]やさらに大型の有名なＢ－52戦略爆撃機をアメリカが大量に生産する理由となっていた。

だがＵ－２による偵察の結果、ソ連はバイソンを二十数機程度しか生産していないことが判明した。バイソンはアメリカ本土を爆撃するには航続距離が足りないため、実戦配備されなかったのだ。それは次のような理由によると考えられる。

アメリカの爆撃機がソ連を爆撃する場合は、本土から発進しても、必要ならば爆撃後にイギリスやドイツの米軍基地に着陸できる。だがソ連はそのような基地をアメリカの近くに持っていなかったので、アメリカを爆撃しようとすれば、常にソ連領内から発進し、無着陸往復飛行をしてソ連領内の基地に帰投しなければならない。空中給油をしたとしても、数十機から１００機もの爆撃機に空中給油するなど実戦的ではない。この理由により、ソ連はアメリカ本土を直接攻撃できる爆撃機を持つ計画を早い時期に中止していたのである。ソ連の根本政策は国土防衛にあり、ソ連の爆撃機はすべて、ヨーロッパやアジアで戦争が起きた場合に備えたものだった。

だが、バイソンが実戦配備されていない事実が判明した後も、アメリカが新型爆撃機の開発・生産計画を縮小することはなかった。アメリカはすでにＢ－47戦略爆撃機を各型合わせて２０００機以上も生産していたが、さらにＢ－52戦略爆撃機を７５０機近く生産し、そのうえＩＣＢＭも生産していた。アメリカの戦略爆撃機の生産は、ソ連が戦略爆撃機を所有しているかどうかとは無関係だった。

アメリカは立ち後れているどころか、事実はまったく逆だったのだ。これは、**情報機関が情報を集めて分析し結論を出しても、その結論が政策決定者にとって好ましくなければ、情報が有効に使われることはない**ことのよい例である。

ところがそれからまもなくして、今度は「ソ連はＩＣＢＭの性能でも数でもアメリカを上回っている」との議論がわき起こった。これはミサイル戦力に差があるということから〝ミサイル・ギャップ〟論と呼ばれ、ソ連を射程に収めるＩＣＢＭの開発・生産に力を入れる必要がある理由とされた。

だがこれも事実はまったく逆で、実際にはアメリカのほうがはるかに多くのＩＣＢＭを配備しており、しかも命中精度も上回っていた。この章のはじめのほうで述べたように、ソ連の初期のＩＣＢＭは大型で強力だったが、生産された数は非常に少なかった。ソ連のＩＣＢＭ戦力がアメリカに追いついたのは１９７０年ころになってようやくのことであり、次の第6章で述べる１９６２年のキューバ危機の時点でもソ連のＩＣＢＭははるかに数が少なく、精度も劣っていた。**ソ連の脅威を意図的に誇張することで軍備を増大させるアメリカの手法**は、その後もたびたびくり返されることになる。

〝最終兵器〟と核戦争の恐怖の時代

初期のＩＣＢＭは、ＴＮＴ換算(注10)でメガトン（１００万トン）級の破壊力を持つ核弾頭を搭載していた。その理由は、初期のＩＣＢＭは命中精度が低かったため、目標から離れた場所に着弾しても確実に目標を破壊できるようにするためだった。そこで米ソは大破壊力を持つ熱核爆弾（水爆）を開発した。ＩＣＢＭは撃墜が不可能であるために、核搭載ＩＣＢＭは〝最終兵器〟と呼ばれた。

比較のために例をあげれば、広島に投下された原爆の爆発時の出力エネルギーはＴＮＴ換算でおよそ15キロトン（１万５０００トン）だったが、初期のアメリカのＩＣＢＭに搭載されていた水爆の破壊力はおよそ１・４〜３・７５メガトン（１４０万〜３７５万トン）、最大のもので９メガトン（９００万トン）もあった。最も多かった３・７５メガトンの核弾頭１発の破壊力は、単純計算で広島型原爆２５０発分もの破壊力に相当する。９メガトンなら６００倍だ。

このように巨大な破壊力を持つ兵器を米ソとも所有するようになったことから、両国が戦争をすればともに全滅してしまうことは明らかとなり、そのような全面戦争を避けることが絶対に必要になった。偶発戦争を避けるため、キューバ危機の後、両国の間にホットラインが引かれた。[注11]

相手を全滅させる報復能力を持つことで、敵が攻撃を仕掛けてくる事態を防ぐ。これが、この章のはじめに述べたアイゼンハワーの**「大量報復戦略」**のコンセプトだった。核戦争を防止するために核を禁止するのではなく大量に持つというのだから、一見矛盾する理論だが、人間にはそれ以上の知恵がない。

だがアイゼンハワーの「大量報復戦略」の理論は、「アメリカは先制攻撃をしない」ことが前提になっている。ソ連はそのようなことを信用するほどお人好しではなかった。すでに何度か述べたように、**米英は常にソ連を攻撃することを考えており、ソ連の最優先事項は米英の攻撃から国を守ることだった。**後に、1964年にソ連でフルシチョフが引退し、強硬派のブレジネフ政権が誕生すると、「アメリカと交渉するには、同等の軍事力を持っていなければならない」との考えにより、ソ連も猛烈な勢いで軍備増強を開始することになる。

米ソ（米露）間でICBMが発射された場合、目標にはおよそ30分で到達する。アメリカはアイゼンハワーの時代に、アラスカからカナダ北部を通りグリーンランドに至る長距離防空レーダー網を建設した。もしソ連がICBMを発射したら、上昇中の15分間に長距離レーダーで探知し、落下してくるまでの15分間に大量のICBMを発射して報復攻撃を行うというのだ。そうすれば、ソ連はアメリカを攻撃すれば自分も報復攻撃で全滅するので、先制攻撃ができなくなるという理屈だった。

だがアメリカが極地に建設したレーダー網は、航空機の侵入を探知するには有効だったが、ICBMの攻撃に対して報復攻撃を行うには意味がなかった。なぜなら、そのころのICBMは液体酸素と液体燃料を使う巨大なロケットで、液体酸素は発射直前に燃料タンクに注入しなければならなかったからだ。液体酸素はマイナス183度で気化してしまうため、ロケットの燃料タンクに入れたままにしておくことができない。注入には数時間かかり、報復攻撃に間に合うようにICBMを発射するのは不可能だった。地上の施設でさえ液体酸素の保管は難しく、爆発事故も起きている。

報復核攻撃を可能にする方法は別にあった。米ソとも、ミサイルの命中精度が100パーセントではない以上、先制攻撃で相手のすべての核を破壊できる保証はない。たとえ90パーセントが破壊されても、生き残った核ミサイルで報復攻撃をすることにより、相手の首都その他の大都市や司令部や基地などを全滅させられればよい。これが、相手を何回も全滅させられるほどの数の核兵器を持つ理由とされた。

しばらくして、液体酸素を使わない貯蔵可能な液体燃料ロケットのＩＣＢＭが開発され、これら第2世代のＩＣＢＭは、敵の先制攻撃で破壊されるのを防ぐため、地下に縦穴式に作られた「サイロ」と呼ばれる発射施設に保管された。だがサイロの地表の開口部は強固な蓋で閉じられているものの、至近距離で敵の核ミサイルが爆発すればやはり破壊をまぬがれない。

また、サイロからミサイルを発射すればロケットの噴射でサイロが破壊されてしまうので、サイロが使えるのは1回だけだ。ＩＣＢＭを発射するのは最終戦争の時だけなので、２回以上使えるようにする必要がないのである。アメリカはソ連のＩＣＢＭの攻撃で北米航空宇宙防衛司令部が破壊されるのを防ぐため、コロラド州の山中に同司令部の巨大な地下指令センターを建設した。だがメガトン級の水爆が直撃すれば、それすら山もろとも跡形もなく蒸発してしまっただろう。この司令センターは今では使われていない。

ソ連はアメリカの先制攻撃でＩＣＢＭが破壊されるのを防ぐため、鉄道で移動する発射台から発射する方法を研究した。アメリカでもその方法は研究されたが実用には至らなかった。

１９６０年代になると、固体燃料を使う弾道ミサイルが登場した。固体燃料ロケットは長期間保管できる上、いつでも発射できるので、兵器としてはるかに実用的だ。これは原子力潜水艦（原潜）と組み合わせて使うことを念頭に開発された。潜水艦から発射するミサイルは、取り扱いの安全性のためにも固体燃料ロケットでなければならない。まもなく、地上配備のＩＣＢＭも固体燃料を使う新しいタイプに入れ替わっていった。これら第3世代の長距離弾道ミサイルは、液体燃料を使った初期のミサイルよりずっと小型で、弾頭も小さくなった。命中精度が向上したために、初期のもののように巨大な破壊力を必要としなくなったのだ。

こうしてアメリカの戦略核戦力は、ＩＣＢＭ（地上のサイロから発射）とＳＬＢＭ（潜水艦に搭載し水中から発射）の2つにＢ－52戦略爆撃機を加えた3つの柱によって成り立つようになった。まもなく対空ミサイルの性能が向上したため、戦略爆撃機によるソ連領土内への爆撃は現実性を失い、Ｂ－52は空中発射型の巡航ミサイル（水平飛行する有翼ミサイル）を搭載するように改造された。

Ｂ－52は１９５０年代末から１９６０年代はじめにかけて生産された古い飛行機だが、今日でも現役として使われている。１９８０年代に生産されたＢ－１超音速爆撃機が遠からず引退する予定であるのに対し、Ｂ－52は今後も30年くらい使われると言われている。もしそうなれば、驚くなかれ、Ｂ－52はデビュー以来なんと１００年間も使われることになる。

一方ソ連は、前述のように戦略爆撃機によるアメリカ本土攻撃は考えていなかったが、ＩＣＢＭとＳＬＢＭによりアメリカの主要都市や基地を破壊しうる能力を向上させた。地上配備のＩＣＢＭは相手の攻撃にさらされやすいが、原潜は長期間潜行したまま移動できるので位置を知られにくく、核戦争で生き残る確率がずっと高い。そのため原潜と核搭載ＳＬＢＭを組み合わせたシステムは、米ソともに冷戦時代の究極の兵器となった。

ICBMやSLBMは撃墜できない

今日ではミサイル防衛システムが配備されているが、残念ながら**ICBMやSLBMは撃墜できない。**この点については、昔も今も基本的に変わっていない。短距離弾道ミサイルは落下速度がずっと遅いので、現在のミサイル防衛システムで撃墜できないこともないが、ICBMやSLBMの落下速度に対してミサイル防衛システムは無力なのだ。ペンタゴン（アメリカ国防総省）も、「ミサイル防衛システムの効果は〝限定的〟」と認めている。

しかも今日のICBMやSLBMは多弾頭式で、1基の弾道ミサイルに複数の核弾頭が搭載されており、それぞれの弾頭が異なる目標を攻撃できる。その上それらの弾道ミサイルには追尾を妨害するための囮弾頭まで搭載されている。ミサイル防衛システムは複数の標的を迎撃できることになってはいるが、核戦争ともなれば大量のICBMやSLBMが発射され、降ってくる弾頭の数はその何倍にもなる。たまに行う訓練や実験で標的を1つ破壊するのがやっとのような状態では、とても核戦争で実用にはならないと考えたほうがよい（しかも訓練や実験では、迎撃ミサイルが命中しやすいように、標的のロケットが信号を発信しているのだ）。

戦略核は破壊力が大きすぎるため最終戦争以外には使えないとなれば、戦争をして勝つことが目的の人々にとっては持っていてもあまり意味がないことになる。最終戦争は文字通り一度やったら終わりなので、実際には行うことができない。そこで彼らは最終戦争以外の戦争に使える核兵器を求め、戦場で使用するための、破壊力がより小さい「戦術核」が作られた。

冷戦前期がピークを迎えた１９５０年代半ばから１９６０年代にかけて、米ソともに戦術核を搭載した短距離弾道ミサイル、核搭載の対空ミサイルや戦闘機から発射する空対空核ミサイル、核魚雷、核地雷などが作られて実際に配備されたほか、アメリカでは大砲から撃ち出すことのできる砲弾型の小型原爆や、「デイビー・クロケット」と呼ばれるロケット砲のような形の小型核無反動砲が開発された。特殊なものとしては、分解して4人で運び、敵地にセットすることができる小型核爆弾が１９６０年代後半に作られている。

砲弾型原爆は味方も被曝してしまうリスクが高く、実用にならないと判断されて計画は中止されたが、デイビー・クロケットはネバダ州の砂漠でわずか2回テストしただけで生産に入った。専門家によればデイビー・クロケットは命中精度が低く、危険きわまりない代物だったが、１９７０年ごろまで西ドイツに配備されていたという。

米陸軍はこの兵器の生産への支持を取り付けるため、１９６2年に政治家や政府高官をネバダ州の砂漠に招いて試射を行っている。**ケネディ**大統領も招かれたが、本人は出席せず、弟の**ロバート・ケネディ**司法長官が数十人の招待客に交じって見学した。見学者は爆発時の閃光から目を守るため特別製の分厚いサングラスをかけ、デイビー・クロケットが遠くに着弾してキノコ雲が上がる様子を見守った。彼らはどれくらい被曝しただろうか。

これらの戦術核の破壊力は、核地雷がＴＮＴ換算で1~10キロトン（１０００~1万トン）程度、空対空核ミサイルは２５０トン、デイビー・クロケットは2種類あり、威力は10トンまたは20トンだったという。

アイゼンハワーの〝軍産複合体の脅威〟演説の謎

軍産複合体という言葉がよく使われるようになったのは、ベトナム戦争がピークをむかえた1960年代末から1970年頃からだが、この造語がはじめて登場したのは1961年1月のことだった。アイゼンハワーが任期を終えてホワイトハウスを去るにあたり、全米にテレビ生中継されたスピーチのなかで使ったのだ。この言葉は今ではよく知られているが、アイゼンハワーがどのような文脈で言ったのかについてはあまり知られていない。

その時のアイゼンハワーのスピーチから関連する部分を訳してみよう。

今日のわが国の軍の組織は、私のどの前任者の時代に知られた組織ともほとんど共通点がありません。第二次世界大戦まで、わが国は軍需産業を持っていませんでした。それまで、わが国の鋤（すき）（農具）を作る人たちは、必要とあれば刀を作ることができました（注：民需品を生産する製造業が必要に応じて兵器も作っていたということ）。しかし、非常時になってから国防のために（武器を）即座に作るリスクを負うことはできない時代となり、私たちは恒久的で巨大な兵器産業を創設せざるを得なくなったのです。

加えて、（現在の）わが国の国防体制には350万人の人々が直接関わっています。そして私たちは毎年、すべてのアメリカ企業の純益（の合計）より多くの金額を、軍と安全保障に費やしています。

このような、「巨大な軍」と「巨大な兵器産業」が組み合わされた組織は、わが国がこれまで体験したことがなかったものです。それが及ぼす総合的な影響は、経済、政治、そして精神面においてさえ、わが国のすべての街、すべての州政府、そして連邦政府のすべての省庁で感じることができます。

しかし私たちは、このことが持つ重大な言外の意味を理解しなければなりません。それは、私たちの生活のすべて、私たちの社会の構造のすべてが、それに関わっているということです。**私たちはこの軍産複合体の不正な影響が、政府のさまざまな部局において、意識的にせよ無意識的にせよ定着することのないよう、守りを固めねばなりません。**

誤った権力が壊滅的な台頭をする潜在性が存在しています。その潜在性がなくなることはありません。私たちはこの（巨大な軍と巨大な軍需産業の）組み合わせの重みに、私たちの自由や民主主義を危険に陥らせることがあっては絶対になりません。安心していてよいことはひとつもないのです。

常に注意を怠らない見識ある市民社会のみが、平和的な方法と目標を持つことにより、この巨大な産業と国防軍事マシンが合体したものを打ち負かすことができるのです。安全保障と自由が、ともに手を取り合って繁栄することができるように……。

このようにアイゼンハワーは、「軍産複合体」の脅威を、露骨とも言える表現を使って、しかも生放送で国民に直接話しかけるという方法で警告したのだった。

だが、ここで重要な疑問が生じる。常備軍の予算を削って大量の戦略核をはじめとする新兵器の開発・生産を推進し、軍産を巨大化させたのは、ほかならぬアイゼンハワー自身だったのではないのか、という点だ。この章の冒頭で述べたように、膨大な数の核を生産し、弾道ミサイルや新型爆撃機や戦闘機、原潜、大型空母などの生産を押し進めたのは彼の政権だった。

それなのに、なぜアイゼンハワーは退任のスピーチで国民に向かってこのような発言をしたのだろう。自分自身が軍産を巨大化させるようなことをさんざんしておきながら、辞める時になってこのようなことを言ったのは無責任だと非難する人もいる。

考えられる理由は、彼が大統領を務めた8年間に、この軍産のシステムは生みの親である彼自身でさえコントロールできないほど巨大になってしまったということだ。それで彼はうっぷんをぶちまけたのだろうか、それとも責任を逃れようとしたのか。

この発言の動機がなんだったのかは本人以外には知り得ないことだが、アイゼンハワーは国防予算の縮小には成功した。戦後の歴代アメリカ大統領のなかで、それができたのは共和党のアイゼンハワーただ一人だ。他の大統領はみな国防予算を大幅に増加させている。

ケネディさえ例外ではない。1961年1月にケネディ政権が発足すると、アイゼンハワーの警告もむなしく軍事支出は再び急増していった。

ケネディは選挙運動中に、アイゼンハワーが予算のバランスを取ることばかり強調して冷戦に勝つために行動していないと批判していた。それはもちろん選挙戦でのレトリック（論戦のうえでの言葉のテクニック）だったとしても、前述のミサイル・ギャップ論はケネディが言い始めたものだった。

選挙シーズンになると、アメリカの候補者はソ連に対して強硬な発言をするようになるのが常だった。その背景には、弱腰だと批判されると人気が落ちるという、アメリカ特有の論理があった。それで選挙のたびにアメリカの国防予算は増えていったのだ。

この事情は、**今日のロシアに対するアメリカの政治家の発言においても同じ**である。

（注1）マッカーシーの赤狩り：1950年2月にアメリカのジョセフ・マッカーシー上院議員が、「私は国務省に205人の共産主義者がいて、わが国の政策を決めていることを知っている。国務長官に伝えたが彼は何も行動しない。私はその名前のリストを持っている」と主張したのが大きく報道されたことから、全米に〝共産主義者の浸透〟への恐怖が広がり、パニックになった。だがマッカーシーがそのリストを報道陣に見せたことは一度もなく、名前を知っているとする人の数も205人から57人、4人、87人とコロコロ変わり、主張を裏付ける具体的な証拠も示されなかった。だがこの騒動がきっかけで議会に〝共産主義者の浸透〟を調査する委員会が作られ、民間に自警団が生まれるなど全米が集団ヒステリー現象を起こしたようになり、〝赤〟だと名指しされた多くの著名な学者やハリウッドの映画関係者などが職を失った。この騒動は1954年春まで続き、ようやくマッカーシーは信用が失墜して失脚した。アメリカに共産主義者やそのシンパはたくさんいたが、当時はアメリカでも共産党は合法な政党だったため、右派がこのような方法を採ったというのが真相だ。それらの人の名はヴェノナ計画の暗号解読で明らかになったものを、FBIの悪名高きフーバー長官を通じてマッカーシーに伝えられていたと言われている。この騒動にはアメリカの共和党と民主党の暗闘がからんでいた。

（注2）アメリカは1966年の時点で、戦略核、戦術核を合計3万2040発保有していた。毎年同じペ

ースで生産されたのではないとしても、１９５３年から１９６６年までの13年間で、平均すれば１年に２４００～２５００発を生産したことになる。なお、今日のアメリカが保有する核弾頭の数は５６００ほどと言われている。

（注３）後に偵察衛星から地上を撮影する技術が進歩したため、高高度写真偵察は必要がなくなり、Ｕ－２は電子偵察機に改造されて最近まで使われていた。今では大型のドローンがその役をしている。

（注４）その時パワーズ機を追っていたソ連のＭｉＧ（ミグ）19戦闘機に味方の対空ミサイルが命中してしまい、ミグ19が墜落した事故があったことから、１万メートル付近でレーダーから消えた機影はパワーズ機ではなく、ミグ19だったのではないかという説もある。だがミグ19は２万メートルもの高度まで上昇できないので、２万メートルから降下してきた機影はやはりパワーズのＵ－２だったに違いない。

（注５）アフターバーナー：ジェットエンジンの排気にはまだかなりの量の酸素が含まれているので、燃料を噴射して燃焼させればさらに大きな推力を得ることができる。そこで急加速や超音速飛行をする必要がある戦闘機のエンジンにはこの機能が備わっているが、これを使うと燃料が大量に消費されるため使える時間は限定される。

（注６）ズームアップ：水平飛行で高速度に加速してから、機首を持ち上げて急角度で一気に上昇する方法のこと。高速水平飛行で生じた運動エネルギーを上昇力に使うので、通常の方法よりずっと高くまで上昇できるが、強靭な機体と、機体の重量に対する出力が大きなエンジンが必要なため、できるのは戦闘機やアクロバット用の小型機に限られる。

（注７）その時パワーズ機が滑空していたとすれば、速度はＵ－２が失速しないで飛んでいられる最低速度に近い時速１００～１５０キロくらいだったと考えられる。一方のＳｕ－９は時速１０００キロもの速度で飛行していたはずで、これほど速度に差がある状態ではたとえ発見できてもあっという間に追い越してしまい、主翼をＵ－２の尾翼にうまく接触させることはまずできなかっただろう。

（注８）筆者は当時小学生だったが、「航空情報」を毎月愛読していたので、日本に配属されていたＵ－２とこの事件の詳細を得ていた。

（注9） B－47とはボーイング社が有名なB－52を生産する前に生産していた戦略爆撃機で、機体に欠陥があったため短期間で退役させられた。こういった予算の無駄使いは冷戦前期にはとくに多く、アイゼンハワーが退任時のスピーチで「軍産複合体」を批判したことにもつながっている。

（注10） ＴＮＴ（トリニトロトルエン）：化学的に合成された爆薬の一種で、ＴＮＴ換算とは核爆発で発生するエネルギーがＴＮＴ何トン分の爆発エネルギーに相当するかを示す数値。

（注11） 〝ホットライン〟という名称から、アメリカのホワイトハウスとソ連のクレムリンとの間に直通電話が引かれているような印象があるが、実際には電話ではなく、はじめはテレタイプ（文字を電送する機能があるタイプライター）、次にファックスになり、インターネットができてからはＥメールが使われ、ホワイトハウスではなくペンタゴン（国防総省）とクレムリンが結ばれている。音声による会話は意味の取り違いが起きる危険があるので、対話はすべて送信側が母国語で書かれた文章を発信し、受信側が受け取った文章を翻訳する形で行われる。

（おもな出典・参考文献）

◆"The Brothers: John Foster Dulles, Allen Dulles, and Their Secret World War" by Stephen Kinzer, Times Books, 2013.
◆『人工衛星と宇宙旅行』原田三夫、新羅一郎、共立出版、１９５８年
◆"The Real History of the Cold War" by Alan Axelrod, 2009, Sterling Publishing.
◆"The Cold War: Volume 2, National Security Policy Planning from Truman to Reagan and From Stalin to Gorbachev" Chapter 3 "The Origins of Overkill" by David Rosenberg, Routledge, 2001.
◆『ロッキード・マーティン』ウィリアム・Ｄ・ハートゥング著、玉置悟訳、草思社、２０１２年
◆"The CIA and the U-2 Program, 1954-1974" by Gregory W. Pedlow and Donald E. Welzenbach, History Staff, Center for the Study of Intelligence, Central Intelligence Agency, 1998.
◆「航空情報」１９５９年11月号、酣燈社

◆"The Day We Shot Down The U-2" by Sergei Khrushchev, American Heritage, Volume 51, Issue 5, 2000.
◆"How Powers Was Shot Down" by Sergey Bantser, ロシア語原文の英訳を使用
◆NSA-2, The Soviet Problem-The Early Days, アメリカ国家安全保障文書館
◆"Secret Wars" by Gordon Thomas, St. Martin's Press, NY, 2009.
◆"The Delusion of Missile Defense" The New York Times, Sep. 20, 2011.
◆"Debunking the Missile Defense Myth" *The National Interest*, May 7, 2012.
◆『トップシークレット・アメリカ』デイナ・プリースト&ウィリアム・アーキン著、玉置悟訳、草思社、２０１３年

第6章　ケネディ政権とキューバ危機

若い大統領の誕生に沸くアメリカ。だが、ソ連との関係はかつてないほど緊張し、「人類が最も核戦争に近づいた瞬間」と呼ばれる未曾有の危機を迎えることになる。

第二次世界大戦後に資本主義者と共産主義者の対立で始まった冷戦の副産物は、**戦前のヨーロッパ列強によるアジア、中近東、北アフリカなどの植民地支配が終わりを告げた**ことだった。そのおもな理由は、世界大戦で宗主国の力が衰えたことと、社会主義思想の世界的な広がりの2つだ。戦後の独立運動が社会主義に強く裏打ちされていたのは、宗主国の長期にわたる収奪と抑圧を思えば自然の成り行きだった。そして、そこにはソ連が大きな影響を与えていた。

それらの地域と歴史的な経緯が少し異なるのがラテンアメリカ諸国だ。とくにカリブ海諸島はスペイン人が最初に到達した地域だったことから、他のどの地域より早く、15世紀末から16世紀初頭にかけてスペイン帝国の植民地になった。だがスペインはイギリスやフランスとの長い闘いを経て次第に力を失い、19世紀になるとカリブ海でもいくつかの島をイギリス人やフランス人に奪われてしまう。さらに19世紀後半にはアメリカもカリブ海を自分たちの〝裏庭〟と見なすようになり、その地域と太平洋からスペイン人を排除すべく介入を始めた。

アメリカはかつてイギリスの植民地であり、独立戦争を経て独立した経緯があることから、アメリカ人の多くは植民地の独立運動を支持していた。だがアメリカ政府もいくつかの独立運動を支持したものの、それは正義感からではなく、ヨーロッパの宗主国から植民地の権益を奪うためだった。

1898年、アメリカはキューバとフィリピンの独立運動を支援するとしてスペインと戦争を始め、スペインを破ってキューバを支配下に置くとともに、プエルトリコ、フィリピン、グアムを自分たちの領土とした。いわゆる**米西戦争**である。この戦争でアメリカがキューバに確保した利権は、砂糖、コーヒー、タバコなどの農産物と、アメリカ人がバケーションに訪れる島としての観光産業だった。

アメリカはこの時に、キューバの東南端に海兵隊を上陸させて**グアンタナモ基地**を建設し、首都ハバナに立てた傀儡政権と同基地の永久租借の契約を結んだ。それから120年以上たった今でも、出て行ってほしいというキューバの要求を無視して同基地には米軍が駐留し、実効支配を続けている。

そんなキューバが、それから半世紀以上も過ぎて米ソ対立の台風の目になるとはだれが予測できただろう。

この第6章では、キューバとベルリンで米ソが直接武力衝突の直前までいった、1960年代はじめの例を紹介する。

1・ピッグズ湾事件

この事件の詳細については、次の年に起きた衝撃的な**キューバ危機**の陰に隠れてほとんど知られていなかったが、２０１１年にアメリカの「国家安全保障文書館」が情報公開法に基づき記録の公開を要求したことから、ＣＩＡが１５８２ページに及ぶ記録を公表し、詳細の大半が明らかになった。

ＣＩＡの史料編纂室は5巻から成る最終レポートをまとめていたが、公開されたのは第１巻から第4巻までで、最後の第5巻は現在でも機密が解かれていない。だが第4巻まで公開されたことで事件のほぼ全貌が明らかになり、想像以上に激しい戦闘が行われていた事実が判明した。

冷戦時代最大の〝熱い戦争〟は**ベトナム戦争**だが、ベトナム戦争はフランスの植民地だったベトナムの独立戦争が米ソの代理戦争に発展したものであり、多くの命が失われたとはいえ、米ソが直接衝突して第三次世界大戦に発展する危険性は低かった。冷戦の全期間を通じて、米ソ核戦争の危険性が最も高まったのは、両国の直接対決が現実味を帯びた１９６２年のキューバ危機である。そしてその前兆となったのが、このピッグズ湾事件だ。

この事件を理解するには、その前に起きたカストロによるキューバ革命とその後のいきさつを知っておく必要がある。

アイゼンハワーに売られた喧嘩を買ったカストロ

キューバでは1952年にクーデターが起こり、アメリカの企業やマフィアとつながりのある独裁者**バティスタ**が権力を握った。その翌年、バティスタの暴政に対する民衆の抵抗運動のなかから**フィデル・カストロ**が頭角をあらわし、5年半に及ぶゲリラ闘争の後、1959年1月1日にバティスタが国外に逃亡して革命政府が樹立された。この革命でカストロとともに有名になった人物に、後にボリビアで殺害されてラテンアメリカ大衆の英雄となった**チェ・ゲバラ**がいる。

バティスタ政権はキューバ国民を搾取していたアメリカ企業と密接につながっていたが、同政権はアメリカとキューバを結ぶマフィアとも深い関係にあったため、アメリカ政府もバティスタには手を焼いていた。マフィアはキューバでカジノを経営し、売春を仕切っており、アメリカ国務省はバティスタの力を抑えるために禁輸をしたり、大使を引き揚げたりしたこともあったほどだ。バティスタの悪行を知るアメリカ人は、カストロの革命成功に拍手喝采した。

カストロは反帝国主義と政治改革をかかげた民族主義者で、よく言われるようにはじめからマルクス・レーニン主義（共産主義）者ではなかった。そのためアメリカ政府は、バティスタ逃亡の前日にカストロの新政権を承認している。カストロもはじめはアメリカとの友好関係を望み、政権樹立まもない1959年4月に訪米してアメリカ政府高官と会談した。その時カストロは「ウォール・ストリート・ジャーナル」のインタビューに答えて、「アメリカ企業の投資には法人税を優遇して歓迎する」とまで述べている。

だがアイゼンハワーはカストロを嫌い、会議を欠席するなどして露骨に冷遇した。プライドの高いカストロは、アイゼンハワーの態度に強く反発した。アメリカ国務省の資料によれば、面会を拒否したアイゼンハワーに代わってカストロと対談した副大統領のニクソンは、アイゼンハワーにこう報告している。

確実に言えるのは、彼は指導者としての名状しがたい資質を持っているということです。我々が彼をどう思おうが、彼はキューバとそしておそらくラテンアメリカ全体における政情の進展への大きな要素となるでしょう。彼は偽りのない人間のように見えます。共産主義については、現実を知らず甘い考えを持っているか、または十分に学んだ頑固な共産主義者のどちらかですが、……私はおそらく前者だと思います。政府や経済の運営についての彼の考えは、私がこれまでに会った50ヵ国の世界的な人物たちほど深くはないようです。

しかし、彼には指導者としてのパワーがあります。我々としては、少なくとも彼を正しい方向に仕向けるよう努力する以外にないでしょう。

短い対談でこのように感じ取ったニクソンには鋭い洞察力が感じられる。だがカストロはニクソンに会った瞬間からニクソンを嫌った。帰国したカストロは反米路線に転換し、以後のキューバとアメリカの関係は冷え込んでいった。加えて、アメリカに亡命した元バティスタ政権の受益者たちが、アメリカの協力者に支援されて、フロリダの飛行場から飛行機を飛ばして秘かにキューバに爆弾を投下するようになったのだ。これがカストロの怒りに火をつけた。

その年の夏、カストロは砂糖やコーヒーのプランテーションなど、キューバ国民を搾取していたアメリカ企業の施設を国有化し、アメリカ人など外国人投資家が所有する土地の没収を開始する。カストロはアイゼンハワーに売られた喧嘩を買ったのだ。

翌1960年2月、ソ連のミコヤン第一副首相がキューバを訪問し、キューバの砂糖と交換する形でソ連の石油を安く輸出する提案を行った。カストロ政権には共産主義者が多くいたこともあり、この頃からカストロも共産主義に傾きつつあったが、「スターリンになれるのなら共産主義になってもいいが……」とも言っており、言外に「そうでないのならならない」との含みを持たせている。その時点では、キューバを共産国にすることにはまだためらいがあったようだ。

同年3月、アイゼンハワーは秘かにCIAにカストロ政権転覆を指示し、その目的のためにCIAがマフィアと協力しあうことを承認した。CIAはすでに同年はじめに、アイゼンハワーの承認を得てキューバにゲリラを送り込み、空から武器を投下する作戦を試みていたが、作戦は失敗に終わっていた。そこでCIAはカストロ政権転覆作戦を大幅にエスカレートさせる決定を下した。新たに計画された作戦とは、キューバ革命の際にフロリダに逃れた反カストロ派の亡命キューバ人を集めて民兵部隊を組織し、彼らを訓練して海からキューバに上陸させ、首都ハバナを攻略するというものだった。

その3月、CIAは亡命キューバ人への軍事訓練を開始するとともに、キューバの国内産業への破壊工作、同国への武器の流入を妨害する工作、カストロ暗殺計画などをスタートさせた。その直後には、キューバがベルギーから購入した兵器を積んだフランスの貨物船がハバナ港で大爆発を起こして大破する事件が起きている。カストロはアメリカの破壊工作だとしてアメリカを非難したが、実行犯を突き止めることはできなかった。

一方、キューバに残っていたバティスタ派の残党など反カストロ勢力が山間部に逃げ込んでゲリラ活動を始めたため、カストロ政権はゲリラ討伐作戦を開始した。キューバの反カストロ勢力は少数だったが、CIAの支援を受けていた。

同年5月7日、カストロはバティスタが断交していたソ連との国交を回復させると発表し、ソ連とキューバの交流が活発になっていった。

同年9月、カストロは国連総会に出席するため、再びニューヨークを訪れた。だがアメリカ国務省はカストロ一行のためのホテルを予約していなかったうえ、一行はチェックインしようとしたマンハッタンの高級ホテルから「あなたたちは物を壊したりして部屋を汚すかもしれないので、前払いで1万ドル払ってくれ」などと非常識な扱いを受ける（当時の1万ドルは現在の約7万〜8万ドル）。激怒したカストロは、替わりのホテルを用意するとのアメリカ側の申し出を拒否してハーレム（黒人街）の安ホテルに投宿した。そのホテルは人種差別と闘う黒人活動家の溜まり場として知られており、そこを紹介したのはマルコムX（アメリカの黒人イスラム教指導者・人権活動家。後に暗殺される）だった。

翌朝、やはり国連総会に出席するためニューヨークに来ていたソ連のフルシチョフが、カストロを激励に訪れた。初対面のカストロとの会話を終えたフルシチョフはミッドタウンに戻る車のなかで、同行したソ連外交団のメンバーに、「きっと彼は共産主義者になるだろう。だが彼は負かされたことがない若い競走馬のようだ。少しトレーニングが必要だな」と述べている。

フルシチョフに続き、インドのネルー首相、エジプトのナセル大統領などもハーレムのホテルを訪れてカストロを激励した。だがアイゼンハワーは、ラテンアメリカ諸国の首脳を招いたホワイトハウス主催の昼食会からもカストロを締め出した。

９月26日、国連総会で、カストロはアメリカを激しく非難する４時間半におよぶ大演説を行った（この記録は今でも破られていない）。２週間のニューヨーク滞在を終えて帰国の途についたカストロ一行が空港に到着すると、アメリカの債権者への返済が滞っているという理由で彼らの飛行機が差し押さえられていた。激怒するカストロをなだめたのはソ連のフルシチョフだった。フルシチョフはカストロ一行にソ連の旅客機を提供した。こうして、アイゼンハワーが嫌がらせをするたびに、カストロはソ連に引き寄せられていったのだ。

カストロがキューバの共産主義化を宣言したのはその翌年、１９６１年だった。

アイゼンハワーの置き土産

ニューヨークから戻ってまもない１９６０年10月、カストロはハバナで開かれた大集会で演説し、アメリカに亡命したバティスタ派による空爆を非難して「彼らはアメリカ製の爆弾をキューバに落として何千人ものキューバ人を殺している。彼らを支援しているのはアメリカだ」と激しくアメリカを糾弾した。キューバとアメリカの関係は、もう後戻りができないところまで来ていた。

そしてその10月、キューバにあるアメリカの石油企業の精油所が、ソ連から送られた石油の精油を拒否したため、カストロはそれらの精油所の国有化を決定する。それに対してアイゼンハワーはキューバへの経済制裁を発動し、キューバの最も重要な輸出産業である砂糖の輸入を停止した。

こうして両国の関係は最悪なコースに突入した。カストロはアメリカの経済制裁に対抗して、キューバに居座っているアメリカのグアンタナモ基地を接収すると発言し、アイゼンハワーは11月1日に、「我々はグアンタナモ基地を守るために必要なあらゆる手段をとる」と宣言。そして翌1961年1月3日、アイゼンハワーはキューバとの国交断絶を発表した。

だがそのわずか17日後の1月20日、アイゼンハワーは任期満了で退任してしまったのだ。なぜ彼は、わざわざ退任間際になってそのような発表をしたのだろう。その日に大統領就任式を終えた新大統領の**ジョン・F・ケネディ**は、就任初日から、すでにここまで悪化したキューバとの関係を引き継がざるを得ない立場に置かれてしまったのだ。

キューバとの断交は、老獪なアイゼンハワーが辞めぎわに残した政敵ケネディへの置き土産だった。ケネディが大統領に就任したころ、CIAによる亡命キューバ人への軍事訓練は、開始されてからすでに10ヵ月たっていた。

亡命キューバ人を使った侵攻作戦の顚末

2011年に公開された前述のCIAの資料によれば、亡命キューバ人民兵の訓練は、通常の戦闘訓練のほか、ボートを使った上陸作戦、戦車戦、空挺隊のパラシュート降下、ダイバーによる潜入や水中爆破など多岐に及んでいた。それらの訓練は、フロリダ、ジョージア、ミシシッピー、パナマなどの米軍基地で行われたほか、グアテマラにあるCIAの基地も使われた。

CIAはアメリカの州軍予備役から少なくとも6機のB-26（第二次世界大戦で使われたピストンエンジン双発の旧式なプロペラ軽爆撃機）を借り受け、さらに空軍から除籍されたのち使われないまま保存されていた26機のB-26を入手して、キューバ空軍の塗装に塗り替えた。そしてフロリダのキューバ系アメリカ人が経営する船会社から1500トン級の輸送船5隻を調達し、上陸用舟艇、ゴムボート、輸送機などを用意して準備を整えた。5隻の輸送船のうち、キューバ侵攻に使われたのは4隻だった。

B-26爆撃機のパイロットや搭乗員には、州軍のおもにキューバ系の人間を集めた。人員の輸送や空挺部隊のパラシュート降下にはCIAが所有する輸送機が使われ、それらのパイロットはみなアメリカ人だった。キューバを爆撃するB-26や支援の戦闘機はグアテマラとニカラグアから発進することとし、グアテマラの原野に滑走路が作られた。

上陸作戦の決行は亡命キューバ人の訓練を始めてから1年後に予定され、民兵や兵站物資がフロリダから輸送船でニカラグアやパナマに運ばれた。CIA長官**アレン・ダレス**は、その数年前にグアテマラでクーデターを成功させていたこともあり自信満々だった。(注1) 上陸作戦は大統領に就任したばかりのケネディの承認を得て、4月の決行が正式に決まった。

だがカストロ政権は、その作戦の情報を事前につかんでいた。マイアミにはキューバ人が数多く住んでおり、彼らを通じて情報が漏れていたのだ。ダレスはそれに気づかなかった。

一方、ソ連の情報機関KGBも独自のネットワークを通じて情報をつかみ、攻撃が近いことをキューバ政府に伝えていた。さらにソ連の海外向け英語放送「ラジオモスクワ」が、「CIAが雇った傭兵が1週間以内にキューバに侵攻する」と放送した。ソ連の情報は驚くほど正確で、上陸作戦が実行されたのはその4日後である。アレン・ダレスはソ連が上陸作戦の情報をつかんでいるという情報を得ていながら、その情報をケネディに伝えなかった。

4月15日早朝、上陸作戦に先立ち、亡命キューバ人グループの8機のB－26がキューバの3ヵ所の飛行場を爆撃した。するとその日の午前中に国連でキューバの外相が、「アメリカが攻撃を仕掛けてきた」と発表してアメリカを非難する素早い対応を見せた。アメリカの国連大使は、「爆撃はキューバ空軍内にいる反カストロ勢力の反乱によるものであり、アメリカは無関係だ」と反論した。爆撃機にキューバ空軍の塗装を施したのは、爆撃をキューバ軍の反乱に見せかけるための偽装だった。アメリカの国連大使はそのことを知らされていなかった。

CIAは爆撃と同時に、キューバ空軍の塗装をして機体に銃撃されたような傷をつけたB－26をフロリダのマイアミ国際空港に不時着させ、パイロットに「キューバから脱出してきた」と言わせてアメリカのメディアに報道させる工作まで行っていた。ところが記者が突っ込んだ質問をするとパイロットはしどろもどろになり、辻褄の合わない受け答えをしたことから、記者の間に偽装作戦ではないかとの疑いが浮上した。

一方、15日早朝にキューバの飛行場を爆撃したパイロットが戦果を誇大に報告したため、CIAは追加の爆撃は必要なしと判断した。だが実際には、15日早朝の爆撃は大した損害を与えておらず、小規模ながらキューバ空軍が所有する数機の戦闘機や爆撃機は温存されていて滑走路も使える状態だった。上陸部隊はその事実を知らないままスケジュール通りに行動し、16日の深夜、およそ1400名の民兵と軍事物資を積んだ4隻の輸送船がピッグズ湾の沖に集結した。その後方にはアメリカ海軍の空母艦隊が控えていた。

ところがその日の昼に、思わぬことがもう一つ起きていた。キューバ空軍の塗装をしてフロリダに不時着したアメリカのB−26の写真とパイロットのインタビューが、海外のニュースに流れていたのだ。それを知ったケネディは、アメリカの関与が表沙汰になるのを避けるため、17日早朝の上陸開始と同時に行う予定だった爆撃の中止を指示した。

17日の夜明け前、上陸部隊は情報がキューバ側に漏れていることを知らぬまま、ピッグズ湾の3ヵ所の浜から上陸を開始した。計画ではその日のもっと早い時間に上陸を開始することになっていたが、事前に空から撮影した写真に写っていたピッグズ湾の水面下に広がる珊瑚をCIAが海藻と見誤っていたため、輸送船が珊瑚に乗り上げて動けなくなるハプニングがあり、数時間の遅れが出ていた。また民兵の上陸に使用されたボートも珊瑚に乗り上げてしまい、上陸には時間がかかった。侵攻が近いことを知って待ち構えていたカストロ政権とキューバ軍は、敵来襲の報告を受けるとただちに行動を開始し、夜明けとともに空軍機を発進させた。

キューバ空軍機は上陸部隊を降ろしていた輸送船を攻撃し、2隻を大破させた。そのうちの1隻は浜に向かって突進し、浅瀬に乗り上げて沈没をまぬがれたが、1隻は積んでいた航空燃料が大爆発を起こして航行不能になり、後に自沈した。その船が航空燃料を積んでいたのは、CIAがピッグズ湾の近くにある小さな飛行場を航空基地として使う計画を立てていて、そこに備蓄するためだった。またその船には上陸部隊が使う無線機や銃砲弾、食糧、医薬品などが積まれていたが、大爆発と沈没でそれも失われてしまった。他の2隻の輸送船と上陸用舟艇は沖に逃れた。

レーダーも積んでいないキューバの旧式なプロペラ戦闘機や爆撃機が輸送船を攻撃できたのは、上陸開始が遅れたために夜が明けたからだった。幸運の女神はカストロに微笑んだのだ。

まもなくカストロの政府軍や民兵が現地に到着し始め、上陸した亡命キューバ人部隊と戦闘になった。カストロは自ら現場に立ち戦闘を指揮した。上陸部隊を支援する亡命キューバ人の戦闘機と爆撃機がグアテマラから飛来し、キューバ政府の民兵は爆撃により多数の損害を出した。亡命キューバ人側もキューバ政府軍の戦闘機により数機が撃墜された。沖に逃れた輸送船を追ったキューバ政府軍の爆撃機も1機が対空砲火で撃墜され、キューバ政府軍の哨戒艇1隻が亡命キューバ人の爆撃機に撃沈された。

CIAは、亡命キューバ人のパラシュート部隊を降下させてピッグズ湾に通じる道路を封鎖し、キューバ政府軍の援軍を阻止する作戦を立てていた。だが投下した重火器が沼地にはまって動かせなくなり、この作戦は成功しなかった。ＣＩＡはそのあたりが湿地帯であることを知らなかったのだ。

上陸に成功した亡命キューバ人部隊ははじめ優勢で、戦車隊などかなり内陸まで前進したグループもあったが、キューバ政府軍の援軍が続々と到着し始めるとともに次第に劣勢になり、19日までにすべて海岸まで押し戻された。上陸した戦車隊はキューバ政府軍の戦車との砲撃戦ではじめ優勢だったが、優位は長く保てなかった。

最後の空爆は、ＣＩＡが雇ったアラバマ州空軍のパイロットが操縦する5機のB－26により行われ、うち2機がキューバ空軍機に撃墜された。死亡した4人の搭乗員は亡命キューバ人ではなくアメリカ人だった。

結局、侵攻勢力側は戦死者118名、負傷者三百数十名を出し、1200人あまりが投降して上陸作戦は大失敗に終わった。この上陸作戦を米軍が支援していたことや、亡命キューバ人部隊の航空機や戦車が大きな被害を出したことの詳細は機密とされた。米海軍はその後数日間にわたり、夜中に駆逐艦を海岸に近づけてサーチライトで生存者を捜索したが、救出できたのは20～30人ほどだった。

キューバ政府側も侵攻勢力の砲撃や空爆で多くの死傷者を出した。その数についてはソースにより大きく食い違っているので実数は不明だが、戦死者、負傷者とも、侵攻勢力より多かったようだ。キューバ政府は最終的に軍と民兵を総計2万人動員している。戦闘の後、キューバ政府は国内にいる反乱協力者を数ヵ月にわたって捜索し、簡易裁判により多くが処刑または長期刑になった。

侵攻作戦失敗の原因とは

侵攻作戦の失敗にはさまざまな原因が考えられた。直接の原因は、上陸部隊を空から援護する予定になっていた爆撃をケネディが中止させたためだとされている。そのことでアレン・ダレスは後にケネディを批判したが、ケネディはいい加減な計画を立てたCIAを「粉々に引きちぎって風に吹き飛ばしてやりたい」と怒りをあらわにした。ソ連のフルシチョフは、「ケネディはインテリすぎるうえ若すぎるので、危機に直面した時の決断力に欠ける」と言ったという。

事件から14年たった1975年、ラウル・カストロ（フィデル・カストロの弟で後の首相）は、「もしケネディが断固とした決定を下し、米軍が侵攻していたら、キューバは血の海となって崩壊していただろう。我々はケネディのおかげで助かったのだ」と述べた。だがアメリカにはキューバを攻撃する大義がなく、米軍が直接侵攻することはできなかったのだ。

だれの目にも明らかなのは、CIAの作戦立案の甘さだった。彼らは自分たちの力を過信し、カストロ政権の力を過小評価するという決定的な過ちを犯した。当時はまだアメリカにも今日のような特殊部隊もなければ、秘密作戦を請け負う民間軍事会社もなく、軍事作戦が遂行できるのは正規軍だけだった。CIAは政権転覆などの秘密作戦には長けていても、正規軍が行うレベルの軍事作戦を立てる力はなかったと言えよう。

公開されたCIAの分析レポートによれば、彼らは成功を信じるあまり、リスク要因をよく検討せず、集団で〝希望的観測（ウィッシュフル・シンキング）〟に陥る過ちを犯したとある。〝希望的観測〟とは、十分な根拠もないのに、何かを強く望むあまり、望むような結果が出ると思ってしまうことを言う。「集団で希望的観測に陥った」とは、彼らがこの作戦について討議した時に、みながうまくいくと言っているので異論があっても反対しにくくなり、全員がなんとなく納得して賛成してしまったということだ。レポートのこの部分を書いたのはＣＩＡの心理学者で、〝希望的観測〟という言葉が一般にもよく使われるようになったのはこの時からだという。

ケネディとアレン・ダレスの確執

ＣＩＡのアレン・ダレスはこの作戦が行われた時すでに68歳で、ケネディとは親子ほどの年の差があった。２回の世界大戦を経験し、インテリジェンスの大御所を自負していたダレスは、侵攻作戦について説明した時に若いケネディがあれこれ質問するので、内心、腹を立てたようだ。さらにケネディが「米軍の投入は許可しない」と明言したため、ダレスはケネディが翻意せざるを得ない状況に追い込もうと考えた。

１９６９年にアレン・ダレスが死去した後、手書きの日誌が見つかっている。その中でダレスはキューバ侵攻作戦について、「上陸作戦が開始されて、状況の現実を目の当たりにすれば、ケネディは米軍を投入せざるを得なくなるだろう。手をこまねいて計画を失敗させるわけにはいかないからだ」と書いていた。この文面から推測すれば、ダレスは亡命キューバ人部隊に大被害が出ることをはじめから見越していたように受け取れる。
千数百名ほどの兵力では、たとえ上陸に成功したとしても、キューバ軍と戦闘を行いながらピッグズ湾から150キロも離れた首都ハバナまで到達できたとは思えない。ましてハバナの街を制圧するなど不可能だ。ダレスははじめから米軍にキューバを攻撃させようと計画していて、亡命キューバ人はそのための捨て駒として使うつもりだったのではないだろうか。

だがケネディは上陸作戦が始まっても原則を曲げず、最後まで米軍の投入を認めなかった。輸送船団の後方に控えていたアメリカ艦隊の司令官は、米軍機であることを示すマーキングと塗装を塗りつぶした攻撃機を空母から発進させたものの、遠くからピッグズ湾の戦況を偵察しただけだった。ケネディは、はじめからCIAの計画を失敗させるつもりだったのかもしれない。実際、ケネディとアレン・ダレスは、インドネシアの秘密作戦など他の件でもことごとく対立していた。

上陸作戦がみじめな失敗に終わってから少しして、長らくCIA長官として我が世の春を謳歌してきたアレン・ダレスとその副長官、キューバ侵攻計画の責任者である秘密作戦部長の3人全員が、作戦失敗の責任を取って辞任した。実質的にホワイトハウスによる解任だった。

ケネディはその2年半後に暗殺された。後を継いで大統領に就任した**リンドン・B・ジョンソン**は暗殺事件を検証するため、最高裁長官アール・ウォーレンを委員長とする「ウォーレン委員会」を設置した。

ところがその委員会のメンバーに、なぜかアレン・ダレスが加わっている。ダレス以外の委員は、民間人の法律家の1名を除き、みな上下両院の大物議員だった。すでにCIAを引退していたダレスが、なぜケネディ暗殺事件の調査委員会の委員となり、調査を主導したのだろうか。そもそも国内の捜査はFBIの管轄のはずだ。

ウォーレン委員会は、ケネディ暗殺をオズワルドの単独犯行と断定して幕を引いた。

2・ベルリン危機

ピッグズ湾事件から半年後、冷戦前期の米ソの心理状態を象徴するような出来事がドイツのベルリンで起こった。この事件は、第2章で述べた「ベルリン封鎖」から10年以上過ぎてもなお、ベルリンが相変わらずホットスポットであることを示していた。

東ドイツ、壁を建設する

戦後のドイツは東西に分かれて独立したが、ベルリンでは東側から西側に逃亡する人間が後を絶たず、東ドイツ政府は国民の流出を防ぐ必要にせまられていた。1961年はじめ、東ドイツ政府は西ベルリンとの境界に沿って壁を建設することを決め、ソ連に同意を求めた。亡命者の数は、同年2月には週平均2600人を超えるまでになっていた。(注2)

同年6月、前年にU－2偵察機撃墜事件で中止となったフルシチョフとアイゼンハワーの会談に代わり、フルシチョフとケネディの会談がウィーンで行われた。会談でフルシチョフは2年前にアイゼンハワーに提示した内容をくり返し、「米英仏が西ベルリンの占領をやめて東西ドイツが平和条約を結び、ベルリンを非武装地帯にするのが、平和への唯一の解決法だ」と主張した。

だがケネディは「アメリカは西ベルリン市民に対する責任を負っている」と答え、米軍の撤退を拒否したため、フルシチョフも「アメリカがとどまるのなら、ソ連も東ドイツの国境を守るためにベルリンにとどまらざるを得ない」と応じた。フルシチョフは年内に回答するよう求めたが米英仏が再び回答しなかったため、国内のテレビ放送で「西側が平和条約に署名しなくてもソ連は署名する」とくり返した。

一方、米軍統合参謀本部の参謀たちはケネディに対し、「ソ連や東ドイツがそのような要求をするのは、ヨーロッパに駐留する米軍が弱体だからだ」と主張し、「強く出なければ、ソ連は1948年のベルリン封鎖の時のように陸路を遮断する可能性がある」とケネディに圧力をかけ続けた。ヨーロッパ駐留米軍総司令官も「ソ連は戦車、軍用機、兵員の数で、わが国より圧倒的に勝っている」として大増強を求めた。

ケネディは彼らの要求に応じて、軍事支出の大幅な増額とさらなる兵器の調達や兵員の倍増を承認したものの、米国民向けのテレビ演説で、「アメリカは争いを目的にしているのではない」と述べ、「ソ連の懸念を認識している」と理解も示した。これでケネディは、国内の対ソ強硬派から目をつけられることになったのだ。

その間にも東ドイツから西ドイツに脱出する市民は増え続け、1945年から合計すると

300万人を超えるまでになっていた。1961年5月には脱出者の数が1週間に3200人を超え、東ドイツは就労人口が激減して国の運営に支障をきたすまでになった。

同年夏、東ドイツは壁の建設を開始すると同時に、東西ドイツの境界にあった120ヵ所の通行地点のうち107ヵ所を閉鎖した。それまで東西を行き来して運行していた鉄道やバスは境界で折り返し運転をするようになり、通行証を持っている乗客も境界で乗り換えなければならなくなった。

東ドイツが壁の建設を始めたのを受けて、ケネディは軍の予備役を現役に復帰させ、徴兵する兵士の数を倍増して兵力の増強をはかるとともに、アメリカ本土から大規模な航空戦力をドイツに派遣した。これでベルリン駐留米ソ両軍の緊張が一気に高まった。

壁が完成すると、それを乗り越えて西側に脱出しようとする市民が東ドイツ兵に射殺される悲惨な出来事が相次ぐようになった。同胞に銃を向ける東ドイツ当局の姿は、ソ連圏の陰鬱さの象徴だった。

だが、壁についてはもう一つの事実もあった。壁は東ベルリン市民に向けられた悲惨な抑圧の象徴ではあったが、少なくとも西側を攻撃するためのものではなかったということだ。ベルリンの緊張は長年にわたるさまざまな出来事が蓄積した結果であり、とくにアメリカが大規模な航空戦力を派遣したことで急に高まったのだ。東ドイツにとって壁の建設は、非常に稚拙なやり方だったとはいえ、防衛的な行動だった。それについてはケネディも、「あまり良い方法ではないが、壁は戦争よりはるかにマシだ」と述べている。「東ドイツが壁を作ったから空軍の大部隊を差し向ける」というアメリカの発想はスジが通っていない。

駐留ソ連軍、戦車には戦車で応じる

こうして緊張が高まっているさなかに、さらに事態を緊迫させる出来事が起きた。ベルリンに駐留する米ソ両軍は、東西ベルリンに変化がないことを互いに確認しあうため、定期的に相手側に入っての巡回に合意していたが、同年10月22日、ジープで東側に入ろうとした数人の米軍兵士が検問所で身分証の提示を拒否したことから押し問答に発展した。米軍兵士側の言い分は、「身分証を提示する義務があるのはソ連軍に対してのみであり、東ドイツの警官に見せる必要はない」というものだった。

ところがその兵士たちが西ベルリン駐留米軍司令部に無線で報告を入れたところ、米軍司令部はなんと戦車と武装憲兵隊を差し向けたのだ。検問所に向かって戦車が進んで来るのを見て驚いている東ドイツの警官を尻目に、くだんの米軍兵士たちは憲兵に守られながらジープを発車させ、東側に入ってしまった（しばらくして、彼らは何事もなく西側に戻って来た）。

じつはその年の夏頃から、西ベルリン駐留米軍は東側を威嚇する目的で、歩兵中隊や戦車を境界間際まで近づけてパトロールするなど、挑発的な行動をくり返していた。そこで東ドイツ側も対抗して、東ベルリンに入ろうとする米軍スタッフを足止めするなどの行動に出ることがあった。身分証の提示の要求は、この流れのなかで起こった。

2日後の10月24日、駐留米軍側は東ドイツ側の反応を見るため、今度は私服で、ジープではなく軍のナンバープレートをつけた民間のセダンに乗って検問所を通過しようとして、再び東ドイツの警官に止められた。彼らが無線で司令部に報告すると、司令部はその検問所とさらにもう1ヵ所の、計2ヵ所の検問所に再び戦車小隊と歩兵分隊を差し向け、さらにセダン3台に兵士を分乗させて東ドイツ側に入らせようと試みた。「東ドイツ側がどう反応するか見てやろう」というわけだ。明らかに、西ベルリン駐留米軍による東ドイツ側に対するエスカレートした挑発行為だった。

検問所ではセダン1台が足止めされたが、2台が戦闘服姿の米軍兵士に守られて強引に通り抜けた。この出来事の後、東ドイツ駐留ソ連軍司令官は西ベルリンの米軍司令官に対し、再びこういうトラブルを起こさないようにと警告した。

ところがさらに2日後、米軍側は再び同様の試みを行い、何人かが検問所を突破して東側に侵入した。そしてその翌日、米軍側はもう一度同じことをくり返そうとした。

だがその時は、それまでとは勝手が違っていた。

憲兵隊に守られながら米軍兵士が検問所を通り抜けようとしたところ、前方のビルの間からソ連の戦車隊が現れたのである。ソ連の戦車は隊列を組んで検問所の30〜40メートル手前まで近づき、砲身を米軍憲兵隊に向けながら陣取った。こうして、検問所をはさんで米ソの戦車がにらみ合う事態になった。

この事態はただちにワシントンとモスクワに緊急報告された。アメリカ側は**ラスク**国務長官が動き、ソ連側はワシントンのソ連大使館駐在ＫＧＢ（ソ連の情報機関）要員が連絡役となり、ケネディとフルシチョフの直接対話がセッティングされた。フルシチョフは、「わが軍の戦車を見て、アメリカの戦車はあわてて逃げていった」と得意のホラを吹いた。すると西ベルリン駐留米軍司令官は気色ばんで「我々は逃げていない！」と主張。もはや子供の喧嘩である。

ケネディとフルシチョフの大人の対応

現場で起きた問題は「どちらが先に戦車を引くか」という、文字通り子供の喧嘩のような話だった。頭に血がのぼった米軍の現地司令官と違い、両国の首脳はさすがに大人の対応をした。ケネディが「もしソ連が先に戦車を引くなら、アメリカは戦車を引くだけでなく、その後のベルリン政策を軟化させる」と提案し、フルシチョフが呑んだのだ。

ケネディのこの対応は優れていた。相手に先に引かせることで国内のいきり立つ強硬派を鎮め、同時にベルリン政策の軟化を約束することでソ連の負担を軽減させたからだ。とはいえ、ソ連のほうが先に戦車を引いたという点では、**アメリカ側が最初に挑発したにもかかわらず、ソ連がまず一歩ゆずるというパターン**がここでも見られたことになる。

ケネディとフルシチョフの合意を受けて、まずソ連の戦車1輛がバックし、次にアメリカの戦車が1輛、同じ距離だけバックした。次にソ連の別の戦車がバックし、アメリカの戦車がもう1輛バックした。こうして両軍の戦車が次々にバックし、17時間におよんだにらみ合いが終わった。まもなく両軍の戦車はUターンして現場を去った。(注3)

ケネディはその後もヨーロッパ駐留米軍の増強を続けたが、約束通りベルリンはその後数年間、静かになった。この出来事は、現地司令官の暴走が一触即発の危機を作り出したものの、国のトップ同士が直接話し合うことで危機を回避できたという、古き良き時代の一幕だった。

事態をエスカレートさせた張本人は、第2章で取り上げたベルリン大空輸の時に西ドイツ駐留米軍司令官を務めた退役中将だった。この人物は、ベルリン封鎖が終わったころに軍から退役してアイゼンハワーの側近になっていたが、この年にベルリンで再び緊張が高まったことからケネディがアドバイザーに任命し、再びベルリンに赴任していたのだ。この元司令官は大空輸作戦の成功で英雄のような扱いを受け、自分が無敵であるかのような錯覚に陥っていたのだろうか。アメリカ欧州軍総司令官は緊張を煽ったこの元司令官を批判し、「ブルドッグの顔に唾を吐きかけたりするものではない」（獰猛な相手を侮辱すれば怒るのは当たり前だというたとえ）と述べた。

この元司令官は帰国後まもなくリーマン・ブラザーズ[注4]の上級共同経営者に就任し、死去するまでの15年間をすごした。

3・キューバ危機

ピッグズ湾上陸作戦の失敗で不満が高まったアメリカのCIAは、1961年末から翌年にかけて、カストロ政権転覆計画や、あるいは、アメリカ国内で事件を起こしてカストロに濡れ衣を着せそれを口実に米軍がキューバを攻撃する計画を立てたが、いずれも成功しなかった[注5]。

一方カストロは、ピッグズ湾事件や数々の暗殺未遂事件に激怒しており、アメリカの手下が再び侵攻してくると確信していた。そこでソ連のフルシチョフは、キューバへの弾道ミサイルの配備をカストロに提案した。(注6) カストロは提案に応じ、ソ連はワシントンを射程に収める弾道ミサイルの発射基地を建設する工事に着手、再び米ソの緊張が高まっていく。

ソ連がキューバに弾道ミサイルを配備した理由

フルシチョフがキューバに弾道ミサイルの配備を提案したのには理由があった。その半年前に、米陸軍がモスクワを射程に収める中距離弾道ミサイル「ジュピター」(第5章参照)をトルコに配備していたのだ。当時はアメリカ本土からソ連を直接攻撃できるICBM(大陸間弾道ミサイル)の性能がまだ十分でないとされており、それを補うために、米陸軍は射程距離がICBMより短い中距離弾道ミサイルをソ連に近いトルコに配備したのだった。すでにイタリアには空軍の中距離弾道ミサイル「ソー」が配備されていた。(注7) モスクワに照準を合わせたアメリカのミサイルがヨーロッパに配備されているという事実は、米国民には伏せられていた。

だが第5章の〝ミサイル・ギャップ〟論のところで述べたように、実際にはアメリカのICBMのほうがソ連のICBMより性能も数もずっと上回っていたのだ。フルシチョフがキューバに弾道ミサイルを持ち込んだのには、アメリカがトルコとイタリアに配備した中距離弾道ミサイルの脅威の相殺のほか、ICBMの劣勢を補うという目的もあった。

だがアメリカはその前からＵ－２偵察機でキューバの内部を上空から撮影しており、ソ連の動きをつかんでいた。１９６２年夏にはソ連の戦闘機、軽爆撃機、対空ミサイルが配備されている様子がＵ－２の偵察によって発見され、９月になるとソ連から弾道ミサイルが到着したことや、数ヵ所の発射サイトが完成間近であることも確認された。

米軍統合参謀本部は、ただちにキューバを全面攻撃すべしとケネディに進言した。彼らの考えでは、キューバはアメリカ本土のすぐ近くに位置するので、米軍が侵攻してもソ連は動かないだろうということだった。キューバはフロリダの南端から２００キロも離れていないが、ソ連がキューバに援軍を送ろうとすれば地球を半周しなければならない。しかも、キューバに出兵すれば米軍と戦闘になる。ソ連にとって、そこまでやるのは負担もリスクも大きすぎる。

だがケネディは、「もしアメリカがキューバに侵攻すれば、ソ連は西ベルリンに侵攻するだろう」と反論した。それは鋭い指摘だった。東ドイツに駐留するソ連軍が西ベルリンに侵攻するのは、米軍がキューバに侵攻するよりはるかにたやすい。ケネディは、「もしもソ連に西ベルリンを占領されたら、アメリカはキューバ問題を平和的に解決できなかったうえベルリンを失ったと国際社会から見なされるだろう」と論じた。

ケネディは、すべてをオープンにしてしまうのがベストであると結論づけ、テレビの全国放送でキューバにソ連がミサイルを配備した事実を国民に伝え、国連安全保障理事会の開催を求めた。まず軍事行動ありきでなく、国連を通じて対応したケネディのやり方は正しかった。

米軍内における好戦派の代表格だった空軍参謀長のカーティス・ルメイ（第4章の注4を参照）は、戦略爆撃機によるキューバ爆撃を主張してこう語った。

「ロシアの熊ども[注8]は、いつもラテンアメリカにちょっかいを出してくるんだ。やつらはワナにかかったぞ。脚を付け根からもぎ取ってやれ。……いや待てよ、ついでにキンタマももぎ取ってやれ」

ルメイはソ連との全面戦争の可能性さえほのめかしたが、ケネディは取り合わず、統合参謀本部のキューバ侵攻案を却下した。残る選択肢は、ピンポイント空爆でミサイルを破壊するか、キューバを海上封鎖するかの2つだった。ケネディは補佐官たちと協議のうえ、海上封鎖を承認し、通行しようとする船舶については臨検（停船させ、係官が乗り込む取り調べ）を行うように指示した。

戦時中でもないのに公海上で外国の船を止めて臨検するのは国際法違反であり、戦争行為と見なされる。そこでケネディは米州機構[注9]の同意を取り付けたうえ、発表の時も「臨検」ではなく「検疫」という言葉を使うように気配りをしている。ホワイトハウスの決定を受けて、米軍はキューバの海上封鎖を実施するとともに、全世界の米軍部隊の警戒レベルを引き上げた。

キューバ戦略爆撃案が門前払いにされたルメイは腹立たしく思ったに違いない。ルメイはケネディより一回り近く年上で、第二次世界大戦時にケネディがまだ20代半ばの中尉で小さな魚雷艇の艇長だった時に、B－17爆撃機の飛行隊司令官で大佐だった。軍隊でこの差は絶対的だ。ところが今やケネディは大統領であり、合衆国最高司令官である。軍では最高位の大将に昇進して空軍参謀長を務めるルメイも、まったく相手にされなかった。

核戦争の一歩手前だった周辺海域

海上封鎖を始めてまもなく、米海軍の駆逐艦から海軍司令部に、「水中にソ連の潜水艦を発見」との報告が入った。キューバに弾道ミサイル発射基地を建設していたソ連は、周辺海域に潜水艦隊を派遣していたのだ。海軍司令部から報告を受けた**マクナマラ**国防長官は、ソ連の潜水艦を浮上させるよう海軍に指示し、そのメッセージがモスクワに伝えられた。

後に**ロバート・ケネディ**（ケネディ大統領の弟で、当時の司法長官）が書いた回想録によれば、海軍から「（潜水艦を浮上させるために）爆雷を使用する」との報告を受けた後の数分間は、**ホワイトハウスの指令室が最も緊張した時間**だったという。ロバート・ケネディは、「大統領は片手を額に当てて目をつむった」と書いている。

だが爆雷の使用は、ホワイトハウスや米海軍が思ったよりはるかに危険な方法だった。ソ連の潜水艦は核魚雷を搭載していたのだ。後にわかったことだが、3隻の潜水艦のうち2隻の艦長が核魚雷の使用を考え、うち1隻の艦長は最悪の事態に備えて核魚雷の発射準備まで命じていた。その艦の核兵器保安責任者である副官が、「本国の指令本部の命令がなければ発射管に核魚雷を装塡することはできない」との規則を艦長に伝え、核使用の危険は回避された。ソ連の記録によれば、艦長は少し間を置いて、「使うつもりはない。使ったら核戦争にエスカレートする」と答えたという。

しばらくして、バッテリーが切れかかった3隻の潜水艦が浮上した。

ソ連消滅後の1990年代に米露両国が共同で行った検証によれば、ソ連の潜水艦の司令官や乗員は非常に規律が行き届いており、核を意図的に使用する危険性はまずなかったが、もし発射管に装塡されていれば、手違いや偶発的な要因により発射してしまう可能性もあったとされている。なぜなら、ソ連の潜水艦は、攻撃を受けて艦体に亀裂が生じたり、火災が発生したりした場合には、本国の指令がなくても自衛のために核魚雷の使用が許されていたからだ。

なお、そのときソ連の潜水艦に搭載されていた核は、1基につき5キロトン（5000トン）だった（15キロトンだったという説もある）。もし使っていたら、アメリカの駆逐艦隊は全滅していただろう。そうなれば、米ソの戦術核による応酬から第三次世界大戦にエスカレートする可能性が高かった。

米軍が侵攻していたらやはり核戦争になっていた

このように、海ではソ連が核を使う一歩手前だったが、万が一、米軍がキューバに侵攻していたら、陸上でも米ソ核戦争の悪夢が現実となる可能性が高かったと考えられる。

米軍は、キューバに駐留するソ連軍の規模を、軍事顧問を含み6000～8000人と推定していたが、実際には完全装備の実戦部隊が4万3000人も駐留しており、彼らは自衛のために短距離戦術核ミサイルを持ち込んでいたのだ。しかも彼らは、米軍侵攻の可能性が高まった時点で、核ミサイル部隊を米軍のグアンタナモ基地の近くに移動させていた。

もし米軍が侵攻していたら、米軍は空爆と海からの上陸に加えて、おそらくグアンタナモ基地に増援部隊を空輸しただろう。それでキューバ駐留ソ連軍は、同基地を攻撃できるように核ミサイル部隊を近くに移動したのだ。だがグアンタナモ基地に駐留する米軍も戦術核を持っていたと考えられ、もし米軍が侵攻していたら米ソの直接対決となり、ともに戦術核を使用した可能性が高かったのだ。もしそうなっていれば、米軍、ソ連軍、キューバ国民に、数万人規模の死者がでていただろうと推定されている。このレポートは1990年代になるまで公開されなかった。


米ソ両国の外交官によるおよそ10日間にわたる激しい論戦の後、ワシントンのケネディとモスクワのフルシチョフとの間で直接対話が行われた。2人の対話はテレタイプで行われ、双方とも相手の文章を翻訳する必要があるため交渉には時間がかかった（第5章の注11を参照）。長時間にわたる交渉の末、「ソ連はキューバのミサイルを撤去し、アメリカはトルコとイタリアのミサイルを撤去する」ことで合意が成立した。その交渉が行われている間にも、キューバ上空でアメリカのU－2偵察機がソ連の対空ミサイルで撃墜され、パイロットが死亡する事件が起こっている。

ケネディとフルシチョフの合意は次の4点だった。
①ソ連はキューバから弾道ミサイルを撤去する
②アメリカはトルコとイタリアに配備した弾道ミサイルを撤去する

③アメリカは直接脅威を受けない限りキューバに侵攻しない
④ソ連は軽爆撃機のキューバ配備をやめる

合意事項の実行については、国連が監視を行うことになった。そのころはまだ国連がまともに機能していたのだ。

アメリカがトルコに配備した弾道ミサイルを撤去するというのは、ケネディからの提案だった。ケネディは弟のロバート・ケネディ司法長官をワシントンのソ連大使館まで行かせ、大使にそのメッセージを直接伝えている。米軍統合参謀本部はジュピターの撤去に強く反対し、キューバへの大規模空爆と1週間以内の侵攻を再び主張したが、ケネディは却下した。

米ソが核ミサイルを発射しあう危険性が現実味を帯びたキューバ危機は、こうしてケネディとフルシチョフのトップ会談により回避することができた。この時はベルリン危機よりもはるかに危険で深刻だった。両国は戦車砲ではなく核ミサイルを突きつけ合ったのだから。

問題を解決に導いたフルシチョフが2年後に失脚

この交渉でフルシチョフは、ソ連にとって最も重要な2点――アメリカがトルコとイタリアに配備した弾道ミサイルを撤去し、キューバに侵攻しないという確約――を勝ち取った。だがフルシチョフは、キューバに搬入したミサイルを撤去すると発表した際に、アメリカもトルコとイタリアに配備したミサイルを撤去することに言及しなかった。

それには理由があった。ケネディは、フルシチョフがその事実を公表しないことを条件に、両国が互いのミサイルを撤去する案を提示していたのだ。トルコとイタリアへのミサイル配備はそれまで米国民に知らされていなかったうえ、撤去が公表されれば、ケネディは国内の強硬派やメディアからまた弱腰だと攻撃されてしまう。ケネディ政権はそれだけは避けたかった。

フルシチョフはケネディとの約束を守り、アメリカ政府はその事実を国民に知らせぬまま、「ソ連はわが国の圧力に屈した」と宣伝し、米国民はそれを信じたのである。(注10)

ソ連がキューバのミサイルを撤去した数ヵ月後、ケネディは国内の好戦派の抵抗を押し切り、約束通りトルコとイタリアのミサイルをすべて撤去させた。キューバ駐留ソ連軍が持ち込んでいた自衛用の短距離戦術核ミサイルについては、もともと知られていなかったので合意に含まれていなかったが、ソ連のミコヤン第一副首相の努力によりそれも自主的に撤去された。

だがモスクワでは、フルシチョフは交渉の後半で弱腰になったと受け止められ、強硬派からこの取引はソ連にとって屈辱的だったと批判される結果となった。この一件を契機にフルシチョフは求心力を失い、２年後に失脚することになる。アメリカから最大限の譲歩を引き出したにもかかわらず、国内の政争に敗れたのである。

一方キューバでは、ソ連は頭越しにアメリカと交渉して妥協したと受け取られ、ソ連に対する不信がわき起こった。カストロは、ソ連が弾道ミサイルだけでなく自衛用の短距離戦術核ミサイルまで撤去し、軽爆撃機の配備もやめたことに猛反発した。

カストロは「もしもアメリカがキューバに侵攻したら、ソ連はＩＣＢＭでアメリカを核攻撃してほしい」と要請する書簡をフルシチョフに送った。今日、この書簡は〝カストロのハルマゲドン・レター〟と呼ばれて知られている。(注11)

だが客観的に見れば、この取引でアメリカが侵攻しないことが保障されたのだから、キューバにとってこれ以上良い実現可能な解決法はなかったはずだ。

一方、アメリカの好戦派にとっては、キューバへの侵攻ができなくなったことは大きな不満のタネとして残った。ケネディは、ピッグズ湾事件とベルリン危機における対処の仕方に加え、この交渉が理由でCIAやペンタゴン内部の好戦派からますます疎まれることになったのだ。

どれほど実現可能で現実的な妥協策を見いだしても、満足しない人々は必ず存在する。彼らは自分たちの要求が完全に満たされなければ満足することがない。そして、それが地球上から争いが永遠になくならない理由なのだ。

その後ケネディはカストロに対する強硬発言をくり返すようになり、同年、ベトナムの問題が大きくなってくると、軍事予算の大幅な増加を再び承認する。元連合軍最高司令官のアイゼンハワーでさえ抑えられなかった軍産勢力の圧力を、元中尉のケネディが抑えるのは不可能だった。

（注1）グアテマラでは1954年にアイゼンハワーの指示でアレン・ダレスが仕組んだクーデターが成功し、傀儡の大統領による軍事政権が発足したのち内戦になっていた。

（注２）当時ベルリンでは列車やバスが東西を行き来しており、西ベルリンに住んだまま東ベルリンの職場に通っている人もいれば、西ベルリンの親戚を訪ねる東ベルリンの人もいた。だが西ベルリンに入ったまま戻って来なくなる人や、西側に脱出する目的で東ベルリンに来る東ドイツの人が急増していた。

（注３）米軍の資料によれば、最初にソ連の戦車が現場を去り、１時間後にアメリカの戦車が去ったとある。

（注４）リーマン・ブラザーズ：かつてアメリカにあった大手投資銀行。サブプライムローン（信用度の低い相手に貸し付ける住宅ローン）を乱発して住宅バブルの波に乗り急成長したが、負債が膨れ上がり、２００８年にバブルが崩壊して史上最大の負債を抱え倒産した。負債を証券化して海外に転売していたため世界中に金融危機が発生し、日本では〝リーマン・ショック〟と呼ばれた。彼らは計画的に負債を海外に押しつけたのである。

（注５）カストロは生前、「もし暗殺から生き残るオリンピックがあったら、私は金メダルを取れる」と言っていた。カストロの命を守ることを任務としていたキューバの情報機関の元責任者は、２０１０年にロイター通信のインタビューに答えて、カストロ暗殺の企ては合計６３８回あったと述べている。その数字を裏付ける資料は発表されていないが、少なくとも8回ほどの大きな例は明らかになっている。カストロを悪者に仕立て上げる作戦としては、アメリカ国内でテロ事件を起こしてカストロに罪を着せる計画だったが未遂に終わった「ノースウッド作戦」が知られている。

（注６）これはフォード政権時代にアメリカ国防長官を務めたシュレジンジャーが２００2年に語った話で、細部には脚色がある可能性もあると言われているが、当時のソ連のミコヤン第一副首相の記録にもこのことは書かれているという。だがカストロのほうからフルシチョフに要請したという説もある。

（注７）後に米ソの間に中距離弾道核ミサイルの配備を禁止するＩＮＦ全廃条約が締結されたが、２０１９年にアメリカが一方的に脱退し、ロシアが強く反発している。これはアメリカが再びモスクワなどを標的とする中距離弾道ミサイルをロシアの近くに配備する意思があることのほか、中国を標的とするミサイルをアジアに展開する可能性も視野に入れているためと言われている。ミサイル「ソー」については第５章を参照。

（注8）アメリカやイギリスでは、アメリカはハクトウワシ（アメリカの国鳥）、イギリスはライオン、ロシア（ソ連）は熊にたとえられる。これはイギリス人が大英帝国時代に自らを「百獣の王」と自賛し、ロシアを巨大で凶暴なヒグマにたとえたことからきている。ロシアは白熊にたとえられることもある。

（注9）米州機構：第二次世界大戦後に発足した北米、中南米による国際機構。はじめはアメリカが中南米を支配し共産主義を排除するための連盟にする狙いがあったが、近年ではラテンアメリカ諸国のアメリカ離れを反映して、アメリカが支持しない候補が事務総長に選ばれるなど変化している。今では脱退を表明する国もあって米州機構は機能しなくなっており、替わってアメリカとカナダを含まない「ラテンアメリカ・カリブ諸国共同体」が生まれている。

（注10）筆者は中高年のアメリカ人との会話でキューバ危機が話題になったことが何回かあるが、アメリカがモスクワを標的にした中距離弾道ミサイルをトルコとイタリアとイギリスに配備していたことを知っていた人は一人もいなかった。

（注11）カストロのハルマゲドン・レター：今では全文がネットに公開されている。

（おもな出典・参考文献）

◆"The Secret Official History of the Bay of Pigs Operation", August 16, 2011, アメリカ国家安全保障文書館
◆"Bay of Pigs: 40 Years After: Chronology", アメリカ国家安全保障文書館
◆"The Untold Story of the Bay of Pigs" by Robert Dallek, August 22, 2011, Newsweek.
◆"Clandestine US Operations in Cuba, 1961, Bay of Pigs" by Tom Cooper, September 2003, International Archive, Central and Latin American Database.
◆"Soviets Knew Date of Cuba Attack" The Washington Post, April 29, 2000.
◆"CIA Releases Top Secret Bay of Pigs Papers", August 10, 2011, RT.
◆"Fidel Castro's Wild New York Visit" History Network, August. 31, 2018.
◆"Foreign Relations of the United States, 1958-1960, Cuba, Volume 6, アメリカ国務省, Office of the

Historian.
◆"The 1961 Berlin Crisis", アメリカ国立公文書記録管理局
◆"The Wall, 1958-1963" by Dr. Richard L. Langill, Saint Martin's University.
◆"The U.S. Military Response to the 1960-1962 Berlin Crisis" by Dr. Donald A. Carter, The U.S. Army Center of Military History.
◆"Berlin Crisis: The Standoff at Check Point Charlie" The Guardian, October 24, 2011.
◆"The Cuban Missile Crisis, 1962, Chronology 1: October 26, 1962 to November 15, 1962", アメリカ国家安全保障文書館
◆"The Submarines of October", アメリカ国家安全保障文書館, October 31, 2002.
◆"The Untold History of the United States" by Oliver Stone and Peter Kuznick, Gallery Books, A Division of Simon & Schuster, Inc. 2012.
◆"The Soviet Cuban Missile Crisis: Castro, Mikoyan, Kennedy, Khrushchev and the Missiles of November" Mikoyan Archive, Stanford University Press/Woodrow Wilson Center Press, 2012.

第2部　冷戦中期

変わり始めた時代

第7章　ベトナム戦争の真実

アメリカが介入を強めたことによって始まったベトナム戦争は、米ソ両国による冷戦期最大の代理戦争でもあった。そして、アメリカは長期にわたって大軍を投入し、大きな犠牲を払いながらも目的を達成することはできなかった。

冷戦時代最大の〝熱い戦争〟がベトナム戦争だ。アメリカのベトナムへの介入は、アイゼンハワー政権時代の1955年に南ベトナムへの軍事援助の形で始まり、南ベトナムに残っていた最後のアメリカ人が脱出した1975年まで20年にわたって続いた。つまるところ、冷戦とは米ソ両国が直接戦闘を行う戦争を避けるということでしかなく、アジアやアフリカではさまざまな〝熱い〟代理戦争が行われたのである。

よく言われるように、ベトナム戦争は、強大なアメリカの正規軍にベトナム人のゲリラが闘いを挑んだ**史上初の大規模な「非対称戦争」**でもあった。ただし、北ベトナムはアメリカの空爆に対してソ連から供給された戦闘機や対空ミサイルで応戦し、近代兵器による空の闘いが長期にわたって続いていたし、戦争末期には北ベトナムの正規軍が南下して戦闘を行っている。したがって、ベトナム戦争のすべてが非対称戦争だったわけではない。

ベトナム戦争は、アメリカが膨大な戦費をかけて大軍を送り込み、なお目的を達成できなかった戦争でもあった。そして、それが故に、この戦争はその後の冷戦の形態を大きく変える要因になった。

宣戦布告なき大戦争

1962年、ケネディ政権はベトナムに駐留する軍事顧問団を1万6000人以上に引き上げるとともに、戦車、重火器、ヘリコプターなどを送り始めた。ここまで大規模になると、もはや正規軍を送ったのと変わりはない。翌1963年になると、この顧問団が直接、戦闘にかかわるようになった。

その年の11月にケネディが暗殺されると、後を継いだ**ジョンソン**は翌1964年、軍事顧問団ではなく正規軍を送る法案を議会に可決させ、正式な米軍の派兵を開始する。さらにジョンソン政権は翌1965年に北ベトナムへの空爆を開始したが、その時になっても、国連安全保障理事会での採決も宣戦布告もなされなかった。

このような経緯から、アメリカによるベトナム戦争がいつ始まったのかはっきり線を引くのは難しいが、米軍が直接戦闘にかかわるようになった1963年からとするのが適切だろう。それ以来、1975年の終結までの12年間に、米軍に戦死4万7434人を含む9万人以上の死者(注1)、南北ベトナム軍、南ベトナム解放民族戦線、ベトナム民間人に百数十万人の死者を出したこの戦争は、朝鮮戦争を上回る大きな戦争だった（民間人の死者の数は朝鮮戦争のほうが多かったと言われている）。

この章では、まずこの戦争が起こるに至った歴史を大まかにたどり、次にこの戦争がどのように始まり、どのように終わったかを振り返ってみることにする。**朝鮮戦争と同様、この戦争が始まった遠因は、日本が太平洋戦争に敗れたことにあった。**

アメリカは共産主義のベトミンを支援して日本軍と闘わせた

戦前のベトナムはフランスの植民地だったためフランス軍が駐留していたが、ヨーロッパで第二次世界大戦が始まると、フランスはあっけなくドイツに降伏してしまった。そこでドイツの同盟国だった日本は、1940年に陸軍をベトナム北部に進駐させ、駐留フランス軍を事実上の支配下に置いてベトナムを日仏共同統治とした。

その時点で太平洋戦争はまだ始まっていなかったが、日本がベトナムに陸軍を送ったのには理由があった。日本は中国大陸で**蔣介石**の国民党軍と闘っていたが、序章の（注1）で触れたように蔣介石はアメリカから軍事援助を受けており、援助物資はベトナム北部のハイフォン港に陸揚げされ、そこから鉄道で中国の雲南省の昆明へ、そしてさらに重慶へと送られていた。日本はその補給ルートを断つ必要があったのだ。

だが太平洋戦争が始まって2年ほど過ぎると、日本もドイツも劣勢になってくる。そして1944年後半になると、米英軍のフランス上陸によりドイツがフランスに立てた傀儡のヴィシー政権が崩壊し、太平洋や東南アジアでも日本の敗色が濃くなってきた。ベトナムにも米軍が侵攻する可能性がでてきたため、日本はベトナム駐留フランス軍に対し、米軍に対するベトナムの共同防衛を要求したが、駐留フランス軍が日本の要求に応じる可能性はなかった。

そこで日本の敗戦が濃厚になった1945年3月、ベトナム駐留日本軍は足手まといのフランス軍をベトナム全土で一斉に攻撃し、ベトナムに200年前から続く王家の王を皇帝に仕立ててベ**トナム帝国**の独立を宣言させた。フランスはアメリカに軍事支援を要請したが、ルーズベルトは少しばかりの空爆を承認しただけで軍事物資を与えず、駐留フランス軍は四千数百名の戦死者を出して日本軍に降伏した。ルーズベルトがフランスに協力しなかったのは、反植民地主義の立場から、帝国主義のフランスに軍事援助はしないと決めていたためだった。(注2)

だがそのころ、ベトナム北部ではすでに**ホー・チ・ミン**が率いる共産主義の**ベトナム独立同盟会**(ベトミン)が活発に活動していた。ホー・チ・ミンは若い頃フランスに渡り、パリでレーニンの思想に心酔してフランス共産党の創設メンバーとなり、ソ連で活動していたこともある活動家だった。(注3)

ホー・チ・ミンはアメリカのボストンやイギリスのロンドンでも暮らしたことがあり、欧米の事情に詳しかった。そこで**アメリカは、ホー・チ・ミンのベトミンに軍事援助を行い抗日闘争を支援する**ことを決め、OSS(アメリカ戦略情報局)(第3章の注1を参照)がホー・チ・ミンに接触した。OSSはベトミンに武器弾薬を供給し、軍事訓練をほどこした。(注4)

同年8月15日に日本が降伏すると、北部のベトミンはただちにハノイを占拠し、日本が立てたベトナム皇帝を退けて、9月2日にホー・チ・ミンが**ベトナム民主共和国**(北ベトナム)

の成立を宣言した。[注5]だがそれまで彼を支援していたアメリカは、その宣言にまったく耳を貸さなかった。アメリカにとって、日本が降伏した時点でホー・チ・ミンの利用価値はなくなっていたからだ。[注6]

じつは米英両国は、日本が降伏した後にベトナムを北緯16度で南北に分割し、北は蔣介石の中華民国軍が、南はイギリス軍が暫定統治をすると決めていたのだ。米英両国はそのことをポツダム会談の時に話し合っており、その内容はトルーマンがフランスの**ド・ゴール将軍**（後のフランス大統領）に送った書簡に記されていた。[注7]

一方、ベトナム南部では、日本軍の捕虜になっていた1万5000人以上のフランス軍将兵が英領インド軍[注8]によって解放され、フランス軍は同軍の助けを借りて**サイゴン**（現在のホーチミン市）を制圧し、メコンデルタを支配下に収めた。[注9]

こうした事情から、ベトナム駐留日本軍の武装解除は遅れて1945年の秋以降になり、北部ではハノイに入城した中華民国（国民党）軍、南部ではサイゴンに進駐した英領インド軍により行われた。だが中国本土で蔣介石の国民党と毛沢東の共産勢力との対立が激しくなったため、ハノイに進駐した中華民国軍は短期間滞在しただけで帰国してしまう。中国ではその翌1946年に**国共内戦**（国民党軍と共産党軍との内戦）が始まっている。

独立戦争が〝共産主義者対アメリカ〟の闘いへと変化する

それからしばらくして、フランス本国から増援部隊が到着して英領インド軍が引き揚げると、サイゴン駐留フランス軍はベトナム全土に支配を広げるべく北進を開始した。だが北部ではすでにホー・チ・ミンのベトナム民主共和国が統治を確立しており、彼らはベトナム全土の独立を主張していた。ベトミンがフランスによる植民地支配の復活を認めるなどあり得なかった。

ベトミンは1946年11月から1954年夏まで、7年半にわたってベトナム全土でフランス軍と闘った。(注10) フランスはベトナム南部の支配を固めるべく、日本の敗戦で後ろ楯を失って香港に逃れていたベトナム皇帝を連れ戻して1949年春に暫定政府を作り、サイゴンを首都とする「ベトナム国」を設立した。

だが、そのころの東アジア情勢は急速に変化しつつあり、同年秋には中国で**毛沢東**の共産党軍が蔣介石の国民党軍を破って**中華人民共和国**が誕生し、翌1950年には朝鮮半島で戦争が勃発する。中国は推定140万人もの兵力を朝鮮に送り、国内が手薄になっていたところへ、台湾に逃れた蔣介石が〝**大陸反攻**〟を唱えていた。

そのような背景のもとで、南からフランスの支配が北に向けて拡大してくるのを警戒した中国は、ホー・チ・ミンの要請に応じて北ベトナムへの支援を決定する。**中国は北ベトナムを、南方からの侵食を防ぐための防波堤とする必要があった**のだ。ホー・チ・ミンはソ連や東欧諸国からも軍事援助の確約を取り付けた。

一方、反共政策を掲げるアメリカのトルーマン政権は、アジアの状況が激変したのを受けてそれまでのあいまいな態度をあらためるため、1950年にベトナム駐留フランス軍への軍事援助を決定した。この決定こそ、**ベトナムの独立運動とそれを押さえ込もうとするフランスの**

闘いが、〝共産主義者対アメリカ〟の闘いへと変化する重要な転換点になったものだ。

アメリカはベトナムのフランス軍に大量の小火器を提供し、戦費の半分以上を拠出した。日本軍と闘わせるためにベトミンを支援していたアメリカが、今度はそのベトミンをつぶすためにフランス軍を支援し始めたというわけだ。

1953年になると、1月にアメリカの政権がトルーマンからアイゼンハワーに替わり、3月にはソ連のスターリンが死去して、7月に朝鮮戦争が停戦になる。新大統領に就任したアイゼンハワーは「アジアで（これ以上）地上戦をするつもりはない」と述べ、アメリカの直接介入を否定した。朝鮮戦争で米軍が5万4000人近くもの死者を出した直後であり、アイゼンハワーの発言は自然な流れだった（第4章を参照）。

じつはアイゼンハワーは、アメリカとイギリスの情報機関から、「アメリカがいくら支援してもフランスに勝ち目はない」とのレポートを受け取っていた。ベトナム駐留フランス軍は「フランス軍」とは名ばかりで、兵士は現地人や北アフリカから連れてきたアラブ人の傭兵だったため、士気が低かったのだ。(注11) アメリカが現地のフランス軍に与えた武器がおもに小火器ばかりだったのも、傭兵のレベルが低かったことが理由かもしれない。予想通り、フランス軍は敗退を続け、1954年3月から5月にかけてベトナム北部で行われた**「ディエン・ビエン・フーの闘い」**で、**ヴォー・グエン・ザップ**が率いるベトミン軍に決定的な大敗を喫してとどめを刺された。

アイゼンハワーがフランスの敗北をすでに見越していたのは、ディエン・ビエン・フーの闘いがまだまっ最中だった同年4月に、スイスのジュネーブで戦後処理を模索する交渉を始めたことにもうかがえる。そしてフランス軍大敗の後、7月に**ジュネーブ協定**（インドシナ休戦協定）が結ばれ、フランスの完全撤退、ベトナム民主共和国（北ベトナム）の承認、便宜的に北緯17度線でベトナムを南北に分割することなどが決められた（16度線から17度線へと、はじめの計画より境界を北ベトナム側に少し動かしたことになる）。フランスはアメリカから引導を渡されたのだ。

アメリカがフランスからベトナム南部を引き継ぐ

こうしてアメリカはベトナム南部をフランスから引き継いだ。その大義名分は、放っておけば東南アジア諸国が次々と共産化してしまう、といういわゆる**ドミノ理論**だが、その奥にはフランスからインドシナの利権を奪うという隠された目的もあった。**「西側の体制を守る」という大前提の枠組みのなかで、アメリカと西欧は常に利権争いを繰り広げている。**その状態は今日でも変わっていない。

1954年6月近く、ジュネーブ協定調印の直前に、アイゼンハワー政権は数年前からアメリカに滞在してロビー活動を行っていたベトナム人、**ゴ・ディン・ジェム**を帰国させ、「ベトナム国」の首相に押し込んだ。ゴ・ディン・ジェムは戦前の植民地時代にフランス支配のもとでベトナムを統治していた行政府の政治家で、渡米前は北部のホー・チ・ミンに対抗して南部で反共産主義による独立運動を行っていた。

ゴ・ディン・ジェムの背後には彼の活動を操っているスポンサーがいた。それはアメリカのCIAだ。ゴ・ディン・ジェムはそのつてで渡米し、元OSSのウィリアム・ドノヴァン[注12]らの根回しで有力者に紹介され、反共産主義の姿勢が気に入られて米政府高官から支援の約束を取り付けていた。ゴ・ディン・ジェムがキリスト教徒（カトリック）だった点も大きく寄与している。当時のアメリカでは、反共産主義でキリスト教徒だと言えば有力者に受け入れられやすかったのだ。これは第4章で述べた韓国の李承晩のケースと同じパターンだ。

フランス軍はベトミンに敗れて撤退したが、南部のベトナム国ではフランスの行政上の影響が強く残っていた。アイゼンハワー政権がゴ・ディン・ジェムを帰国させたのは、フランスに代わってベトナム南部の政治的な支配を確立するためだった。

1955年10月26日、ゴ・ディン・ジェムはイカサマの国民投票を行い、**ベトナム共和国**（南ベトナム）の成立を宣言して自ら大統領を名乗り、ベトナム国の皇帝を追放して自分の親族で固めた政権を作った。この政変は、CIAが筋書きを書いた無血クーデターだった。これでベトナム南部は「フランスが支配するベトナム国と傀儡の皇帝」から「アメリカが支配するベトナム共和国と傀儡の大統領」へと替わり、追放されたベトナム皇帝はフランスに亡命した。

ベトナム共和国（南ベトナム）が設立されると、アイゼンハワー政権はただちに軍事援助を開始した。最初の軍事顧問団が早くも5日後の11月1日に到着しているのを見れば、派遣の準備はベトナム共和国の設立準備と同時に進められていたとわかる。

だがアメリカは、中米や中近東ではヨーロッパの宗主国から旧植民地を奪って支配を拡大することに難なく成功したが、ベトナムはそう簡単にはいかなかった。

アメリカの誤算

新たな問題は、ゴ・ディン・ジェム政権は警察と軍を支配下に置くとたちまち腐敗し、横暴をきわめて国民を弾圧し始めたということだった。これも韓国の李承晩のケースと非常によく似ている。当然の帰結として、ゴ・ディン・ジェム一族の独裁に対する大衆の反政府運動がわき起こり、次第に南ベトナム全土に広がっていった。とくに、ゴ・ディン・ジェムから大統領顧問のポストを与えられた弟のゴ・ディン・ヌーは、秘密警察を使って反政府運動や仏教徒を弾圧し、拷問や虐殺をくり返したため、ベトナム民衆の憎悪の的になった。

残念ながら、これは**アメリカがバックについた途上国の独裁政権によく見られたパターン**なのだ。世界最強の大国が後ろについているから恐いものはないというような気になるのだろうか。

南ベトナムでゴ・ディン・ジェム政権の独裁が始まってから３年あまりが過ぎた１９５９年１月、北ベトナムは労働党中央大会で武力による南ベトナム解放を決議し、翌１９６０年末には南ベトナムに**南ベトナム解放民族戦線**（ベトコン）[注13]を結成した。その直接の理由は、ジュネーブ協定で定められた南北統一選挙をアメリカと南ベトナム政府が拒否したことだった。

なぜアメリカは選挙を拒否したのか。アメリカ政府は、統一選挙を行えば北ベトナムの共産党が勝ってしまうとわかっていたのだ。アイゼンハワーは後にこう語っている。

ベトナムの事情を良く知る人で、もしあのとき選挙をやっていればベトナム人の80パーセントがホー・チ・ミンに投票しただろうという意見に同意しない人間に、私は一人も会ったことがない。

勝つのなら選挙をやるが、負けるのならやらない。これが、アメリカが説いていた民主主義だった。アイゼンハワーはある意味で正直な人で、このような本音を漏らすことがよくあった。彼にとってそれは当然であり、口を滑らせたという意識もなかったのだろう。統一選挙を拒否した理由として、アメリカ政府とゴ・ディン・ジェムは、アメリカも南ベトナムもジュネーブ協定に署名していない点をあげている。だがジュネーブ協定が結ばれた時に南ベトナムは存在していなかったのであり、アメリカは同協定の当事者ではないのだから、これは明らかに詭弁である。

北ベトナムによる〝南を解放する闘い〟が始まる

南ベトナム解放民族戦線が結成された1ヵ月後の1961年1月20日、アイゼンハワーが退任してケネディ政権が発足した。前述のとおりケネディは翌1962年にベトナム駐留軍事顧問団を1万6000人以上に引き上げ、戦車、重火器、ヘリコプターなどといった兵器をベトナムに送ることを承認した。すでに見てきたように1961年4月にキューバのピッグズ湾事件、10月にドイツでベルリン危機が発生しており、1962年はキューバ危機が起きた年だ。ベトナムへのアメリカの介入拡大は、このような背景のもとで行われた。

一方、1959年1月に南ベトナムの武力での解放を決議した北ベトナムは、南で活動するゲリラに武器弾薬その他の補給物資を送るため、同年秋、南北ベトナムと国境を接するラオス、カンボジア両国のジャングルを通る補給路を作り始めた。これが、後に**ホー・チ・ミン・ルート**（英語ではホー・チ・ミン・トレール）と呼ばれるようになるものだ。長い年月をかけて作られたルートは網の目のように結ばれていた。後に米軍の正規軍が派遣され、南ベトナムの内戦が激しくなると、この補給路を通じて物資の補給を受けたベトコンが神出鬼没のゲリラ戦を展開して米軍を翻弄することになる。

南ベトナムでは、アメリカからの軍事援助が急増した1962年からゴ兄弟による反対者や仏教徒への弾圧がますますひどくなり、それにともない反政府運動やベトコンの活動がますます激しくなっていた。だが南ベトナムの政府や軍の有力者は、アメリカから与えられたカネと武器の分配をめぐって勢力争いに明け暮れ、クーデター未遂が頻発するなど混乱の収拾がつかなくなっていく。

だが、アメリカの力で権力の座につけてもらった独裁者は、「勝手なことをやり始めたらアメリカに捨てられる」と知っておかねばならない。1963年11月はじめ、大規模なクーデターが発生し、ゴ・ディン・ジェムとゴ・ディン・ヌーの兄弟は反乱軍に捕らえられて惨めな最期を遂げた。

このクーデターは、2人を取り除く必要に迫られたアメリカが後ろから操っていたとされる。もっともアメリカは2人の殺害までは指示しておらず、この殺害はゴ兄弟を憎悪する反乱軍兵士が2人を拘束して連行する途中で口論になり、激情に駆られてやったものだった。(注14)

ゴ兄弟が殺されてから3週間後の同年11月22日、今度はアメリカでケネディ大統領が暗殺され、全世界に激震が走った。ケネディの死にともない副大統領から大統領に昇格したジョンソンは、ただちにベトナムへの武力介入の拡大を開始する。

南ベトナムでは、ゴ兄弟の殺害後も相変わらず政府高官の腐敗と内部抗争が続き、共産勢力との闘いどころではなくなっていた。その一方でベトコンの活動はますます活発になり、南ベトナム政府にまかせていられなくなったアメリカは自ら乗り出す以外になかったのだ。こうしてアメリカはベトコンとの本格的な闘いに引きずり込まれ、南ベトナムの泥沼にはまっていくことになる。

翌1964年夏、ジョンソン政権は北ベトナムのトンキン湾でアメリカ海軍の駆逐艦が北ベトナム軍の哨戒艇から攻撃を受けたと発表し、それを理由に北ベトナムへの空爆と南ベトナムへの本格的な増派を決定する。だがこの**トンキン湾事件**は、アメリカの作り話だった。(注15)

翌1965年2月、アメリカに忠実な軍人の**グエン・バン・チュー**がクーデターを起こして実権を握り、南ベトナムの政情はようやく落ち着きを見せ始める。このクーデターの後ろにももちろんアメリカがいた。

グエン・バン・チューは生粋の軍人で、強固な意志を持った反共の闘士だった。これは韓国で、国を大混乱に陥れた李承晩が大衆のデモで失脚した後、アメリカが選んだリーダーが軍人の**朴正熙**だったのと同じ構図だ。国中が大混乱に陥って収拾がつかない時、混乱をまとめられるのは軍人による軍事政権しかないということなのだろう。

アメリカの〝北爆〟が始まる

1965年3月はじめ、ジョンソン政権は大規模で継続的な北ベトナム空爆を開始する。これは**ローリング・サンダー作戦**と呼ばれ、日本では**「北爆」**と通称された。だが北ベトナムはすでにソ連の指導のもとで防空態勢を築き、最新鋭のMiG（ミグ）21戦闘機や対空ミサイルの供給を受けていた。

こうしてベトナム戦争は、南ベトナムでの地上の闘いに加えて北ベトナム上空の〝空の闘い〟に拡大した。北ベトナム空軍は旧式のミグ17戦闘機を多数保有していたが、新たに供給され始めたミグ21の一部はロシア人のパイロットが操縦していた。これも朝鮮戦争でアメリカのB－29を迎撃したミグ15戦闘機をロシア人が操縦していたのと同じだ。

北爆は、それまで南ベトナムで行われていた空爆とは根本的に意味が違っていた。南ベトナムにおける闘いは内戦だが、北ベトナム爆撃とは、**アメリカが北ベトナムという主権国家を、宣戦布告も国連決議もなしに、大規模、長期的、継続的に爆撃し始めた**ということだったからだ。アメリカのベトナム戦争に反対する運動が、アメリカ国内のみならず世界中に広がっていったのは、この北爆が大きな理由だった。

後に、そのころジョンソンとホー・チ・ミンが交わした書簡が公開されている。ジョンソンは北爆の開始と同時に、北ベトナムに対して停戦交渉を打診していたが、北ベトナムは拒否していた。ホー・チ・ミンはジョンソンに送った書簡のなかで、対話を始める条件として「北爆の無条件全面停止」を要求し、ジョンソンは「無条件停止を行えば、あなた方はその機会を利用して軍事物資を南に運び込む」と答えている。それに対してホー・チ・ミンは、「北ベトナムへの爆撃は戦争犯罪であり、人道に対する犯罪であり、平和に対する犯罪である」として、「そのような脅しをかけられた状態での交渉には応じない」と突っぱねていた。

一方、南ベトナムへの米軍の増派は1968年まで続き、同年のピーク時には54万人もの大軍が駐留するまでになっていた。ベトナム戦争全期間を通じてベトナムに派遣されたアメリカの若者は総計300万人にも達する。当時はまだアメリカに徴兵制度があったため、そういうことも可能だったのだ。そしてこの米軍の大規模な派兵は、帰還兵が広めたドラッグがアメリカ社会に蔓延し、帰還兵による犯罪が急増し、反戦運動が暴動化し、ヒッピー文化が花開き、**その後のアメリカ社会がメルトダウンを始める原因となっていく。**帰還兵は反戦運動でも大きな推進力になった。(注16)

ベトナム戦争は奇妙な戦争だった

ベトナムの戦闘は、地上でも空でも、それまでの戦争では見られなかった非常に変則的な闘いだった。

ジョンソン政権は北爆を北緯19度線以南に限定しており、ハノイから約60キロ以内、ハイフォンから約20キロ以内も空爆が禁止されていた。ハイフォン港には兵器や兵站物資を積んだソ連や中国の船が頻繁に入港していたが、米軍は港湾施設を空爆することができなかったのだ。だがひとたび積み荷が港から運び出されて北ベトナム軍の手に渡れば空爆できるのだから、奇妙なルールでプレーするゲームのようなものだ。これらの規制のため、空爆はなかなか決定的な成果をあげることができなかった。

さらにジョンソンは、北爆のターゲットの選定から攻撃の時間、使用する爆弾の量に至るまで直接指示していた。大統領は、制度上は全軍の最高司令官ではあるが、軍事作戦の専門家ではない（例外は軍人出身のアイゼンハワーだけだ）。ところがジョンソンは、政治判断が必要という理由でこまごましたことにまで口を出した。おかげで現地の米軍作戦プランナーには大きなストレスが加わることになった。

地上軍も、少しずつ小出しに増派していくというやり方だったため、大きな成果をあげることができなかった。後にジョンソンは、「一挙に増派して北ベトナムを大規模に攻撃すれば、ソ連や中国の大規模な介入を招いて第三次世界大戦に発展する危険があった」と述べている。だがアメリカが地上軍を送っていたのは南ベトナムであり、南から北に地上軍を侵攻させる話はなかった。ズルズルと小出しに増やしていったのは、当のジョンソンに明確な戦略がなかったからにほかならない。国防長官ロバート・マクナマラはそのようなジョンソンの戦争に疑問を抱き、１９６８年2月末に辞任している。

ベトナム戦争におけるもう一つの特筆すべき点は、アメリカを含む世界のメディアが現地の悲惨な状況を連日連夜トップニュースで生々しく伝えたことだ。アメリカの新聞は、米軍に村を焼き払われて逃げ惑う人々の姿や、虐殺された住民の写真を載せ、テレビも毎晩、特派員の現地レポートや映像を流し続けた。アメリカの一般市民は、世界に自由と民主主義を広めるために闘っていると信じていた自国の軍隊が、民間人の虐殺や村の破壊をやっていたと知り、計り知れないショックを受けた。

米国民が目にするニュースをかざったのは現地の悲惨な状況のレポートだけではなかった。戦死した自国の兵士の死体を入れた布袋が大量に送り返されている様子まで報道されていたのだ。うがった見方をするなら、マスコミが反戦運動を煽っていた格好である。ベトナム戦争時代のアメリカには報道の自由の精神が強く根づいており、レポーターたちは自由にものが言えた。その姿勢は現場の記者だけでなく、デスクや編集局長レベルにも及んでいた。新聞社やテレビ局のオーナーも、なぜかそれを許していた。これは**2003年にブッシュ（子）政権が始めたイラク戦争で徹底した報道管制が敷かれたのとは大きな違いだ。**

膨れ上がる戦費、増加する戦死者、一向に好転しない戦況、国内で火がついた反戦運動、そのうえ悲惨な戦争の現地報告を連日連夜報道されて四面楚歌となったジョンソンは、1968年春、北爆の停止とベトナムからの撤退、次期大統領選挙への不出馬を発表した。

ジョンソンの不出馬により、民主党の次期大統領候補は司法長官の**ロバート・ケネディ**に決まった。暗殺された兄のジョン・F・ケネディの遺志を継いだロバートは、ベトナム戦争を終わらせると公約し、圧倒的な人気があった。だが同年6月、そのロバート・ケネディもまた遊説中に狙撃され殺されてしまう。

そして11月の選挙で共和党の**リチャード・ニクソン**の当選が決まる。ニクソンが大統領になると、ベトナムの悲惨な状況を伝えて政権を批判する報道はさらに過熱し、国内の反戦運動もさらに激しさを増していった。だが実際には、ベトナム戦争を拡大させてアメリカを混乱に陥れたのはニクソンではなく民主党のジョンソンであり、ニクソンはアメリカの根本政策を変更するために大統領になったのだ。

１９６9年1月、ニクソン政権はベトナム戦争を終わらせるという難しい課題を背負ってスタートした。だがこの時点では、まだニクソンにも、国家安全保障担当大統領補佐官に就任した**ヘンリー・キッシンジャー**にも、アメリカが戦争に負けて南ベトナムを失うかもしれないという認識はなかった。

ニクソン&キッシンジャーの戦略の破綻

当時のアメリカ政府にとって最も差し迫った課題は、国内で火がついた反戦運動と騒乱を鎮めることだった。そこでニクソン政権は、国民をなだめるために少数の名目的な撤兵を行うことを決め、その間に米軍とベトコンを引き離す戦術を考えた。その結果、２０００人ほどの撤兵を行ったが、ベトコンがその戦術に乗ってこなかったため効果がなく、むしろ泥沼の戦闘はこの年にピークに達してしまった。国内の騒乱も同年に拡大の一途をたどった。

そこで同年末近く、ニクソンとキッシンジャーは、「撤兵を加速しながら、ベトコンを積極的に攻撃して南ベトナムのグエン・バン・チュー政権を守りつつ、同時に北ベトナムとの停戦交渉にも力を入れる」という複雑な戦術に転換する。この転換により、１９６9年春には54万人以上もいた南ベトナム駐留米軍は、1年後の１９７0年春には40万人強にまで減少した。

だが、撤兵を進めつつ攻撃を強化する、つまり量（兵士の数）は減らすが質（軍事作戦のレベル）は高めるという考えは、戦場の現実を知らない政治家が考えた空論だった。アメリカは2003年に始めたイラク戦争でも、ブッシュ（子）政権が似たような間違いをくり返している。[注17] いくら近代兵器と優秀な部隊の力で敵を個別に撃破することはできても、十分な数の地上軍がいなければ、広い地域を平定することはできないのだ。ニクソンとキッシンジャーの戦術に基づき、米軍は撤兵を進めると同時に、ホー・チ・ミン・ルートを破壊するためにカンボジアとラオスにも侵攻した。[注18]

ところがこの作戦は、アメリカ国内の反戦運動をさらに激化させるという思わぬ結果を招いた。「撤兵を進める」と言いながら戦争をカンボジアやラオスにまで広げたことに対して、若者の怒りが爆発したのだ。加えて、政府高官や大企業の重役の子弟が徴兵をまぬがれているとの噂が広がるにつれ、反戦運動が全米で爆発的に広がり、大学キャンパスでは暴動にまで発展していく。

さらに悪いことに、右派がそれを力で押さえ込もうとしたため、火に油を注ぐ悪循環が生じてしまった。ニクソンが大統領に就任した1969年には、カリフォルニア大学バークレー校キャンパスの騒乱で警官が発砲して学生1人が死亡する事件が起きていたが、翌1970年5月4日、オハイオ州立ケント大学で、キャンパス内で行われていた学生のデモ集会に28人の州兵が軍用ライフルで60発以上の実弾を発射し、4人の若者が死亡するという痛ましい事件が起きてしまった。同大学では数日前から騒乱が起きており、1200人の州兵が鎮圧に出動していた。

この事件をきっかけに、それまで戦争に反対していなかった年配の穏健な保守層まで、雪崩を打ったように「ベトナムから手を引くべき」との考えに傾いていった。彼らは自分たちの国がベトナム戦争のために分裂してしまうことを本気で心配し始めたのだ。

〝ベトナムから手を引く作戦〟の顚末

ニクソンとキッシンジャーは、北ベトナムとの停戦交渉においても表向きは南ベトナムのグエン・バン・チュー政権を守る姿勢をとりつつ、ベトナムの泥沼からアメリカを脱出させるための方策をさぐっていた。

１９７０年秋、キッシンジャーは北ベトナムとの秘密交渉で、停戦後も北ベトナム軍が南ベトナム内にとどまるのを認めることに合意した。この合意こそ、戦争の行方に決定的な影響を与えることになったものだ。なぜなら、この合意により、もし米軍が去れば北ベトナム軍のサイゴン攻撃が現実となる可能性が高くなったからだ。米軍の撤兵はその後も続き、南ベトナム駐留米軍は１９７１年秋までに18万人に、１９７２年3月には6万５０００人にまで減少した。3年間で8分の1以下になったことになる。

そして案の定、その１９７２年3月に、北ベトナム正規軍が17度線を越えて南に侵攻を開始する。それに呼応して南ベトナムのベトコンも大攻勢を始め、米軍は激しい空爆によりなんとか攻勢を食い止めた。ところがこういう状況になっても、ニクソン政権は撤兵を予定通り進めている。我々はもう戦争を続ける気はない、と公言しているかのようだ。

じつはその前月に、世界を驚かせた歴史的な出来事が起きていた。**ニクソンとキッシンジャーが劇的な中国訪問を行い、米中国交正常化交渉を開始**したのだ。アメリカの大統領がはじめて毛沢東と対話を行ったこの訪中は、日本でも「キッシンジャーの忍者外交」と呼ばれて大きく伝えられた。北ベトナムが南への侵攻に踏み切ったのは、ニクソン訪中の実現によって「米軍の再派兵なし」と判断したためと考えられる。

だがメディアは国交正常化交渉ばかり大きく伝えていたが、ニクソンが中国に対して「北ベトナムへの支援を減らしてほしい」と要求していた事実は報道されなかった。ニクソンはさらにその3ヵ月後にはモスクワを訪問し、ソ連との〝**デタント**〟（緊張緩和）の交渉をまとめて**「戦略兵器制限交渉」の第1ラウンド**（略してSALT1［ソルト・ワン］と呼ばれた）に合意した。その時もニクソンはソ連に、北ベトナムへの軍事援助を減らすよう要求している。

ニクソンが中国・ソ連を相次いで訪れたのには理由があった。1972年はアメリカ大統領選挙の年だったのだ。選挙の投票日は11月はじめで、選挙運動は2月くらいから本格化していく。**2期目を目指すニクソンは、11月の選挙に勝つために、なんとしてでもベトナムから兵士と捕虜を帰国させる必要があった。**

そしてキッシンジャーと北ベトナム代表団がパリで秘密交渉を行い、同年秋までに合意の草案をまとめた。合意の大まかな骨子は、次のようなものだった。

①アメリカは南ベトナムに残る米軍の撤兵を続ける
②それと引き替えに、北ベトナムは米兵の捕虜を解放する

③南ベトナムの政治的な将来については協議を先送りする

北ベトナムに捕らえられていた900人以上の捕虜の大部分は、北ベトナム上空で撃墜された米軍機のパイロットだ。

この合意案は、実質的にアメリカが敗北を認めたに等しいものだった。なぜなら、①と②は「出て行きますから捕虜を返してほしい」と言っているのに等しいし、③でアメリカは南ベトナム政府を断固として守るとは言っていないからだ。アメリカにとって重要なのは、無意味な戦争を続けることではなく、〝名誉ある撤退〟だった。

そのためこの交渉は南ベトナム政府の頭越しに行われ、内容は外部に非公開とされた。ところがここで想定外の事態が起きる。ニクソンがグエン・バン・チューに同意するよう説得したところ、チューが猛然と抗議し、ニクソンはチューを同意させることができなかったのだ。キッシンジャーはやむなく北ベトナム代表に合意文書への署名を延期すると伝えた。

すると北ベトナムはアメリカの煮え切らない姿勢に態度を硬化させ、秘密取引の内容を世界に向けて公表したうえ、パリで行われていた和平交渉もボイコットしてしまった。交渉は暗礁に乗りあげ、再開のメドが立たなくなった。

そこでニクソンは、ついに最後の手段に出る。それは、

①北ベトナムを交渉のテーブルに呼び戻すため、B－52による爆撃を再開して圧力をかける

②撤退する米軍の穴を埋めるため、南ベトナム軍を100万人規模にまで増強する（これは「ベトナム化計画」と呼ばれた）

の2点だった。

だが、軍事顧問団だけ残して正規軍を帰国させ、南ベトナム軍を増強するベトナム化計画とは、なんのことはない、1964年にジョンソンが正規軍の派兵を始める前の状態に戻すのと同じだった。アメリカは8年の歳月と膨大なカネを費やし、米軍に9万人の死者（本章注1を参照）と35万人もの負傷者を出し、百数十万人ものベトナム人を死なせ、アメリカ国内を荒廃させて若者の政治に対する信頼まで失い、結局9年前の状態に戻すことになったのだ。これは朝鮮戦争で3年の月日をかけて米軍に5万4000人以上、南北朝鮮の兵士と民間人に200万人以上、中国軍に数十万人の死者を出したあげく、結局38度線で南北に分けた元の状態に戻ったのとよく似ていた。

このホワイトハウスの決定を受けて、米軍はただちにB－52による猛爆を開始し、国家インフラを破壊された北ベトナムはようやく交渉のテーブルに戻った。これも、朝鮮戦争の時にB－29の絨毯爆撃で北朝鮮が国家インフラを破壊され、停戦交渉のテーブルについたのと同じだ。

それと並行して、ニクソン政権は南ベトナム政府に対し、北ベトナムとの合意を受け入れるようにとの説得に全力をあげた。グエン・バン・チューはニクソンの説得に断腸の思いで同意し、北ベトナムは11月のアメリカ大統領選挙の前に捕虜を解放し、ニクソンは選挙で勝利した。

ニクソンの2期目がスタートした1週間後の1973年1月27日に、**ベトナム和平協定**（パリ和平協定）が調印された。これでアメリカは、晴れてベトナムから手を引くことができるようになったのだ。

だが、ニクソンにはまだ課題が残っていた。南ベトナムのグエン・バン・チューとの、「北ベトナムとの合意を受け入れればあなたの政権を守る」という約束だ。いくら南ベトナム軍を増強したところで、米軍の代わりにならないのはわかりきっている。そこでニクソンとキッシンジャーは、「もし北ベトナムが和平合意を破ったら、アメリカは北ベトナムに対して猛烈な報復攻撃を加える」とチューに確約していた。

だが、それは空しい約束だった。ニクソンは同年1月に、アメリカの**徴兵制度を廃止**すると発表しているのだ。徴兵がなくなれば、アメリカが大規模な軍隊を再びベトナムに送るのは不可能になる。もともと徴兵制度の廃止はその1年後に行われることが計画されていたが、ニクソンが一気に前倒ししたのである。

同年6月、アメリカ議会が、「夏の終わりまでにインドシナにおけるすべての米軍の軍事作戦の終了」を命じる決議を行った。それは「たとえ北ベトナムが合意を破っても、アメリカは何もしない」と宣言したのと同じだった。

以来、米軍が直接かかわる戦闘はなくなり、加えて徴兵も廃止されたことから、あれほど吹き荒れていた米国内の反戦運動は驚くほど短期間におさまっていった。その年の夏にベトナムからの撤兵が終了すると、米国内は戦争が終わったも同然の雰囲気になった。もっともニクソン政権もその後は長く続かなかった。約1年後の1974年8月、ニクソンは**ウォーターゲート事件**(注19)のスキャンダルで失脚し、任期途中にしてホワイトハウスを去ったのだ。

いずれにせよ、撤兵が終われば、もう無駄なカネは出さないということになる。南ベトナム軍を100万人に増強などという話はどこへやら、アメリカ議会は南ベトナムへの支援をあっさり否決し、支援を断たれた南ベトナム政府軍はソ連が支援する北ベトナム軍に圧倒されて総崩れになっていった。

南ベトナムはアメリカに見捨てられたのだ。

サイゴン陥落――アメリカの戦略の誤りとは

サイゴン（現在のホーチミン市）は1975年4月30日に陥落した。それまで残っていた米軍やアメリカ大使館の関係者のほか、南ベトナム政府の高官とその家族など祖国からの脱出を望む数千人のベトナム人が、前日から昼夜を徹して、米軍のヘリコプターで沖の空母その他の艦船にピストン輸送された。その中にはグエン・バン・チューも含まれていた。(注20)

当時、筆者はその様子を伝える米軍放送のニュースを東京で聞いていた。ヘリコプターの爆音をバックに米軍記者の緊迫した声が聞こえ、時代が急速に変わっていくと感じたのを覚えている。

最後に脱出するアメリカ人の一団はサイゴンのアメリカ大使館の屋上に集まり、米軍のヘリコプターに収容された。それまでに大使館はすべての重要書類と数十万ドルのドル札の焼却を終えていた。最後まで屋上に残っていたのは、脱出する人々を守っていた海兵隊員だった。北ベトナムの戦車隊はすでにサイゴンを包囲していたが、アメリカ政府との合意により、全員が脱出するまでサイゴン攻撃を控えていたのである。

４月30日の昼前、全員の脱出が終わると、北ベトナムの戦車隊がいっせいにサイゴンに突入を開始し、長い戦争は終わった。翌５月１日、前日の北ベトナム軍に続き、ベトコンが南ベトナム大統領官邸に入城し、ベトコンの旗を掲げた。奇しくも、その日はメーデーだった。今でこそメーデーなど流行らない時代になったが、当時の世相においては、これは象徴的な出来事だった。

アメリカがベトナムで失敗した原因には、ジョンソン政権の判断の誤りに加えて、**米国国防総省（ペンタゴン）の根本的な戦略の不備**があった。

冷戦におけるアメリカの究極的な敵はソ連であり、米軍はソ連との核戦争に勝つことに最終的な目標を置いていた。そのため、米軍の戦力は第５章で示したようにＩＣＢＭ（大陸間弾道ミサイル）、ＳＬＢＭ（潜水艦発射弾道ミサイル）、戦略爆撃機の３つの戦略核を柱とし、空軍の超音速戦闘爆撃機や海軍の主力攻撃機も戦術核によるソ連軍への攻撃を目的に作られていた。

だがベトナムの戦場では、そのどれも必要なかったのだ。

北ベトナム空爆で必要なのは、道路、橋、鉄橋、鉄道、兵站物資の集積所など、特定のターゲットへのピンポイント攻撃だった。しかも空爆には前述のような規制がかかっていたうえ、米軍機は北ベトナムの戦闘機が迎撃に発着する空軍基地の空爆さえ許されていなかった。米軍のパイロットにしてみれば、こんなバカげた戦争があるかということになる。

そのような状態で北爆に向かった米軍機は、翼下面に多数の通常爆弾を抱えていたため、高価な高性能機も本来の性能がまったく生かされなかった。最大積載重量近くまで爆弾を抱えていれば動きが鈍くなり、撃墜されるリスクも増す。たとえ護衛の戦闘機がついていても、北ベトナムの迎撃機が接近してくれば回避や応戦のために抱えている爆弾を捨てねばならず、結果的に目標への空爆が阻止された。このように、高性能機が本来の目的とまったく異なる使われ方をしたことが、空爆の効果が十分上げられなかっただけでなく、多くの機体やパイロットを失う原因ともなったのだ。(注21)

南ベトナムの戦場でも、アメリカの高性能機はスピードが速すぎてゲリラへの空爆に適さなかった。そのため米空軍はわざわざスピードが遅い旧式のプロペラ式攻撃機を持ち込み、さらにプロペラ式のゲリラ攻撃専用機を新たに製造したほどだ。また米陸軍は輸送用ヘリコプターの側面の貨物ドアを外して機関銃を取り付け、地上のベトコンへの銃撃に使うようになった。これが後に地上攻撃専用の攻撃ヘリコプターが誕生する原型になっている。

最後に再開された北爆では、アメリカは規制をはずしてハノイやハイフォンを多数のB－52で爆撃し、北ベトナムに壊滅的な打撃を与えている。B－52も本来はソ連への核攻撃を目的に1950年代に設計された古い飛行機だが、大量の通常爆弾の搭載が可能だ。だが防空レーダーへの電波妨害を行いながら高高度を飛行するB－52も、ソ連製対空ミサイルによりかなりの数が撃墜された。(注22)

アメリカの北爆に対し、ソ連は移動が簡単な対空レーダーシステムを北ベトナムに持ち込み、さらに海軍の艦船をトンキン湾に配置していた。アメリカのB－52はグアムから発進していたので、北ベトナムに向かうには西太平洋を飛行してトンキン湾上空を通過する。艦船のレーダーで捉えたＢ－52の情報は、北ベトナムにソ連が設置した指揮管制センターに送られ、北ベトナムはそれをもとに防空部隊が飛来を待ち受けることができた。

もしアメリカがもっと早く、ハノイやハイフォンのインフラをＢ－52で爆撃していたら、またはピンポイント空爆に規制を設けていなければ、北ベトナムは崩壊していただろう。だが宣戦布告をする大義もなく始めた戦争で、それはできなかったのだ。冷戦という枠組みのなかで行われた限定的な戦争においては、その一歩手前までが限界だった。

歴史に「もしあの時……だったら」はつきものだが、もしケネディが殺されていなければ、ベトナム戦争の拡大はなかったかもしれない。これは荒唐無稽な想像ではない。

ケネディは１９６２年に１万６０００人以上の軍事顧問団をベトナムに派遣し、〝戦略村〟と呼ばれる砦を作って住民を強制移住させるなどの米軍の作戦を承認したが、じつは翌１９６３年の後半になると、軍事顧問団を帰国させる計画をたて始めていた。実際、同年11月11日に、最初の軍事顧問１０００人を年末までに帰国させる大統領令に署名しているのだ。ケネディはそれを第一陣として、１９６５年末までに全員を撤収させる考えだったと言われている。

単なるポーズだったのではないかと言う人もいるが、第6章で取り上げたピッグズ湾事件、ベルリン危機、キューバ危機の時のケネディの言動を振り返れば、本気だった可能性は十分ある。もちろん、たとえ大統領が望んでも必ず実現するとは限らないが。

残念ながら、ケネディはその署名を行った11日後に世を去った。ケネディの死にともない大統領に昇格したジョンソンは、ただちにケネディの大統領令を覆し、正規軍の派兵を決定したのだった。

カンボジアを地獄にしたクメール・ルージュ

ベトナムの闘いは北ベトナムの劇的な勝利で終わったが、映画や小説と違って現実世界ではその後も時間は止まることなく流れ、出来事は次々に起こり、終わりはない。ベトナム戦争がやっと終わったと思ったら、今度はカンボジアとベトナムの間で戦争が始まった。

この戦争は、サイゴンが陥落した直後の1975年5月にカンボジア軍がベトナム人を虐殺した事件が発端だった。一時は関係修復の努力もなされたが、1977年になるとカンボジア軍が再びベトナムに侵入してベトナム人の虐殺を行い、それに応戦する形で今度はベトナム軍がカンボジアに侵攻した。それをきっかけにカンボジアは内戦になり、修羅場と化していく。

なぜそのようなことが起きたのか。**アメリカ、中国、ソ連の思惑がからまり、冷戦の代理戦争が三つ巴の状態になった**ためである。

カンボジアでは1970年にアメリカのCIAが仕組んだクーデターが起こり、首謀者の国防相**ロン・ノル**将軍が親米政権を作って「クメール共和国」の成立を宣言した。だが地方の農村では米軍の絨毯爆撃で数十万人が殺され、田畑のほとんどを破壊されたことから反米感情が強く、極左反米組織の**クメール・ルージュ**（赤いクメール）が生まれていた。

一方、ニクソン政権はホー・チ・ミン・ルートをたたくため、南ベトナム駐留米軍をカンボジア領内に何度か侵攻させた。それが原因でアメリカ国内の反戦運動が激化したことはすでに述べたが、この越境攻撃はカンボジアでもアメリカへの憎悪をさらに燃え上がらせ、クメール・ルージュが急速に勢力を拡大する原因を作った。

クメール・ルージュはソ連ではなく中国の支援を受けており、アメリカの傀儡であるロン・ノル政権への攻撃を拡大した。これはベトコンが南ベトナム政府の施設を攻撃したのと同じ構図だ。そして1973年に米軍の撤退が終了すると、カンボジアも南ベトナムと同じ運命をたどることになった。アメリカの支援を失ったロン・ノル軍はクメール・ルージュの攻勢に総崩れとなり、サイゴン陥落の2週間ほど前の1975年4月17日、カンボジアの首都プノンペンが陥落。ロン・ノル政権は崩壊した。翌1976年1月、クメール・ルージュは親中国政権を樹立して**民主カンプチア**の成立を宣言した。

カンボジアではその間の数年間の戦乱の結果、地方の農民が数百万人単位で国内難民となってプノンペンやその他の町に流入していた。ところがクメール・ルージュの指導者**ポル・ポト**は、自給自足の原始共産制を理想とする一方で、教師や知識人などのインテリ層を敵視し、個人が物を所有する権利を否定して通貨を廃止してしまうという異常な行動を取り始めた。

当初、世界の人々はカンボジアの内部で何が起きているのか気づかなかった。だがしばらくすると、恐ろしいことが行われていたことが明らかになる。ポル・ポトはプノンペンの住民から所有物を取り上げて農村に強制移住させ、大虐殺を行っていたのだ。(注23) さらにポル・ポト軍（クメール・ルージュ）はカンボジア領内に住むベトナム人を虐殺し、次にベトナムに侵入して農村を破壊し、そこでも虐殺をくり返した。

1978年になると、ポル・ポトは再びクメール・ルージュをベトナム領内に侵入させ、さらに多くの農民を虐殺したうえ、統一後のベトナムと断交するという行動に出た。そのニュースを聞いた多くの人は、いったい何がどうなっているのかと首をかしげたものだ。

同年半ば、今度はクメール・ルージュがポル・ポト派と反ポル・ポト派（親ベトナム派）に分裂し、カンボジアは再び内戦状態に陥った。ベトナムは軍をカンボジアに侵攻させ、ポル・ポト軍への攻撃を開始した。歴戦のベトナム軍とポル・ポト軍との力の差は歴然だった。ベトナム軍は翌1979年1月にプノンペンを制圧し、親ベトナムの傀儡政権を作った。ポル・ポトはジャングルへ逃亡し、ポル・ポト政権は崩壊した。

ポル・ポトの一見理解しがたい行動の背景にあったのは、**アメリカ、中国、ソ連の代理戦争の力学**だった。すなわち、中国の支援を受けたポル・ポトのクメール・ルージュが、まずアメリカの傀儡であるロン・ノルのクメール共和国を倒し、次にソ連に支援された統一後のベトナムに戦争を仕掛けて断交したが、ベトナムが反撃してポル・ポトを返り討ちにしたというわけだ。

ところが、これにはおまけがついていた。それから1ヵ月後の1979年2月、今度は中国の人民解放軍がベトナム北部への攻撃を開始し、**中越戦争**が始まったのだ。アメリカと闘っていたベトナムを支援していた中国が、今度はそのベトナムを攻撃し始めたのだから、多くの人が首をかしげた。だが中国軍も歴戦のベトナム軍の敵ではなく、2万人近い兵士を失って撤退する結果となった。人民解放軍は戦争を始める準備ができておらず、大国を自負した中国の過信が招いた敗北だった。

中国はなぜそのような戦争を仕掛けたのか。傀儡のポル・ポトがベトナムに敗れたことが理由だったのだろうか。詳細は第9章で述べる。

その後、そして今

紆余曲折を経て、1980年代半ばを過ぎると統一ベトナムにも新しい時代が訪れた。長期にわたる戦争で産業や経済が疲弊したベトナムには変革が必要だった。指導者たちの世代交代が進むとともに、新しい指導部は古い共産主義のスタイルを捨て、国際協調路線に転換した。そしてソ連が消滅した後の1995年、ベトナムはASEAN（アセアン：東南アジア諸国連合）に加入し、ベトナム戦争終了20周年を節目に国交回復を望むアメリカとの和解が成立した。アメリカに脱出していた旧南ベトナム政府の高官の里帰りも実現し、アメリカの元国防長官マクナマラがハノイを訪れて旧北ベトナムのヴォー・グエン・ザップ将軍と対談したのもこのころだ（本章注15を参照）。

今日のベトナムでは、ベトナム戦争終了後に生まれた人が40代後半にさしかかり、政権や社会の中心となって活躍している。政権は共産主義のままだがアメリカとの関係も保っており、中国とは南シナ海の島をめぐる問題はあるものの、貿易をはじめ経済的な結びつきが強まる一方だ。今のベトナム海軍の艦艇は大半がロシア製で、ベトナム人のなかにはアメリカに留学する者もいるが、毎年大勢がロシアに留学している。ベトナム戦争が終結した当時、ベトナムの人口は南北合わせて5000万人ほどだったが、今では1億人に近づいている。

サイゴンはホーチミン市と名を変えたが、かつてのサイゴンと同じように役人の腐敗が横行しているという。それだけは昔のサイゴンに戻ってしまったということか。

（注1） アメリカ国防総省退役軍人局の統計によれば、米軍の死者は戦死4万7434人、戦闘以外の理由による戦場での死者が1万786人で合計5万8220人のほか、戦場以外での死（おそらく負傷して病院に収容された後に死亡したケースなど）が約3万2000人もおり、合計すれば死者は9万人以上になる。また帰還兵の多くがホームレスになり、数万人が自殺したとも言われている。

（注2） ルーズベルトはよほどフランスが嫌いだったと見えて、1945年2月のヤルタ会談で「もしフランスと一緒にやるのでなければ、我々も（ベトナムで）日本軍に対抗する措置をとるべきだが」と発言している。なお米軍の記録には、フランス軍に対するベトナム人の反乱の増加について、「日本軍によるこの制圧が、フランスによるベトナム支配を終わらせる第一歩となった」とある。

（注3） とはいえ、ホー・チ・ミンはマルクスの『資本論』や共産主義マニフェストを読んだこともなければ、ロシア革命についてもよく知らなかったと後に語っている。彼はパリに住んでいた時に、マルクスやレーニンやトロツキーが以前そこに住んでいたことも知らなかった。ホー・チ・ミンは共産主義者というよりは民族主義者であり、独立運動の闘士だったと見るほうが正しい。彼はそのおかげで、他の多くの共産主義者のように不毛な論争に陥ったり内部争いや粛清に明け暮れることなく、祖国の独立という目標から外れないでいられたのだ。

（注4） OSSは1943年から駐留フランス軍とともにベトナム北部で部族民による情報収集・ゲリラ組

織を作っていたが、1945年3月に日本軍が駐留フランス軍を制圧した時にそれらのネットワークがすべて破壊されたため、OSSの極東地区ディレクター（米海軍中国担当司令官）がホー・チ・ミンに接触する決定を下した。OSSがベトミンを使うことを決めた理由の一つは、ルーズベルトがフランスへの非協力政策を曲げず、フランス人が入らないネットワークを使う必要があったからだった。それから数ヵ月にわたり、米陸軍航空隊地上支援隊が、情報収集と撃墜されたパイロットの救出を依頼する見返りに、ベトミンに通信機器、医療品、武器（小火器と弾薬）を与え、軍事訓練をほどこした。米軍の現地司令官のなかには、フランスとの協力も必要と考えて、ワシントンの命令を無視してフランス軍と共同作戦を試みた人もいたが、ベトナム人が協力を拒否したため成功しなかった。中国人やベトナム人のエージェントが、「もし米軍がフランス軍と一緒にいるところを見られたら、すべてのベトナム人を敵にまわしてしまう」と忠告したほどフランスは嫌われていたのだ。植民地時代のフランスによる収奪と抑圧がいかにひどかったかを物語るエピソードである。

（注5）その時ホー・チ・ミンは数十万人のベトナム人の大群衆に向かって演説し、アメリカの独立宣言から「すべての人間は平等に創られており、生きる権利、自由である権利、幸福を求める権利を与えられている……」を引用している。このことからも、彼にとっては共産主義のイデオロギーよりアメリカの独立宣言にある自由平等の精神のほうが重要だったことがわかる。ベトミンを訓練したOSSの司令官も、「ベトミンが共産主義者のようにはまったく見えない。彼らの目的は独立のために闘うことだけのようだ」とワシントンに報告している。

（注6）ホー・チ・ミンは、1945年9月2日に行った独立宣言をアメリカ政府が無視したため、翌年1月18日、ベトナムの独立を承認するようアメリカ政府に正式に求めた。だがアメリカ政府が返答しなかったため、ホー・チ・ミンはさらに2月28日に、中国の昆明にあったOSSの支局を通じてトルーマンに長文の電報を打ち、独立を承認するよう求めたが、トルーマンは返信しなかった。

（注7）トルーマンがド・ゴール将軍に送った書簡の内容は極秘だったが、2011年に機密指定が解除されたペンタゴンの文書のなかに入っていた。それによれば、ド・ゴールのたび重なる支援要請に対してト

ルーマンは、「そういうことは軍司令官の判断に任されている」と逃げを打っている。だがトルーマンがフランスを助けなかったのは、ルーズベルトのフランスへの非協力政策を継承したからではなく、インドシナの権益をフランスから奪うことを考えていたからだった。アメリカはポツダム会談でイギリスとインドシナの扱いについて話し合った時に、宗主国フランスを蚊帳の外に置いているのだ。ポツダム会談にド・ゴールを招かなかったことが、戦後アメリカとフランスとの関係がぎくしゃくする原因の一つになったとも言われている。

(注8) 英領インド軍：インドがイギリスの植民地だった時代に組織された、司令官や将校のみイギリス人で兵士はすべてインド人による「イギリス連邦軍」の一つ。この時イギリスは戦闘機などの航空隊をサイゴンに派遣しているが、それは英領インド軍ではない。

(注9) 動こうとしないアメリカにかわりイギリスに支援されたフランス軍がサイゴンの支配を取り戻し、ベトナム南部でベトミンのゲリラと戦闘を始めると、ハノイとサイゴンにあったアメリカのOSS支局は困った立場に置かれることになった。というのは、彼らはまだ取り決め上はベトミンを支援していることになっていたからだ。アメリカ政府はそれについても態度をはっきりさせず、1945年10月になってようやく、「我々はフランスがインドシナの植民地支配を復活させることに反対はしない」とあいまいな発表をしている。メコンデルタとは、メコン川が太平洋にそそぐ河口近くの肥沃な平野のこと。

(注10) この戦争は〝第一次インドシナ戦争〟と呼ばれている。米陸軍の資料によれば、1946年11月にベトミンがフランス軍に対してゲリラ戦を始めた時に所有していた推定三万数千丁の小火器の大部分は、太平洋戦争末期に日本軍が「ベトナム帝国」の民兵に与えたものだった。インドシナとは現在のベトナム、ラオス、カンボジアにあたる地域の総称。

(注11) 〝イギリス軍〟のインド人や〝フランス軍〟のアラブ人などが、独立を求めるベトナム人と闘わされていた姿は、イギリスやフランスによる植民地支配のやり方をよく示している。

(注12) ウィリアム・ドノヴァン：第二次世界大戦中に発足したアメリカのOSSの長官で、戦後に誕生したCIAの生みの親と呼ばれている。1953年9月から1954年8月までタイ駐在アメリカ大使を務

めており、その期間はちょうど第一次インドシナ戦争の最後の1年と重なる。彼が大使を退任したのはジュネーブ会議終了直後であり、彼が第一次インドシナ戦争の幕引きにかかわっていた可能性をうかがわせる。

（注13）ベトコン：南ベトナム解放民族戦線のゲリラ兵の俗称。

（注14）アメリカがゴ兄弟の殺害を指示していなかったことは、チャーチ委員会の調査レポートに記されている。韓国の李承晩も独裁と腐敗があまりにひどかったため国民の怒りが爆発し、アメリカが操る反政府デモが全国に広がり政権から引きずり下ろされたが、アメリカは李承晩を軍の輸送機で脱出させて命は助けた。

（注15）「北ベトナム軍の哨戒艇から攻撃された」と報告したとされるアメリカの駆逐艦の艦長は、後に「攻撃はなかった」と証言しており、「北ベトナム軍の哨戒艇に〝遭遇した〟」という駆逐艦の報告が「哨戒艇から〝攻撃された〟」と書き替えられていたことが判明している。また当時の国防長官ロバート・マクナマラは、冷戦後の1999年に出版した回顧録のなかで、「北ベトナムを訪問してヴォー・グエン・ザップ将軍と対談し、トンキン湾事件の事実はなかったことを確認した」とのエピソードを語っている。

（注16）反戦運動の高まりのなかで、戦場での功績により勲章をもらった帰還兵の多くも反戦デモに参加した。彼らはホワイトハウスの正面に集まり、もらった勲章をゲートのなかに投げ込むイベントを何回か行っている。後に上院議員になり、オバマ政権2期目に国務長官を務めたジョン・ケリーも元ベトナム帰還兵で、勲章を投げ込んだ一人だ。

（注17）イラク戦争でアメリカのラムズフェルド国防長官は「ヘリコプターで素早く移動することにより、少ない数の兵士で大きな成果をあげることができる」と主張していたが、結局その理論は破綻し、ラムズフェルドは辞任に追い込まれた。

（注18）ニクソンとキッシンジャーの計画にしたがい、米軍はカンボジアとラオスのジャングルをB－52で絨毯爆撃し、カンボジアに54万トン近く、ラオスにはじつに210万トンもの爆弾を投下した。この爆撃は1969年に始まり1973年まで続いたが、秘密作戦だったため長い間知られていなかった。秘密作

戦だったのは、戦争をしている相手ではない国を爆撃していたからだった。後に、それらの爆弾の多くは空軍が予算の獲得のため、または爆弾メーカーを儲けさせるために、湖など必要のないところにくり返し落としていたことが判明してスキャンダルになった。なお、２０００年に機密解除になった米空軍の正式な記録によれば、カンボジアへの秘密爆撃はジョンソンの時代の１９６５年に始まっていたが、Ｂ－52によるラオスとカンボジアのジャングルへの絨毯爆撃を始めたのはニクソン政権になってからだった。ベトナム戦争全期間を通じて米軍が北ベトナムに落とした爆弾は約１００万トン、南ベトナム内に落とした爆弾は４００万トンと言われている。

（注19）ウォーターゲート事件：大統領選挙戦が行われていた１９７２年6月17日に、ワシントンのウォーターゲート・ビル内に置かれていた民主党本部に盗聴器を仕掛けようとして侵入した不審者が警備員に発見され、駆けつけた警察に逮捕されたことがきっかけとなって発展した大スキャンダル事件。逮捕された5人の男たちがホワイトハウスのスタッフやニクソン陣営に雇われた元ＦＢＩや元ＣＩＡの要員などだったことなどが次々と判明し、多数の関係者を巻き込んで追及ともみ消し工作の攻防が長く続いた。次第に大統領弾劾の動きに勢いがつき、ニクソンは１９７４年8月9日に自ら大統領を辞職した。

（注20）グエン・バン・チューの脱出については、その時に米軍のヘリコプターで脱出したという説と、数日前にＣＩＡの飛行機で脱出していたという説の2つがある。いずれにせよ、チューは余生を家族が住んでいたフランスで過ごし、晩年はアメリカに移住してアメリカで亡くなった。

（注21）その象徴的な例が、Ｆ－１０５サンダーチーフという当時の米空軍の主力戦闘爆撃機だ。Ｆ－１０５はタイの米空軍基地に展開し、連日、北爆に酷使された。その結果、各型合わせて８００機ほど生産されたうち３２０機が撃墜され、被弾して不時着しスクラップにされたものや事故で失われたものを含め４００機近くがベトナムで失われた。じつに50パーセント近い消耗率だ。

また当時の最新鋭機で、後に日本の自衛隊でも主力戦闘機として使われて有名になったＦ－４ファントムは、もともと米海軍の艦載機として作られたものだが、後に空軍でも採用され、海軍型、空軍型ともベトナムに投入された。輸出型を含めれば総計５０００機以上が生産されたうち、ベトナムに投入された米軍のファントムは533機が撃墜されたのを含め666機が失われた。

米軍の記録によれば、ローリング・サンダー作戦（1965年3月2日から1968年11月2日まで行われた北爆）で撃墜された米軍機は922機で、ベトナム戦争全期間を通じて失われた米軍機の総計は固定翼機が3744機、ヘリコプターが5607機で、総計9351機に及ぶ。

（注22）北ベトナム上空で撃墜されたB－52は17機までわかっている。その他にも、被弾して不時着しクラッシュしたものも10機ほどあり、事故で失われたものを含めると31機のB－52がベトナムで失われた。なお、北爆に向かうB－52はすべてグアムから発進していたが、一部が「台風避難」を口実に沖縄の嘉手納空軍基地に移動していたことがある。その時期は1972年2月からで、ニクソン訪中とぴったりタイミングが合っている。中国に無言の圧力をかけるためだったのだろうか。嘉手納にはグアムから北爆に行くB－52に空中給油をする空中給油母機が常駐していた。

（注23）ポル・ポトの大量虐殺のやり方は、まず大勢の人に大きな穴を掘らせ、その穴の縁に並ばせて立たせておいて後ろから頭を棍棒で殴りつけて殺し、その穴に突き落として埋めてしまうという残忍きわまりないものだった。当時の「ニューズウィーク」の報道によれば、この方法でポル・ポトは銃弾を一発も撃たずに200万人を殺したという。

（おもな出典・参考文献）

◆"Advice and Support: The Early Years The U.S. Army in Vietnam" 1941-1960, by Ronald H. Spector, United States Government Printing Office, 1983.
◆"The First Vietnam War: Colonial Conflict and Cold War Crisis" edited by Mark Atwood Lawrence, Fredrik Logevall, Harvard University Press, 2007.
◆"The Cold War: A World History" by Odd Arne Westad, Basic Books, 2017.
◆"The Gulf of Tonkin Incident, 40 Years Later: Flawed Intelligence and the Decision for War in Vietnam", アメリカ国家安全保障文書館 / The George Washington University.

◆"U.S. Involvement in the Vietnam War: The Gulf of Tonkin and Escalation, 1964, Milestones: 1961-1968" アメリカ国務省 , Office of the Historian.

◆"Vietnam War Internet Project" Recommended Reading List, Section One-Historical and Social Science Analysis and Narrative.

◆PBS（アメリカの公共放送）Battlefield: Vietnam, A Brief History.

◆PBS Battlefield: Vietnam, Time line.

◆"The Vietnam War: A Concise International History"（Very Short Introductions）by Mark Atwood Lawrence, Oxford University Press; July 23, 2010.

◆"The Personal Letters Between Ho Chi Minh & President Johnson During The Vietnam War", International Historic Films, 2017.

◆"Letter from Ho Chi Minh to President Lyndon Johnson" by Digital History, Author: Ho Chi Minh, 1967.

◆"What It Is Like To Go To War" by Karl Marlantes, Grove Press, New York, 2011.

◆"At Hell's Gate" by Claude Anshin Thomas, Shambhala Publications, Boston, 2004.

第8章　ニクソンによるアメリカ根本政策の大転換

話はニクソン政権時代のアメリカに戻る。米国の立て直しを図るニクソンとキッシンジャーはソ連との核軍縮をはじめとするデタント（緊張緩和）や、中国との国交正常化交渉を開始する一方、金本位制を廃止してオイルダラーという〝錬金術〟を生み出す。

1969年1月に大統領に就任したリチャード・ニクソンの課題は、大混乱に陥ったアメリカの立て直しだった。その目的に沿って、ニクソン政権はそれまでの根本政策を転換する4つの決定を下した。その4つとは、以下のとおりだ。

①ベトナムから撤退する
②中国封じ込め政策をやめ、国交を開く
③ソ連と緊張緩和を行う
④ドルと金(きん)の交換を停止する

〝共産主義の脅威〟を言わなくなったアメリカ

まずベトナムからの撤退を実現するため、ニクソンはキッシンジャーとともに**パリ和平会**

談をスタートさせ、戦争の終結に着手した。すでに第7章で述べたように、ベトナム駐留米軍は1969年夏から撤退を開始し、ニクソン2期目の最初の年である1973年に撤退は終了した。この撤退は、**アメリカがアイゼンハワー政権時代から続けてきた武力によるインドシナ介入拡大政策の断念**を意味した。

またニクソン政権は、アメリカ建国以来続いてきた**徴兵制度も廃止**した。その最大の理由は、富裕層の子弟が徴兵される心配をなくすことだった。わざわざ徴兵など行わなくても、良い職につけない低所得層の若者はたくさんいるので兵士の募集には困らないという計算だ。

政策転換の2つ目の「中国封じ込め政策をやめ、国交を開く」と、3つ目の「ソ連と緊張緩和を行う」は、ベトナムから手を引くためにどうしても必要だった。1972年2月、ニクソンはアメリカ大統領としてはじめて共産中国を訪問し、毛沢東と握手して世界を驚かせた。

中国との関係正常化にはもう一つの側面があった。中国はアメリカが戦争をしている北ベトナムを支援していたが、アメリカの多くの企業は中国への進出を望んでいたのである。

3つ目の「ソ連との緊張緩和」は、中国との交渉開始とペアになっていた。「戦争で国が傾いてきたから立て直さないといけないので、争いはちょっとタイム」というわけだ。緊張を拡大するのも中止するのも、アメリカは自分の都合で決められる。**ソ連は常にアメリカの行動に対応する形で動いてきた。この構図は今の米露関係でも基本的に同じだ。**

当時のアメリカにとって、ソ連と中国のどちらが軍事的により大きな脅威だったかと言えば、もちろんソ連だ。北ベトナムへの軍事支援にしても、ソ連は戦車や火砲だけでなく、対空ミサイルや戦闘機まで供給していた。中国は今でこそアメリカと並ぶ超大国だが、当時はまだ貧しくて遅れた国だった。**冷戦時代におけるアメリカ（及びイギリス）の真の敵は常にソ連であり、ソ連だけ**だった。

１９４７年のトルーマンの宣言以来、アメリカは〝反共政策〟を国策とし、共産主義との対決を基本とする冷戦構造を世界中に構築してきた。ニクソン政権による政策の転換は、このトルーマン・ドクトリン（第１章を参照）の破棄にほかならない。以来、アメリカは〝共産主義の脅威〟を口にしなくなっていく。

だが、共産主義の元祖と本家であるソ連と中国との対立をやめるのなら、冷戦は事実上、中止になったと言えないだろうか。ここにアメリカの大きな矛盾が見えた。「今は都合により対立を中止したいが、冷戦をやめるわけではない」というのが本音だった。冷戦はひとまず国際政治の表舞台から姿を消したにすぎない。

だがソ連にとっても、緊張緩和の呼びかけはありがたい話だった。ソ連は苦しい財政のなかで北ベトナムだけでなくエジプト、シリア、アンゴラ、モザンビークなどのアフリカ諸国などへの支援も続けなくてはならなかったからだ。北ベトナム支援の継続は、政治的にも財政的にも重荷だった。

ニクソンが行った転換の４つ目は、それまで西側資本主義諸国の体制となっていたブレトン・ウッズ体制（第２章の注１を参照）の根幹である**ドルと金（きん）の交換を停止**することだった。それまでアメリカは湯水のようにカネ（ドル）を使いまくってきたが、それができなくなってきたのだ。カネ（ドル）は印刷することでいくらでも作り出すことができるが、ドルの価値を保証する金の保有量が減ってきたのである。

この時以来、アメリカは金に裏打ちされないドルを刷り続け、1970年代後半になるとドルの価値が下がり始める。それまで1ドル360円に固定されていた日本の円が変動相場制になり、1970年代末に急激な上昇を始めたのもその影響だ。

こうしてニクソンの時代を境に、世界が大きく変わり始めた。沖縄が日本に返還されたのも、ニクソン政権時代の1972年5月だった。

ニクソンの時代には、それまでの概念になかったもう一つの大きな出来事が起きている。**OPEC**（オペック：石油輸出国機構）による原油価格の急激な引き上げ、いわゆる **〝オイルショック〟** である。世界中でパニックが発生し、日本ではトイレットペーパーの買い占め騒ぎが起きた。オイルショックは後述する**第四次中東戦争**の余波であり、米ソ冷戦と直接の関係はないが、その後のアメリカのエネルギー政策を変化させ、冷戦の行方に大きな影響を与えた。

ニクソンが行ったこれら4つの大転換のうち、最初の3つのシナリオを書いたのは、ニクソンが国家安全保障担当大統領補佐官に起用した**ヘンリー・キッシンジャー**だった。中国への接近はもともとニクソンが温めてきた考えで、キッシンジャーははじめ興味を示さなかったと言われているが、秘密交渉に乗り出すと手腕を発揮した。中ソ両国との対話の開始はニクソンとキッシンジャーの大きな達成と見なされ、キッシンジャーは国際政治の風雲児となった。

キッシンジャーはドイツに生まれ、15歳の時にナチスの迫害を恐れて両親とともにアメリカに移住したユダヤ人難民一家の出身だ。ハーバード大学在学中に頭角を現し、博士課程修了後も同大学に残って国際政治学者としての道を進んだ。ニクソンとは1960年の大統領選挙の時から近い関係にあった。それまでもユダヤ勢力はおもに金融セクターと軍需産業を通じてアメリカの政治に大きな力を行使してきたが、キッシンジャーはニクソンと組むことにより、政治の表舞台に躍り出たのだ。

アメリカ、ソ連、中国「三つ巴」の戦い

ニクソンが中ソ両国に接近した背景にあったのは、**中国とソ連の衝突**だった。ニクソンの戦略は、中ソ両方に接近することにより両国の間にくさびを打ち込み、亀裂を拡大させるというものだったのだ。ここに、緊張緩和の推進が冷戦の終了を意味しない理由が潜んでいる。

ここで、それまでの中ソ関係のいきさつを簡単に記しておこう。

ベトナム戦争では中国とソ連はともに北ベトナムを支援していたが、もともと、この両国は国境紛争という大きな火種を抱えており、協力しあっていたわけではなかった。ソ連が支援物資を陸路で北ベトナムに送るには、中国の鉄道を経由しなければならないが、それを中国が妨害したこともあったほど両国の関係はギクシャクしていたのだ。島国に生まれ育った日本人には実感しにくいが、大陸の国は地上に国境線が引かれているため、どこでも国境紛争はつきものだ。中ソの対立は、ソ連が誕生する何世紀も前のロシア帝国の時代から存在していた。

第二次世界大戦後の中ソ対立は1956年に顕在化した。第5章で述べたように、スターリンの死後、ソ連の主席になったフルシチョフは「スターリン批判」を行い、「西側との雪解け」や「東西平和共存」を唱えた。ところがそれが原因で毛沢東とフルシチョフの関係が

悪化し、中ソ間にイデオロギー論争が始まってしまう。

それまで中国は、毛沢東の**一辺倒政策**により、あらゆる分野でソ連の技術援助に全面的に頼っていた。ところが、フルシチョフがスターリン批判を始めると、毛沢東はフルシチョフを激しい言葉で攻撃し、異常なほど強硬に「レーニン主義」を主張し始めた。以来、中ソの対立は激しくなるばかりで、中国で指導にあたっていた1万2000人ものソ連の科学技術顧問は帰国を始め、1960年までに全員が引き揚げてしまった。

部外者から見れば、そのような事態を招いた毛沢東の言動は理解しにくいことだ。だが中国には、硬直したイデオロギーによる共産主義でなければ巨大な人口を持つ国をまとめられないという国内事情や、台湾を支援するアメリカとソ連が共存するのは容認できないというスジ論があった。一説では、毛沢東がフルシチョフから人種差別的な扱いを受けて激怒したのが発端とも言われている。

ともあれ、毛沢東は、「フルシチョフは共産主義のコースを変え始めた修正主義者であり、ソ連はレーニンの原点を守らなければならない」と主張した。その議論は諸外国の左翼の間で論争に発展し、**1960年代になると世界中の共産主義運動が分裂を始める原因になった。**

毛沢東の文化大革命――中国最大の権力闘争

1958年、ソ連からの技術援助が縮小しつつあるなかで、毛沢東は「自力で国を豊かにする」として**大躍進政策**を開始する。だが無謀な農業政策や、技術の基礎がないのに強引に進めた工業政策の当然の帰結としてこの政策は大失敗に終わり、数千万人もの餓死者を出して５年後に幕となった。毛沢東は科学技術を理解していなかったのだ。

「大躍進政策」の失敗で党内での指導力がぐらつき始めた毛沢東は、独裁体制を立て直すため、今度は１９６６年に**文化大革命**を開始する。だが文化大革命は文化の発展のためでもなければ文化の革命でもなく、反毛沢東派の一掃こそが目的の大権力闘争であり、軍国化の推進だった。〝紅衛兵〟と呼ばれる狂信的で暴力的な毛沢東支持の若者集団が現れて国中を大混乱に陥れた結果、１９４９年以来続いてきた中国の成長は完全に止まってしまった。

ソ連では東西平和共存を唱えたフルシチョフが１９６４年に失脚し（第６章参照）、対米強硬派の**ブレジネフ**政権に替わっていたが、中国に文化大革命の嵐が吹き荒れ始めると、中ソ対立は収まるどころかいっそう激しくなっていった。そして１９６９年になると**中ソ国境で武力衝突が発生**し、双方とも数十名の戦死者を出すまでエスカレートすることになる。

文化大革命と紅衛兵の狂信的な行動は、北ベトナムへの支援にも影響を与えた。１９６５年まで、中国の支援はソ連の支援を上回っており、北ベトナムはソ連を〝修正主義〟と非難する中国を支持していたが、文化大革命が始まると状況が一変する。北ベトナムに対する中国の指図が過剰になり、あげくに紅衛兵がハノイやハイフォンにまでやって来て、中国国内でやっていたのと同じように毛沢東思想の強制を始めたのだ。

北ベトナムの名将ヴォー・グエン・ザップ将軍（第７章を参照）が北京を訪問した時には、毛沢東からじきじきに闘いのやり方を指示され、そのやり方で闘うように要求された。だがその時の毛沢東の言葉から北ベトナムの指導部は、「北ベトナムは最後の一人になってもアメリカと闘え」と要求されていると感じ、次第に中国と距離を置くようになっていった。毛沢東が説教した〝闘い方〟は国共内戦や朝鮮戦争時代の古いもので、当時のベトナムの事情にはまったく合わない時代遅れのものだったのだ。

1967年になると、アメリカの北爆が激しさを増すとともにソ連の支援が急速に増えて中国を抜き、北ベトナムはソ連とのつながりを強めていく。ソ連は北ベトナム指導部の心が中国から離れたのを見て、北ベトナムへの影響力を強めるチャンスと捉えた。

ソ連は巨大な人口を持つ中国をじつは恐れていたが、中国は高性能兵器を持つソ連の軍事力、とくに核兵器を恐れていた。1969年春に国境で武力衝突が発生すると、中国はソ連との戦争に備えて臨戦態勢を敷くまでになり、核シェルターまで作り始めた。この緊急事態に危機感を募らせた人民解放軍の高官が、**周恩来**首相に、「米ソの対立を利用してアメリカを味方につけたほうがよい」とアドバイスした。人民解放軍にとっては、アメリカよりソ連の脅威のほうが大きかったことになる。

周恩来からその提案を伝えられた毛沢東は、おそらく渋々ながらも承認した。「文化大革命で国中が大混乱に陥っているいま、アメリカとソ連の両方を敵にまわす余裕はない」という現実を前に、さしもの毛沢東も折れたのだ。それは、ベトナムの泥沼にはまって切羽詰まったアメリカのニクソンとキッシンジャーが、「中ソの衝突を利用して中国を味方につけるしかない」と考えたのと同じだった。米中両国は、ともに国内の混乱という似たような事情から、似たようなことを考えたと言える。

興味深いことに、アメリカがベトナムへの本格的な軍事介入を加速して泥沼にはまっていったのも、中国に文化大革命の嵐が吹き荒れ始めたのも、ともに1966年だ。そして1960年代が終わりに近づくにしたがい、ベトナム戦争も文化大革命も（そして中ソの対立も）激しさを増していき、ピークをむかえた時期はともに1969年だった。(注1)

世界を驚かせたニクソンの訪中

このような背景のもとで、米中の関係者がパキスタンのルートを通じて水面下で接触を重ね、1970年末近くになると、アメリカ側からハイレベルの高官による話し合いを行う意思があることが北京に伝えられた。そしてキッシンジャーが北京との間に秘密チャンネルを確立し、国務省を迂回する形で交渉を開始した（アメリカの国務省は他国の外務省に相当する）。

キッシンジャーははじめから国務省を軽視しており、国務長官を蚊帳の外に置いていた。国務省が入ると、官僚が反対したり秘密交渉がリークされたりする恐れがあるというのがその理由だった。キッシンジャーの考えでは、対外政策は大統領とその側近（自分のこと）が決めることであり、国務省の官僚は大統領の決定を実行する事務方として、細部の詰めや国内の対応に専念していればよいというものだった。ニクソンが毛沢東と歴史的な対面を行った時も、同行したのはキッシンジャーとそのアシスタントだけで、なんと国務長官は外されている。

ところがその同じキッシンジャーが後に国務長官になると、今度は大統領補佐官を無視して自分が采配を振るうのだから勝手なものだ。アメリカの政治でこういうことは珍しくなく、政権によって実権を握るのが国家安全保障担当大統領補佐官だったり、国務長官だったり、国防長官だったりさまざまだ。時には大統領すらただのスポークスマンのように見えることさえある。

1971年になると、ニクソン訪中への準備はさらに進んだ。ニクソンはそれまで続けられていた中国への渡航禁止を撤廃し、日本で開催された世界卓球選手権大会にアメリカチームを送り込んで中国チームと交流させている。そして同年4月には中国政府がアメリカチームを中国に招待し、翌年4月にはアメリカ政府が中国チームを招待して親善試合が行われた。この一連の出来事は〝ピンポン外交〟と呼ばれ、緊張緩和と信頼感の醸成にスポーツが使われた例となった。

キッシンジャーは1971年の7月と10月の2回、中国を秘密裡に訪問している。いずれもパキスタンを訪問し、同国に滞在しているフリをして秘かに北京に行くという念の入れようだった。後にキッシンジャーは、「ニクソンの訪中が実現するまでに時間がかかったのは、北京との仲介をしたパキスタンの大統領が、高額の謝礼とパキスタンへの軍事援助を要求していたためだった」と明かしている。

同年10月、国連総会で台湾(中華民国)を追放して中国(中華人民共和国)を加える決議案が可決され、**安全保障理事会でも台湾を退けて中国が席を獲得**した。アメリカ政府は台湾を追放せずに「二つの中国」を認めさせようとしたが、世界の圧倒的多数の国が「中華人民共和国を正式な中国と認める」という考えに賛成した。中華人民共和国が誕生してすでに20年以上が過ぎ、蔣介石は台湾に閉じ込められたまま、「大陸反攻」を唱えるばかりで何も結果を出せていなかった。この現実を見れば、中華人民共和国の承認は自然な成り行きだった。

そして1972年2月、ニクソン訪中がようやく実現した。だがニクソンと会談した周恩来は「二つの中国」も台湾の独立も認めず、「台湾は中国の一部」との主張を曲げなかった。ニクソンはその主張を認め、「平和的な解決を前提にできるなら、アメリカは台湾駐留米軍を引き揚げてもよい」と発言している。しかも周恩来と毛沢東が「アメリカが台湾との外交関係を維持する限り、米中国交正常化はない」との立場を貫いたのに対し、ニクソンは「アメリカは台湾の独立を支持しない」とあいまいな言い方をするにとどまった。この問答からも、明らかにニクソンは周恩来に押し切られたことがわかる。

第7章で述べたとおり、ニクソンとキッシンジャーには会談を決裂させるわけにはいかない決定的な弱み、つまり、その年の秋にアメリカ大統領選挙が控えており、彼らはなんとしてでも合意をまとめなければならないという事情があった。鳴り物入りで北京まで出かけていって、「合意できませんでした」では選挙で負けてしまう。それははじめから中国側に見透かされていた。だからこそ周恩来は強く出ることができた。ニクソンは「アメリカが投資して、中国に総延長2万5000キロの道路網を建設する」と大風呂敷を広げたが、中国側は反応しなかった。

このように、ニクソンは華々しく訪中したものの、中国が台湾問題をはじめ安全保障関係の原則を曲げなかったため、その後の米中交渉は進まなくなった。米中国交回復がようやく実現したのは、カーター政権時代の1979年になってのことだ。ニクソンの訪中は、アメリカ大統領としてはじめて共産中国を訪問したことに意義があったのであり、具体的な成果

はほとんどなかったと言ってよい。[注2]

一方、日本では、ニクソンに頭越しに訪中されたことで政府が批判され、日本もなんとかすべきだとの声が高まった。ニクソン訪中から遅れること7ヵ月、1972年9月に**田中角栄**首相と**大平正芳**外相が電撃訪中をして**日中国交回復**を実現させた。米中が会談を始めてから国交回復までに7年もかかったのに対し、日中はわずか5日で合意したのだ。

毛沢東は田中・周恩来会談ののち、「何百年かかってもできないことが数日でできることもある」と述べ、田中首相に「アメリカとソ連は心中穏やかではないでしょうよ」と意味深長な言葉をかけている。毛沢東のその言葉には、当時の中国の、アメリカとソ連に対する姿勢がよく表れていた。

当時の記録映像を見ると、ニクソンのスピーチを聞いている時の周恩来の表情は硬くこわばっている。毛沢東もニクソンと握手した時に、はじめは顔を合わせず、横を向いて反対側にいる中国人スタッフに声をかけたりしている。ところが田中・周恩来会談ののちに田中首相と語り合う周恩来や毛沢東はリラックスして笑っている。この違いが何を意味するかは明らかだ。当時の日中間にはこのように良い雰囲気があったのだ。米中交渉がこじれて7年もかかったのに対して日中が5日で合意できたのは、日中交渉では安全保障問題が含まれず、経済協力に絞られたからだった。

ニクソンは訪中から2年後の1974年にウォーターゲート事件（第7章の注19を参照）で失脚し、田中角栄はその2年後の1976年にロッキード事件で失脚した。中国と対話を始めた2人がともに数年で失脚したのは運命だったのか。

米ソのデタント（緊張緩和）とは

第5章で述べたように、アメリカは１９６０年代はじめまで、核兵器、ＩＣＢＭ（大陸間弾道ミサイル）、戦略爆撃機のいずれにおいても、数でも性能でも圧倒的にソ連にまさっていた。だがソ連は、政権がフルシチョフから強硬派のブレジネフに替わるとともに核兵器・通常兵器とも猛烈な勢いで開発と生産を進め、１９６０年代末になるまでにアメリカとほぼ互角の戦力を持つまでになった。そこでソ連の核戦力が真に脅威になってきたアメリカが、「核兵器やＩＣＢＭの数をお互いに制限しよう」と持ちかけたのがこの**デタント**だ。

〝デタント〟とはフランス語で〝リラクセーション〟を意味する言葉で、国際関係では対話による2国間の緊張緩和を意味する。今日デタントと言えば、普通はこの時にニクソンが行った米ソの緊張緩和を指すことが多い。

アメリカがこの交渉を始めた裏には、財政の悪化により、軍拡競争とくに核兵器開発が重荷になってきたという事情があった。またアメリカはベトナムで泥沼にはまったのと時を同じくして、国内ではインフレと失業率が上昇し、経済の悪化が社会の混乱に拍車をかけていた。一方のソ連は国防予算を減らして国民の生活向上に予算を使いたいと願っており、アメリカからデタントを持ちかけられれば拒否する理由はなかった。アメリカもソ連も、ともに戦争と軍拡競争で台所が苦しくなってきたのだ。

米ソ両国は、米中が接触を開始する少し前の１９６９年11月17日に、フィンランドのヘルシンキで、戦略兵器の生産競争を抑えるための協議を開始している。米中間はまず対話のチャンネルを確立する必要があったが、米ソ間にはすでにチャンネルがあったため、打診から協議開始までが速かった。この協議は**戦略兵器制限交渉**（Strategic Arms Limitation Talks）**の第1ラウンド**ということで、**「SALTⅠ」**（ソルト・ワン）と呼ばれた。協議開始の3ヵ月前にはベトナムからの米軍の撤退が始まっており、米軍がまず撤退を開始することが米ソ協議を始めるための条件だったようにも見える。

第5章で述べたように、1950年代半ばにソ連のフルシチョフが「東西の平和共存」を唱えた時、アメリカのアイゼンハワーはにべもなく拒否した。1950年代のアメリカはまだ財政状態が潤沢で、威勢がよかったのだ。だがそれから15年たち、ベトナムで泥沼にはまって国内が大混乱に陥り、経済が傾いてくると、そのアメリカのほうから緊張緩和を持ちかけたのである。アメリカが交渉を持ちかけたということは、劣勢になってきたからにほかならない。**アメリカは何事でも、自分が優位にある時には交渉しない。**

協議を始めてから時間はかかったが、ニクソンは中国訪問から3ヵ月後の1972年5月26日にモスクワでブレジネフとSALTⅠに暫定合意した。合意の内容を要約すれば、次のようなことだった。

①米ソ両国はICBM（大陸間弾道ミサイル）の発射基地の数を、すでにある数のまま凍結する

②新たに生産するSLBM（潜水艦発射弾道ミサイル）の発射機は、古くなって解体するICBM発射基地とSLBMの発射機を合計した数より増やさない

③相手にとどく射程を持つICBMの数を制限する

④ＡＢＭ（弾道ミサイル迎撃ミサイル）システムを展開する場所の数を制限する

交渉で最も難航したのは、相手が合意を守っているかをどのような方法でお互いに確認するかという点だった。立ち入り調査が含まれるからである。

じつは**ＡＢＭ条約**（弾道ミサイル迎撃ミサイルを制限する条約）の協議は、ニクソンが大統領になる前から行われていた。アメリカは１９６６年に、「ソ連はモスクワ周辺にＡＢＭを配備した」と主張し、それを制限するための協議を要求して、「米国内にあるＩＣＢＭ発射基地をソ連のＩＣＢＭの攻撃から守るために、我々もＡＢＭを開発する」と発表している。

だが、弾道ミサイル迎撃ミサイルは攻撃兵器ではなく、自衛のための兵器である。それがなぜそれほど問題になるのか。その理由は、ＩＣＢＭやＳＬＢＭの撃墜が可能になれば、相手の報復攻撃能力を無力化もしくは大きく減少させられるので、報復攻撃を心配せずに先制攻撃を行えるようになるからだ。(注3) そうなると、米ソともに相手を破壊する報復能力を持つことによる力のバランスが崩れてしまう。報復攻撃能力が減少すれば、それを埋め合わせるためにさらに多くのＩＣＢＭを持つ必要が生じ、両国がそれをやりだせば核兵器の軍拡競争に歯止めがかからなくなる。そこでそのような状態になるのを防ぐために、弾道ミサイル迎撃ミサイルを制限しようというのがＡＢＭ条約だ。

ＳＡＬＴⅠには問題が一つあった。その時点でＩＣＢＭの数ではソ連のほうがアメリカを少し上回っていたが、アメリカは１９６０年代末から多弾頭搭載型弾道ミサイルを増やしており、搭載されている核弾頭の総数ではアメリカのほうが依然として多かったのだ。多弾頭搭載型のＩＣＢＭやＳＬＢＭは、１基のミサイルに搭載されている複数の核弾頭がそれぞれ異なる目標を攻撃できるため、ＩＣＢＭやＳＬＢＭの数だけ制限しても意味がない。
結局その問題は話し合いがつかず、後のフォード政権時代に始まる戦略兵器制限交渉の第2ラウンド（ＳＡＬＴⅡ）に持ち越された。

アメリカはなぜドルと金の交換を停止したのか

金1オンス（約30グラム）を35ドルに固定した**ブレトン・ウッズ体制は、戦後の西側資本主義世界の金融政策の根幹だった。** ここで、同体制がその後どのように推移していったかを見てみよう。

ブレトン・ウッズ協定が結ばれたのは終戦前の１９４４年のことだが、実際に各国の足並みがそろうまでには15年近くかかった。だが戦後の世界が落ち着き始めた１９４８年〜１９４９年頃から、ドルとの交換比率が固定された国々の間で貿易は増え始めた。ドルはイギリスのポンドから国際通貨の座を奪い、それから１９６８年頃までのおよそ20年間、世界の為替は安定した黄金時代を送った。

１９６０年代後半まで、アメリカは自動車も電気製品も（家電製品も事業用機器も含め）優れたものを作っていたので、当時の外国人にとってアメリカ製品は垂涎の的だった。だが為替レートが１９４４年に決められたまま固定されていたため、多くの外国人にとってアメリカ製品は高くてなかなか買えず、高嶺の花でもあった。

その反対に、世界一強いドルを持ったアメリカ人は世界中の製品でも資源でも買いまくることができた。その姿を見た世界の人々に〝金持ちのアメリカ人〟のイメージが定着した。

そうなったおもな理由は、アメリカは国土が第二次世界大戦で戦場にならなかったため産業が無傷だったうえ、世界中の金の半分以上を手にしたことにあった。(注４)さらにブレトン・ウッズ体制のもとでドルに国際通貨としての役が与えられ、世界中でドルの需要が高まった。アメリカは世界のドルの需要を満たすためにドルを刷り続けた。

だが何事でも、良いことには良くないことがペアになってついて来るものだ。はじめアメリカは、ドルを国際通貨として世界に流通させるために、他国の通貨と交換するなどして意図的にドルを流出させていた。だが世界中に米軍を展開していたため、予想以上にドルが出て行くことになった。海外の基地に駐留する米軍は巨額の経費を必要とし、とくにベトナムへの増派が始まるとドルの流出が止まらなくなった。１９６０年代末までのドル流出の最大の原因は、外国製品の輸入による赤字ではなく、世界中に展開する米軍とベトナム戦争だった。

一方、西ヨーロッパの先進国や日本は、戦後の復興が進むとともに経済が発展を始めたが、それらの国の通貨はドルとの比較で低い評価に抑えられたまま固定されていたので、相対的にドルが実力より高すぎる状態になっていった。するとアメリカ人はドルを使って外国から輸入すれば国産品よりも安く買えるので必然的に輸入が増え、結果としてドルがますます出て行き、同時に国内の産業の必要性が次第に低下していくことになった。

加えて、ドルが実力より高すぎる状態が続くと、為替市場のトレーダーたちが「いずれアメリカ政府はドルの切り下げを行わざるを得なくなる」と見て、ドルを高いうちに売っておこうとする動きが加速した。これでドルがさらに出て行った。

1960年代末になると、アメリカでは国内で生産するよりも輸入したほうが安いことから、とくに自動車、電気製品、機械類などの工業製品の輸入が急増し、アメリカ国内のメーカーの仕事が奪われていった。この状態は1970年代を通じてますます拡大し、アメリカの製造業が衰退していったのは周知のとおりだ。例外は航空宇宙産業と兵器産業だけだった。

さらに、アメリカは朝鮮戦争とベトナム戦争という、膨大な戦費をかけた2つの大きな戦争を行ったが、どちらも未勝利に終わったため戦後賠償金を取れなかった。戦費をまかなうために国債を発行した後に残ったのは借金である。

そしてもっと根本的な問題の芽が、比較的早いうちに生まれていた。アメリカは終戦直後からドルを大量に刷り続けたため、1964年になると早くも**刷ったドルの総額が保有する金の価値を超えてしまった**のだ。ブレトン・ウッズ体制では1オンスの金が35ドルと決められていたので、本来なら安定して所有できるドルの総額は所有する金の量で決まってしまう。だがアメリカはなおもドルを刷り続け、所有するドルが増え続けた。そして世界の金市場で金の価格が上昇したため、今度はアメリカから金が流出を始めたのである。

1960年代半ばを過ぎると、世界市場では金が1オンス40ドルにもなったため、外国政府は所有するドルをアメリカで金と交換すれば大儲けできることになった。世界市場では1オンス40ドルでも、アメリカ政府は35ドルで交換しなければならないからだ。そこでイギリス、フランス、西ドイツなど西ヨーロッパの主要国は、自国が保有する何百億ドルものドルを金と交換してほしいとアメリカ政府に迫った。

1971年8月、ニクソンは財務長官などと協議のうえ、「平和への挑戦」と題して、「戦争によらない新たな繁栄を生み出すための「プログラム」という新しい経済政策を発表した。そのなかでニクソンは、「ベトナム戦争を終わらせ、ポスト・ベトナムの世界に頭を切り替える時が来た」として、3つの課題を挙げている。その3つとは、

① 国民のために、より多くの、より良い仕事を創出する
② 生活費の高騰（インフレ）を止める
③ 通貨の国際的な機関投機家からドルを守る

というものだった。

そして①と②を実現するために、「減税」と「物価と給与の90日間の凍結」を行うと決め、③を実行する方法として宣言したのが**「ドルと金の交換停止」**だった。

さらにニクソン政権はこの3つに加えて、すべての輸入品にかける関税に10パーセントを上乗せすることを決定した。これは、アメリカに輸出しているおもな国に、それぞれの国の通貨を切り上げさせる（結果としてドルの切り下げになる）のが目的だった。

1971年12月、当時G10と呼ばれた主要10ヵ国は、切り下げたドルとの交換レートに合意した。だがそれは、アメリカがドルと各国の通貨の交換レートを固定したまま維持しようとした最後の試みだった。その1年後には投機筋によるドル売り攻勢が始まり、ドルの価値がさらに下がったことから、G10の合意は効果を失ってしまったのだ。

1973年2月、ドルはさらに切り下げられ、G10はヨーロッパの主要6ヵ国がそれぞれの通貨をまとめてドルに対するフロート制（変動相場制）への移行を決めた。この時をもって、**ブレトン・ウッズ体制は崩壊した**のだった。

〝オイルダラー〟の創出――アメリカの逆転満塁ホームラン

ここで話を少し前に戻そう。

第7章で詳述したように、フランスは第一次インドシナ戦争でベトミンに敗れ、ジュネーブ協定でアメリカから引導を渡されてベトナムから完全撤退したが、植民地時代の利権のなかで残っていた大きなものがあった。それは銀行だ。アメリカがインドシナを引き継いだ後も、現地の銀行はフランス系のままだった。

ベトナム戦争中、米軍の兵器や軍事物資はアメリカ本土から運ばれたが、駐留米軍が現地で消費する食糧や基地を建設する資材などは現地で調達された。また米軍基地や港湾施設では数多くの現地人が雇われ、給料が支払われていた。加えて、数十万人もの兵士を長期にわたって駐留させていれば、現地でかかる経費は莫大になる。米兵たちも休暇にはサイゴンなどの街でカネを使う。数十万人もの兵士が何年もの間に落とす額はバカにならない。こうしてさまざまな形でアメリカが落としたドルが、現地の人々を経て入金したのはフランスの銀行だった。

そのドルはフランスの本店に送られ、フランスの銀行は次第に多額のドルを持つようになっていった。そこでフランスのド・ゴール大統領は、そのドルを金と交換するようアメリカ政府に要求した。前述したとおり、その頃までに金の市場価格は1オンス40ドルにもなっていたので、35ドルで交換したフランスは大儲けをした。

アメリカの貿易赤字が大きく拡大したのは１９７０年代末近くからだが、アメリカの金の保有量が減少し始めたのは１９５０年代から１９６０年代末にかけてだ。このことからも、アメリカから金が大量に流出したおもな原因は輸入による赤字ではなかったことがわかる。(注５)

こうしてアメリカは、沈み始めたドルを守るために根本的な改革を行う必要に迫られた。そして考え出された「ある戦略」が巨大な効果を生み、それが結果的に冷戦の行方に決定的な影響を与えることになったのだ。その戦略により、ドルがそれまで以上に強固な国際通貨となり、アメリカの富が倍々ゲームのように膨らんでいったのとは対照的に、ソ連やその他の共産圏諸国は経済が発展せず、国力も増さなかった。

切羽詰まっていたアメリカが逆転満塁ホームランを放ったとも言えるその戦略とは、**〝オイルダラー〟の創出**である。〝ダラー〟とは英語でドルを指す。つまり、〝オイルダラー〟とは石油とリンクさせたドルという意味だ。このアイデアを考え出したのもキッシンジャーだった。

通貨がただの紙切れではなく、それに印刷されている金額の価値を持つには、その額と同等の価値を持つ具体的な〝モノ〟と交換できることが保証されていなければならない。そのための〝モノ〟として昔から人間社会に認められ、使われてきたのが、金や銀などの貴金属であり、ブレトン・ウッズ体制はドルを金とリンクさせた金本位制だった。

だがアメリカは放漫経営を続け、保有する金の価値をはるかに上回るドルを刷り続けたため、ドルの価値が下がってその体制を維持できなくなったばかりか、金も流出を始めてしまった。そこでキッシンジャーは、ドルを金ではなく石油にリンクさせる妙案を考えた。

金は世界の総量が少なく、量が少ないからこそ貴金属なのだが、そのように稀少なものにカネの価値を固定させている限り、カネの量を大きく増やすことはできない。だが石油は埋蔵量が膨大なうえ、いまだ発掘されていない油田もあり、とりあえずいくらでも汲み上げることができる。しかも石油の消費量は世界経済と密接に関係しているので、世界の産業や経済が発展すれば需要が増し、需要が増せば増産して供給量を増やすことができる。そうなればそれにリンクしたドルの総量も増やすことができる。こんなうまい方法がほかにあるだろうか？

キッシンジャーが考え出したオイルダラーのシステムとは、次のようなものだった。

①各国はサウジアラビアの原油をドルで買う
②サウジアラビアは原油の輸出で得たドルを西側の銀行に預ける

このシステムを確立するため、キッシンジャーはサウジアラビアに何度も足を運び、王家（サウード家）と会談を重ねて、石油の代金をドル以外で受け取らないよう同意させた。

サウード家に同意させるためにキッシンジャーが提示した交換条件は、

①米軍がサウジアラビアとその油田を外国の脅威から守る
②アメリカはサウジアラビアに兵器を売り、軍隊を訓練する

というものだった。

サウジアラビアはサウード家が国のすべてを所有している専制国家であり、議会も選挙もなく、いまだに斬首の公開処刑が行われている国だ（ムチ打ちの刑は2020年4月にようやく廃止された）。アメリカがサウジアラビアを守るとは、サウード家を守ることにほかならない

（〝サウジアラビア〟という国名は〝サウード家のアラビア〟という意味で、第一次世界大戦後にイギリスの官僚が名付けたものと言われている）。日頃から他国に民主主義や人権を説いているアメリカが、サウジアラビアのこととなると急に沈黙してしまうのがなぜなのかは明らかだった。

　１９７４年、オイルダラーのシステムはサウジアラビアで完全実施となり、翌年までにＯＰＥＣの他の石油輸出国もみなこの体制に加わるようになった。こうしてニクソンとキッシンジャーは、西側資本主義諸国をブレトン・ウッズ体制からこの新体制に移行させることに成功した。**アメリカはそれ以後、ペルシャ湾岸のアラブ諸国に米軍基地を次々と建設していき、アメリカと中東の産油国との関係が深まっていった。**

　オイルダラーのシステムが実施されると、キッシンジャーの目算どおり、**ドルの需要が世界中で急増**した。このシステムのもとでは、石油を輸入する必要がある国、つまりほぼすべての国はドルを持たなければならないからだ。

　だが自国通貨を為替市場でドルに替えて支払いをしているだけでは、手数料も巨額になり、国富が出て行く一方だ。それ以外にドルを入手する一番良い方法は、アメリカに自国のモノを輸出することだった。アメリカは外国から輸入する時にドルで支払うからだ。日本や西ドイツのような工業製品の輸出国は、それまでにもアメリカに製品を輸出してドルを稼いでいたが、オイルダラーのシステムに移行してからはますます対米輸出を拡大した。また各国はアメリカ以外との貿易でも支払いにドルを使うので、世界経済が拡大するとともにドルの需要はますます増えていった。

　一方、ソ連などの共産圏諸国はこの流れに乗れず、経済が発展しなかった。ソ連は石油を自給できるので輸入する必要はなかったが、ドルをほとんど持っていなかった。[注6] アメリカはベトナム戦争で頂点に達した米ソの代理戦争で軍事的に敗北したが、皮肉なことに**ソ連はその直後から経済発展競争で大きく後れをとり、そのことが後にソ連崩壊へとつながる大きな要因になっていくのである。**

キッシンジャーのマジック

キッシンジャーがサウジアラビアと結んだ取引はこのようにシンプルなものだったが、そこにはマジックが織り込まれていた。サウジアラビアは原油の輸出で得たドルを西側の銀行にただ預金するのではなく、それらの銀行が所有する**米国債を買う**ように義務づけられていたのだ。国債が買われればその分ドルがアメリカに還流していく。キッシンジャーはこのシステムを**〝オイルダラー・リサイクリング〟**（オイルダラーによるドルのリサイクル）と呼んだ。彼はまさに天才だ……。

だが、このマジックは何か少し変ではないだろうか？　ブレトン・ウッズ体制では、アメリカは自らが保有する金(きん)にドルをリンクさせていた。だがオイルダラーのシステムでリンクさせた石油は自分のものではないのである。

ブレトン・ウッズ体制とは、簡単に言えば「我々はこんなにたくさん金を持っている。この金でドルの価値を保証するから大丈夫。みんなドルを使いなさい」ということだった。だがオイルダラーのシステムとは、「サウジアラビアの油田は我々の軍隊が守っている。このとになる。

石油でドルの価値を保証するから大丈夫。みんなドルを使って石油を買いなさい」ということになる。

石油は確かに人間社会が絶対に必要とする確実な〝モノ〟ではあるが、価格は大きく変動する。**そのようなモノに世界通貨としてのドルをリンクさせれば、ドルの価値もあやふやになる。**

そして現実に、それから15年ほど過ぎると、その問題が顕在化し始めることになる。

もう一つの問題は、ドルが還流したのはアメリカの大銀行であり、製造業や一般国民ではなかったということだ。それらの銀行はそのドルを株に投資し、株価が上昇してウォール街は好景気となり、一部の大企業は小さな企業を買収してますます大きくなっていったが、製造業の衰退は止まらず、アメリカ社会全体としての景気は悪いままだった。

一方、日本は、1960年代からベトナム特需に加えて輸出が好調で景気は良くなっていたが、本格的な高度成長が始まったのはこのころ（1970年代前半）からだ。日本は技術革新と大量生産のノウハウの開発により、アメリカへの津波のような輸出を実現した。キッシンジャーもそこまでは予測していなかったかもしれない。次第に貿易赤字が深刻になっていったアメリカは、1980年代になると「脅威はソ連ではなく日本だ」とまで言い始めた。だが残念ながら、日本のよき時代は1990年代にバブル経済がはじけて終わりになった。

日本や西ドイツなどと違ってアメリカに輸出できるモノがあまりない途上国は、ドルをあまり持てず、すると石油も買えず、経済が発展しないという悪循環に陥った。そこで**IMF**（国際通貨基金）がそれらの国に融資し、それらの国は融資されたドルで石油を買った。だがIMFが融資するドルの原資はどこから出ていたのかと言うと、アメリカをはじめとする西側先進国のほかは、おもにサウジアラビアなどの産油国だった。この時以来、ＩＭＦはそれらの国が出資したドルを貧しい国に貸し付けて利息を取り立てる金貸しとなった。

オイルダラーのシステムが国際政治に起こした最大の変化は、**この時以来、アメリカは中東に深く関与するようになった**ということだ。それは、**米ソ冷戦の重心が東アジアやヨーロッパから中東へと移っていくことを意味した。**

もう一つの重要なポイントは、アメリカは還流するドルを使ってますます外国から製品を輸入し、その結果アメリカの製造業の衰退がますます加速したということだ。それはまた、**アメリカの金融界が実体経済から乖離していく**きっかけにもなった。アメリカは逆転満塁ホームランを放ったと同時に、将来自分自身が抱える問題のタネをまいたとも言えるのだ。

いくらドルが還流しても、それは米国債という債券を発行することで入って来たカネであり、借金だ。**借金経営の依存症に冒されたアメリカは大量の国債を発行し続け、米国債は金融商品となって世界を巡り、借金の証明書が資産のように扱われる異常な状態が訪れた。**さらにサウジアラビアだけでなく中国や日本が大量の米国債を持つようになり、加えて西側先進国がそろって国債を増刷し、21世紀になると世界中に国債バブルが出現した。

２０２０年には新型コロナウイルス感染症のパンデミックによる世界同時不況が始まり、アメリカ（と日本、ＥＵ）は天文学的な額のドル（や円、ユーロ）を刷り続け、いつのまにか〝オイルダラー〟という言葉も使われなくなった。そして２０２０年5月、トランプ大統領はサウジアラビアに配備している防空ミサイルを引き揚げると発表した。

サウジアラビアを守るのは、オイルダラーのシステムを施行する条件だったはずだ。それをやめるというのは、オイルダラーのシステムをやめることを意味する。そして、トランプの考えとは裏腹に、世界は性急すぎるとも言えるスピードで脱化石燃料の方向に動き始めた。

2021年9月、トランプ政権時代の政策のすべてに反対していたバイデン大統領も、サウジアラビアからの防空ミサイルの撤収を発表した。（注7）中東の状況はその1年半で急変し、オイルダラーのシステムは今やほころびが広がりつつあるように見える。

では将来は何が国際通貨になるのだろうか。アメリカの**FRB**（連邦準備理事会＝アメリカの中央銀行）は民間の仮想通貨を押さえつけて自らの仮想通貨を運営する計画を進めており、国際通貨としてはIMFが近い将来、金本位制の**〝デジタルIMFコイン〟**なるものを発行し、これをデジタルダラーにリンクさせるとも噂されている（だが中央銀行が発行する仮想通貨はブロックチェーンを使わないので、仮想通貨が登場した時の精神から外れている）。

第四次中東戦争――米ソ冷戦の幕間劇

1973年8月にアメリカのベトナム撤退が完了してわずか2ヵ月後、今度は中東で火の手があがった。それが同年10月に勃発した**第四次中東戦争**だ。これはエジプトおよびシリアの連合軍とイスラエルとが戦火を交えた戦争だったが、前者にはソ連が、後者にはアメリカがそれぞれ軍事援助を行っていたことから、米ソ代理戦争の側面もあった。この戦争は双方ともアメリカ製、ソ連製の高性能戦闘機や戦車、ミサイルを繰り出しての近代戦となった。

第四次があるなら、第一次から第三次まであることになるが、それらは米ソ冷戦とは関係がないので、ここではごく簡単に触れるだけにしておこう。

第一次中東戦争とは、1948年から1949年にかけて行われたイスラエルの独立戦争のことだ。当時のパレスチナはイギリスの委任統治下にあり、この戦争はイスラエル独立を目指す**シオニスト**（シオニズム＝ユダヤ人国家建設運動の信奉者）がパレスチナ人を排除し、駐留イギリス軍を追い出すために闘ったもので、アメリカは支援していない。

第二次中東戦争とは当時「スエズ危機」と呼ばれたもので、アラブ連合共和国（現在のエジプト）の**ナセル**大統領によるスエズ運河の国有化宣言が発端となり、1956年にイギリスとフランスがイスラエルを引き入れて運河地帯を占領・実効支配しようとして始めた戦争だった。フランスがインドシナから撤退した2年後のことで、当時の英仏両国にはまだ戦前の植民地支配を復活させようとする動きが根強く残っていた。

英仏の計画は、まずイスラエルにスエズ運河まで侵攻させ、エジプトと戦闘になったところで英仏軍が〝平和維持軍〟の名目で上陸し、両軍の引き離しを行った後そのまま運河地帯を占領するというものだった。

エジプトのナセル大統領は、インドネシアの**スカルノ**やインドの**ネルー**などとともに、第二次世界大戦後にさかんになった旧植民地の独立運動の闘士として知られていた。これらの国はいずれも社会主義的な傾向が強く、エジプトやインドはソ連とのつながりを強めていた。スエズ危機ではアメリカとソ連がともに圧力をかけて英仏イスラエルを撤退させて戦争を終わらせ、イギリスとフランスは屈辱的な打撃を受けた。

第三次中東戦争とは、１９６７年にイスラエルがエジプト、シリア、ヨルダンに奇襲攻撃をかけて始まった戦争で、文字通り1週間で終わり、「6日戦争」と呼ばれたものだ。この戦争の後、イスラエルは「開戦前の国境に戻す」という国連決議を無視してヨルダン川西岸、ガザ地区、ゴラン高原、シナイ半島の占領を続けた。

6日戦争が終了してから数ヵ月後、エジプトはイスラエルの軍用機や艦船を攻撃したり、スエズ運河をはさんでエジプト側から対岸のイスラエル占領地に向けて砲撃したりするなどの挑発行動を開始した。イスラエル側もエジプト領内に侵入するなどして反撃し、両国の間にはっきりした戦争ではないが武力衝突が続くという、奇妙な紛争状態となった。この期間中、エジプトを支援していたソ連は軍事顧問団のほか戦闘機や対空ミサイル部隊を派遣し、時にはソ連軍機とイスラエル空軍機が直接戦闘を行ったこともあった。

この状態は、最終的に米ソの政治決着により、１９７０年8月にエジプト、イスラエル両国が停戦に合意して終了した。それはちょうどニクソン政権がソ連とデタントの交渉を始め、ベトナムから撤兵しつつ北ベトナム爆撃を強化していたころのことで、米ソとも中東で戦争が拡大する事態を望まなかったのだ。この時にエジプトとイスラエルの政治決着をまとめたのもキッシンジャーだった。

１９６７年の6日戦争まで、アメリカはイスラエルへの軍用機の禁輸を行っており、アメリカの戦闘機を入手できないイスラエルはフランスから「ミラージュ」戦闘機を輸入していた。だがミラージュの輸入には「自衛のための使用に限る」という条件がついていたにもかかわらず、イスラエルが6日戦争で先制奇襲攻撃に使ったため、フランスのド・ゴール大統領が激怒し、フランスはミラージュの供給を停止した。交換パーツの供給も止められたイスラエルは図面を盗み出したミラージュを独自に改良し「クフィール」と呼ばれる戦闘機に作りかえた。

一方、アメリカの戦闘機メーカーは、禁輸のために儲けが大きい戦闘機を輸出できず、不満をつのらせていた。輸出をしたい彼らと輸入したいイスラエルのニーズが一致し、ロビー活動が活発に行われた結果、アメリカは禁輸を解除し、イスラエルはアメリカのファントム戦闘機を導入することになった。

エジプトとイスラエルの紛争が停戦してからしばらくして、エジプトとシリアは6日戦争で奪われた領土を奪い返すため、イスラエルへの奇襲攻撃を計画した。両国はソ連から戦闘機、対空ミサイル、戦車、火砲などの兵器を調達して戦争の準備を進めた。

戦争の顚末とその後の中東

こうして始まったのが第四次中東戦争だ。この戦争は1973年10月6日、エジプトとシリアがイスラエルの西と東から同時奇襲攻撃をかける形で開始された。この日がユダヤ教のヨム・キプールという祝日だったことから、欧米やイスラエルではこの戦争はヨム・キプール戦争とも呼ばれている。

この戦争でエジプトはソ連製対空ミサイルによりイスラエル機を多数撃墜し、イスラエルは緒戦で劣勢に立たされたが、シナイ半島に侵攻したエジプトの戦車隊は次第に押し戻されていった。

ニクソン政権は、戦争が始まってからあわててイスラエルに戦車などの支援物資を緊急空輸したが、支援の規模は小さかった。当時「アメリカは大規模な支援を行った」と伝えられたが、それは事実ではない。ちょうどソ連とデタントを進めている最中だったことから、ニクソンとキッシンジャーは微妙な選択を迫られたのだ。彼らはイスラエルが大きな被害を受ける事態は防がねばならなかったが、エジプトとシリアが敗北する結末もまた望まなかった。もしエジプトとシリアが崩壊の危機に直面するような事態になれば、ソ連が直接介入せざるを得なくなってしまうからだ。だがソ連も深入りしたくないというのが本音だった。

この戦争は2週間半後に国連の停戦決議により停戦になったが、イスラエルは国連決議後も戦闘を止めず、アメリカとソ連の圧力を受けてようやく停戦した。

エジプトではこの戦争の数年前に親ソ連の社会主義者ナセル大統領が死去し、副大統領のサダトが政権を継いでいた。サダトはこの戦争の後、親米路線に転換してソ連の政治・軍事顧問の追放を始め、ソ連の顧問は1976年までに全員がエジプトを去った。サダトは裏でアメリカのCIAとつながっていたのだ。こうしてアメリカはエジプトを味方につけたことで中東への足がかりを確立したが、当然ながらソ連とエジプトとの関係は冷え込み、中東におけるソ連の影響力は低下していった。**アメリカはオイルダラーのシステムを確実にするためにも、中東からソ連の影響力を排除する必要があった**のだ。

戦争から6年後の1979年、サダトはアメリカの仲介でイスラエルと和平を結んだが、そのためエジプトはアラブ連盟から追放され、後にサダトは民族派兵士の反乱で殺害された。サダト没後は副大統領のムバラクが大統領に昇格し、長期にわたってお決まりの親米右翼独裁政権が続いた。親米路線を維持したエジプトは平和条約と引き替えにイスラエルからシナイ半島を取り戻したが、シリアはゴラン高原を失ったままになった。

（注1）アメリカの反戦運動がピークをむかえたのも、日本で70年安保闘争やベトナム戦争反対運動がピークをむかえたのも、ともに1969年だった。また中国の権力闘争がピークをむかえ、中国が国家存続の最大の危機をむかえた年も1969年だった。

（注2）とはいえ、アメリカは交渉を継続させるため北京に「在北京連絡室」を設置し、情報収集と裏工作には余念がなかった。後にアメリカ大統領になったジョージ・ブッシュ（父）は、1974年に同室の二代目所長として北京に赴任し、帰国後は、CIA長官に就任している。

（注3）ABM条約はソ連が消滅した後もアメリカとロシアとの間で継続されていたが、アメリカはブッシュ（子）政権時代の2002年に一方的に脱退し、ロシアが強く抗議している。アメリカはソ連（ロシア）に対して不利になることがあると条約を結ぼうとし、その条約がじゃまになると脱退してしまうという良い例である。なお、1966年にソ連が配備した弾道ミサイル迎撃ミサイルは核弾頭を搭載しており、飛来するアメリカのICBMを高高度で核爆発によって破壊しようというものだった。だがその方法では守るべき街（モスクワ）の頭上で核爆発を起こすので自分たちが被害を受けてしまうため、この迎撃ミサイルの配備は後に中止された。第5章で述べたように、ICBMを有効に迎撃できるミサイルは今でも存在していない。アメリカ物理学協会は2022年の研究発表で、その技術の完成にはまだ15年はかかると言っているが、実用的なシステムができるのはさらにずっと先になるだろう。

（注4）第二次世界大戦が終わった1945年の時点で、アメリカ政府は全世界の国の政府が保有する金の

59パーセントにあたるおよそ1万７０００トン以上を保有していた。それを1オンス35ドルで計算すると、およそ２００億ドルになる。さらに１９４８年になると、アメリカ政府が保有する金は全世界の政府が保有する金の72パーセント、約２４３億ドル相当にまで増えている。

（注５）（注４）に示したように、１９４８年の時点でアメリカ政府は約２４３億ドル相当の金を保有していたが、朝鮮戦争が終わった１９５３年にはそれが約２２０億ドル相当にまで減少している。この大幅な減少の理由は朝鮮戦争以外に見あたらない。また１９６０年代末にフランスがアメリカに金と交換するよう要求した額は約50億ドルであることから、ベトナム戦争でフランスに流出したドルはそれくらいだったのかもしれない。ちなみに、今日アメリカ政府が保有する金は、２０２１年はじめの公式な数字で８１００トン程度である。戦後すぐの時代に持っていた量の半分以下になってしまったことになる。

（注６）意外に思われる方も多いかもしれないが、ソ連の数少ない外貨獲得の方法の一つは、西ドイツに石油を輸出することだった。ソ連から西ドイツに通じるパイプラインは冷戦真っ只中の１９６０年代半ばに建設されて稼働を始めている。このパイプラインは当時ソ連領だったウクライナを東西に突っ切っており、ソ連が崩壊してウクライナが独立すると、ロシアからドイツに送られる石油の通過料がウクライナの貴重な収入源になった。２０１４年にウクライナでクーデターによる政変が起きた後、このパイプラインの扱いは米英が後押しするウクライナ新政権とロシアやドイツとの間で面倒な問題となった。２０２２年2月にロシアが侵攻した後、ウクライナは２０２２年5月9日、ロシアからドイツに送られている石油の3分の2を止めた。２０２３年になるとロシアが送油をすべて止めた。

（注７）ただし、これは配置換えのためだったとして、米軍は２０２２年3月に再びパトリオット・ミサイルをサウジアラビアに送っている。だが米軍のパトリオットは、２０１９年に南イエメンのフーシ派がサウジアラビアの精油基地をイラン製の平凡なドローンで攻撃した時にまったく役に立たなかった。パトリオットの性能には疑問が生じている。

（おもな出典・参考文献）

◆Rapprochement with China, 1972, U.S. Department of State（アメリカ国務省）, Office of the Historian.
◆Détente and Arms Control, 1969–1979, U.S. Department of State, Office of the Historian.
◆“Détente and the Nixon Doctrine”, Chapter 2 “Charting the Nixon-Kissinger strategy” by Robert S. Litwak, Cambridge University Press, 1984.
◆Strategic Arms Limitations Talks/Treaty (SALT) I and II, U.S. Department of State, Office of the Historian.
◆“The Rise of the Petrodollar System: Dollars for Oil” by Jerry Robinson, Feb 23, 2012.
◆Nixon and the End of the Bretton Woods System, 1971–1973, U.S. Department of State, Office of the Historian.
◆The Collapse of the Bretton Woods Fixed Exchange Rate System, by Peter M. Garber, A Retrospective on the Bretton Woods System: Lessons for International Monetary Reform, National Bureau of Economic Research, University of Chicago Press, January 1993.
◆Nixon Tries Price Controls, Excerpt from The Commanding Heights by Daniel Yergin and Joseph Stanislaw, 1997 ed., pp. 60–64, PBS.
◆“Super Imperialism: The Economic Strategy of American Empire” by Michael Hudson, 2nd edition, Pluto Press, 2003.
◆『中国の産業スパイ網』ウィリアム・C・ハンナス、ジェームズ・マルヴィノン、アンナ・B・プイージ著、玉置悟訳、草思社、２０１５年

第3部　冷戦後期

緊張の緩和と復活

第9章　ポスト・ベトナム時代の到来と終焉

ベトナム戦争が終わり、軍縮によるデタント（緊張緩和）の時代が訪れたが、平和は長くは続かなかった。穏健なカーター政権の外交政策を一手に担ったブレジンスキーは東欧や中国と関係を構築することで再びソ連の封じ込めをはかる。

1974年8月9日、ニクソンがウォーターゲート事件で辞任したのにともない、副大統領の**ジェラルド・フォード**がアメリカの大統領に昇格した。だがフォードは大統領選挙を一度も経ずに大統領になったため、議員や国民から冷ややかな目で見られていた。

というのは、下院議員で院内総務の職にあったフォードは、まずニクソン政権の副大統領がスキャンダルで辞任したためその後釜となって副大統領に昇格した後、その8ヵ月後に今度は大統領のニクソンの辞任によって大統領に就任したからだ。だれからも祝福されない大統領であることを自覚していたフォードは、はじめから低姿勢を通していた。

フォードは外交も内政も、ニクソンの政策を継続する以外ほとんど何もできなかった。米軍のベトナム撤退はすでに終了し、捕虜もみな帰国し、国内の騒乱もすっかり治まっていた。ベトナム戦争の正式な終結は1975年だが、一般の米国民にとっては米軍が撤退した1973年夏に戦争は終わっていた。ソ連とのデタントや米中国交正常化交渉も進行中で、核戦争の話などとっくに聞かれなくなっていた。フォードの出番はどこにもなかった。

反戦運動や暴動に代わって、この頃からアメリカでさかんになったのはロックコンサートだった。1970年代半ばにアメリカでロックコンサートがあれほど急激に盛り上がったのは、デタントのおかげだったのだ。徴兵がなくなり、戦争の精神的な圧迫から解放されたアメリカの若者は、映画、音楽、アート、ファッションなどに引き寄せられた。1960年代末に開花したカウンターカルチャーはすっかり姿を消していた(注1)。

国民にベトナムのことを早く忘れてもらいたかったアメリカ政府にとって、この現象は渡りに船だった。東西の緊張緩和は世相の緊張緩和を生み、いつのまにかポスト・ベトナムの時代が到来していた。

ヨーロッパで高まるデタントの気運

デタントの気運はヨーロッパでも高まっていた。ヨーロッパの東西融和の動きはすでに1960年代前半から起きており、フランスの**ド・ゴール大統領**はソ連や東欧諸国との関係改善を訴えていた。そんなヨーロッパにとって、ニクソンのデタントは追い風になった。

ド・ゴールはヤルタ会談（序章参照）20周年の1965年に行った演説で、「ヤルタを乗り越え、ヨーロッパの東西分裂に終止符を打つ」と宣言している。「ヤルタを乗り越え」るとは、「第二次世界大戦後にヨーロッパが東西に分かれたのは、ヤルタ会談でチャーチルとスターリンが取引を行い、どの国がどちらの支配下に入るかを決めたためだ。その状態を変えよう」という意味だ。米英による西ヨーロッパ支配へのド・ゴールの抵抗は、翌1966年のフランスのNATOからの脱退にもつながっている。

フランスの東隣、西ドイツではすでに高度成長が始まっており、西ドイツの経済力とフランスのド・ゴール主義による〝ヨーロッパ化〟が結びついて、緊張緩和への動きが起きていた。その流れのなかで、西ドイツのブラント首相は1970年にソ連のブレジネフ書記長と会談し、両国は緊張緩和と経済協力に合意した。ブラントはさらにポーランドとも条約を結び、東ドイツとの直接対話も実現させた。その間にもベルリンでは東側から西側に逃れようとして撃たれる人々がいたが、話し合いが中止されることはなかった。ブラントの願いは、東西ヨーロッパの融和とドイツの平和的な統一だった。

このような西欧の流れに合わせて、東欧にも東西融和の動きが起こった。ルーマニア、ポーランド、ハンガリーなどが緊張緩和を提案し、チェコスロヴァキアでは1968年に**プラハの春**と呼ばれる民主化運動がさかんになった。

だが「プラハの春」はあまりに性急すぎたため、民主化運動の急拡大に危機感を抱いたソ連の軍事介入でつぶされてしまった（ソ連は50万人の大軍を進駐させた）。この時はポーランドやハンガリーもソ連と行動をともにし、陸軍をチェコスロヴァキアに進駐させている。ソ連はチェコの民主化運動がきっかけとなって東欧のタガがゆるむ事態を警戒し、ポーランドとハンガリーはソ連の指示に従ったのだ。だが西欧諸国はソ連の軍事介入に形ばかりの抗議をしただけで、対抗措置は取らなかった。

このように、東欧諸国には**〝ソ連のレッドライン〟**という越えることのできない一線があったが、西欧諸国にも**〝NATOの縛り〟**と**〝アメリカの支配〟**という、越えられない一線があった。

そのような限界はあったが、西ドイツを中心とする「平和なヨーロッパ」を追求する動きは、1973年に**欧州安全保障協力会議**（CSCE）の発足へと発展した。同会議は東西ヨーロッパ諸国が一堂に集まって安全保障について話し合う目的で作られたもので、アメリカ、ソ連、カナダも加わり35ヵ国で構成されていた。先進7ヵ国の首脳が集まるG7がスタートしたのもこの時代だ。(注2)これらの動きにはアメリカのフォード財団やロックフェラー財団が活動資金を提供しており、CIAが根回しをしていた。国際政治とは複雑なものだ。

冷戦時代の西欧のアメリカやソ連との関係は微妙で複雑だった。それは今日の西欧の米露との関係においても変わるところはない。

米ソのデタントは宇宙空間にも及んだ。1975年にアメリカのアポロ宇宙船とソ連のソユーズ宇宙船が軌道上でドッキングし、米ソの宇宙飛行士が宇宙で握手するという劇的なパフォーマンスが行われている。このアポロ・ソユーズ・プロジェクトは、後にアメリカのスペースシャトルがソ連のミール宇宙ステーションにソ連の宇宙飛行士を送り届けるプロジェクトへと続いた。

ミールはソ連が1980年代後半に組み立てを開始した宇宙ステーションで、ソ連崩壊後もプロジェクトは新生ロシアによって継続されていた。アメリカのスペースシャトルは1990年代半ばの4年間に9回、ミールにドッキングを行っている。現在の米露関係しか知らない人には、そのような時代があったとは想像もつかないかもしれない。日本も参加している現在の国際宇宙ステーションは、このミールをベースにして建設されたものだ。残念ながら、最近の米露関係の悪化にともない、国際宇宙ステーションは廃棄されることが決まった。

好戦派の静かな復活

1970年代半ばに始まったこれらの動きを目にした人々の多くは、これで世界平和が実現するのではないかと期待を膨らませたものだ。だがようやく訪れた平和をアメリカの大衆が享受している間にも、**冷戦を続けようとする人々の活動が水面下で続いていた。**

ここで、フォード政権の主要な閣僚の顔ぶれを見てみよう。フォードが大統領に就任した時に指名した人々は、しばらくすると、国務長官のキッシンジャーと財務長官のウィリアム・サイモン以外のすべてが外され変更になっている。

たとえば、フォードが大統領首席補佐官に指名したのは、ニクソン政権時代に引き続き元軍人のアレグザンダー・ヘイグだったが、ヘイグは短期間で**ドナルド・ラムズフェルド**に交替した。1975年になるとそのラムズフェルドが辞めて、**ディック・チェイニー**に替わっている。大統領首席補佐官とはホワイトハウスの日々の業務を取り仕切る重要なポストで、いわば大統領のマネージャーのような存在だ。

国家安全保障担当補佐官は、はじめキッシンジャーが兼任していたが、1975年にタカ派の**ブレント・スコウクロフト**に変更になった。国防長官はニクソン政権から引き継いだシュレジンジャーがやはり1975年に外され、大統領首席補佐官を辞めたラムズフェルドが横滑りで就任した。フォードがCIA長官に指名したウィリアム・コルビーもニクソン政権からの留任だったが、1976年に外され、**ジョージ・ブッシュ（父）**に変更になった。なお、ブッシュ（父）はその前にアメリカの「在北京連絡室」の所長を務めている。同室はニクソン訪中後に設立されたもので、後に米中国交が正式に回復すると大使館に格上げになった。

フォードが政権発足時に指名した人々は大体において保守穏健派だったが、入れ替わった**ブッシュ（父）、ラムズフェルド、チェイニーらはみな好戦派だった**（ヘイグは軍人で、穏健派とは異なるが好戦派ではなかった）。ブッシュ（父）は後に大統領になり、イラクに侵攻して湾岸戦争を行ったことで知られているが、その時の国防長官はディック・チェイニーである。さらに2003年に**ジョージ・ブッシュ（子）**政権がイラク戦争を始めた時、チェイニーは副大統領、ラムズフェルドは国防長官として、戦争推進の中心的な役を演じている。

大統領が指名する閣僚の人事は大統領の専決事項のように思われがちだが、必ずしも常に大統領の意思が100パーセント反映されているわけではない。実際には周囲とのさまざまな力関係によって決まっていくものだ。フォードが指名した人々が途中で外されて好戦派に入れ替わっていったのは、アメリカの外交政策が水面下でそちらの方向に動き始めたことを示していた。

フォードが副大統領に選んだのは、やはり共和党穏健派の元ニューヨーク州知事ネルソン・ロックフェラー[注3]だった。ネルソン・ロックフェラーは副大統領に就任すると、そのころ問題視されていたCIAのアメリカ国内における暗殺などの違法な活動を調査する「ロックフェラー委員会」を立ち上げ、調査を開始した。ところが同委員会がまとめたレポートにディック・チェイニーが介入した。チェイニーはレポートから86ページ分を削除し、他の部分も大きく書き替えてしまった[注4]。その結果ロックフェラー・レポートは月並みな内容となり、注目されぬままに終わった。

行き詰まるフォード大統領――吹き始めた逆風

ウォーターゲート事件で評判が地に墜ちたニクソンから政権を引き継いだフォードには、はじめからハンディがあった。しかもフォードは、大統領就任直後に当のニクソンを恩赦したため、さらに人気が落ちてしまった。その結果、大統領就任3ヵ月後に行われた中間選挙では上下両院とも民主党が圧勝し、共和党のフォードの足場は早くもぐらつき始めた。

内政では、ニクソン時代に行われたインフレと失業率を抑える政策に成果はほとんど出ていなかったが、フォードの時代になると状況はさらに悪化し、1930年代の大恐慌以来最悪の不況とまで言われるようになった。フォードは景気を刺激するために所得税の減税を行ったが、それがまた裏目に出てしまう。連邦政府や地方自治体の歳入が減って財政赤字が増え、ニューヨーク市をはじめ多くの自治体が財政破綻に直面する事態となったのだ。

外交では、フォードはニクソンのデタントを引き継いだが、反対する声が議会から上がり始めた。共和党タカ派はソ連とのデタントを〝弱腰〟と批判し、「フォードとキッシンジャーの政策を続けていたら、アメリカは世界一の国でなくなってしまう」と言い始めた。**軍需産業をバックとする好戦派の巻き返しである。**

１９７４年11月、ウラジオストクで行われた米ソのサミット会談で、フォードはソ連のブレジネフと**戦略兵器制限交渉の第2ラウンド**（略して**SALTⅡ**（ソルト・ツー）：第8章のＳＡＬＴⅠを参照）の基本的な枠組みに合意した。だがその後の交渉は進まず、フォードは在任中に最終合意をまとめることができなかった。(注5)

キッシンジャーはフォードに、「ソ連と戦略兵器制限交渉を進めるには、（好戦派の）ラムズフェルドをつぶさないとだめだ」とアドバイスしたが、政権基盤の弱いフォードにはそれができず、ラムズフェルドは前述のように大統領首席補佐官から国防長官に横滑りして政権に残ってしまった。結局、ＳＡＬＴⅡの最終合意は次のカーター政権時代の１９７９年まで持ち越され、しかも両国とも批准しなかった。

さらに、１９７０年代半ばを過ぎると、それまでの右派とは異なる**新保守主義**（ネオコンサーバティブ）と呼ばれるグループが勢いを増してくる。彼らは「敵と妥協して和平を結べば、わが国は本来持っている力を失ってしまう」と主張してデタント政策を攻撃し始めた。そして１９７６年の選挙シーズンになると、彼らはフォードの国内政策も批判し始め、フォード政権が上下両院とも大敗する要因を作った。このグループの目的は、フォード政権を倒して冷戦を復活させることだったのだ。

その一方で、中国との国交正常化交渉は続いていた。ソ連を封じ込めるために中国を味方に引き入れる必要があったため、好戦派も妨害しなかったのだ。だが米中交渉は台湾の扱いで行き詰まり、フォードの時代には結果が出なかった。

中東情勢もまた不安定に陥っていた。第四次中東戦争後もイスラエルがエジプト領のシナイ半島を占領したまま国連決議に従わず、もとの国境まで戻ることを拒否していたため、キッシンジャーが何度もイスラエルに足を運んで〝シャトル外交〟を展開したが効果がなく、キッシンジャーの神通力にも陰りが見え始めた。しかもイスラエルはアメリカ政府が提案したエジプトとの暫定和平も拒否したため、フォードが経済・軍事援助を停止すると圧力をかけると、今度は上院議員の4分の3以上が連名で「イスラエルの要求する援助を与えるよう」求める結果となった。フォードはここでも行き詰まった。

挙げ句の果てにフォードは中間選挙で大敗し、上下両院とも民主党に主導権を奪われたばかりか、下院で議席の3分の2以上を失ったため、議決への拒否権も行使できなくなった。こうして、ホワイトハウスの力はあらゆる面で急速に低下していった。

軍備増強・経済安定から衰退の始まり――ブレジネフ時代のソ連

ケネディの時代まで、米ソトップ同士の対話は珍しいことではなかった。アイゼンハワーとフルシチョフは論争もやれば対話の呼びかけも行っているし、ケネディとフルシチョフは武力衝突を避けるために何度も直接対話を行っている。

それが大きく変わったのはジョンソンの時代だった。ジョンソンがベトナムで戦争を拡大したため、ブレジネフは北ベトナムへの支援の強化で応じ、米ソが対話を行う雰囲気などなくなってしまったのだ。それから18年、アメリカの大統領がジョンソンからニクソン、フォード、カーター、レーガンと替わる間、ソ連ではずっとブレジネフが最高指導者を務めていた。

ソ連はブレジネフの時代に軍備増強を進め、１９７０年頃までに核兵器や弾道ミサイル戦力でアメリカに追いつき、通常兵器も更新・増強を行った。ソ連が通常兵器を増強したのは、**西側と戦争になっても必ずしも核戦争になるわけではない**との考えによるものだった。その点が、常にソ連との核戦争に勝つことに最終目標を置いていたアメリカと違うところだ。ソ連の考えのほうが正しかったことは、ベトナム戦争で証明された。

ブレジネフが軍備増強をはかったのには、アメリカに対する交渉力を高める目的もあった。過去の経験から、彼は**アメリカと交渉するには互角の軍事力を持つ以外にない**と結論したのだ。だが戦略核ミサイルの命中精度や戦闘機の性能などにおいてはまだアメリカのほうが多少まさっていたので、ソ連は質の不足を数で補うべく〝量〟を重視した。

ベトナム戦争でソ連は北ベトナムに大規模な軍事援助を行い、技術者や軍事顧問のほか若干のパイロットと艦船を派遣したが、地上軍は送らなかった。そのためソ連軍は米軍のように多数の死傷者を出すこともなく、装備を大量に消耗することもなく、無傷のまま増強・近代化が達成できた。

内政では、ブレジネフが書記長になった１９６０年代半ばから、１９７０年代末頃までのソ連は比較的落ち着いていた。ブレジネフはフルシチョフの〝脱スターリン化〟をさらに進め、〝脱イデオロギー化〟を行った。第8章で述べたように、中国の毛沢東が古いイデオロギーに固執してソ連との対立を深めたのはそのためだ。

フルシチョフは激高しやすく、独断専行が多かったが、ブレジネフは全体をまとめるタイプの政治家で、計画性を重視し、地道で確実な進歩を好んだ。当時よく言われていたのと異なり、そのころのソ連経済はさほど悲惨ではなく、スピードは遅かったが計画経済の枠内で継続的に成長していたようだ。

ソ連型共産主義の問題点は、中央集権制度による原材料や労働力の分配が画一的なため、生産の無駄が多いことだった。そのうえ重工業と兵器の生産が優先され、大衆消費財は後回しにされたため、生活必需品や食料品が常に不足していた。改革が何回か試みられたが、悪名高いソ連の官僚機構の壁に阻まれて成功しなかった。

1970年代半ばを過ぎると、アメリカはオイルダラーのシステムを発案し（第8章を参照）、西側先進国の富は倍々ゲームのように膨らんでいく。西欧資本主義に組み込まれていないソ連は経済的に大きく引き離されてしまい、その状態から最後まで抜け出すことができなかった。

ブレジネフは軍備増強を進めたことから強硬派と呼ばれたが、欧米に対して敵対的な態度で接していたわけではない。彼は軍事支出が国の経済を圧迫する事態を常に心配していた。したがって、ベトナム戦争のような状況では断固として北ベトナムを支援したが、西欧からの協調の動きやニクソンのデタントの働きかけがあれば歓迎したのだ。

だが1970年代後半になると、アメリカで好戦派によるデタントつぶしの動きが活発になってくる。**アメリカの好戦派のターゲットは常にソ連（ロシア）であり、その好戦派が復活してくるとなれば、ソ連は対抗せざるを得なくなる。**その結果、アメリカで好戦派が復活し始めるとともに、ソ連でも軍需産業の発言力が再び増し始めた。ブレジネフ政権はあくまでも軍をバックに維持されており、いくらデタントを歓迎していたとはいえ、彼が軍部と摩擦を起こしてまで西側との協調を進めることはなかった。

このように、ソ連の動きは常にアメリカが作り出す状況に対する反応として生まれており、イニシアチブを取っているのは常にアメリカで、ソ連は常に受け身だった。本書を通読された読者は、「アメリカが強引に押してソ連が一歩譲る」というパターンが、冷戦時代のはじめから一貫して続いていたことが見えるに違いない。**今日でも、ロシアの動きは常にアメリカの作り出す状況に対する反応として生じている。**

「外交の素人」カーターの先生

１９７６年のアメリカ大統領選挙では、ポスト・ベトナム時代の世相を反映してタカ派は表に出にくい状況にあり、デタントを体現したような候補者が優勢だった。共和党の候補者を選ぶ予備選挙でも、２期目を目指す保守穏健派のフォードがタカ派のロナルド・レーガンを軽く退けた。だが前述のように、フォードは１期目に力不足が露呈してほとんど何もできなかったため国民的な人気がなく、11月の本選挙では民主党のダークホース、**ジミー・カーター**に敗れてしまった。

カーターは元ジョージア州知事で、連邦議会議員の経験はなく、国際政治をほとんど知らない平和主義者だった。地元の工科大学を出て海軍士官学校に入り科学を専攻、卒業後は潜水艦乗務の訓練を受けている。公式な履歴によれば、彼はその後原潜の開発に参加したが、実際に乗務する前に父親が死去したため、29歳の時に故郷の田舎町に帰って家業のピーナッツ農場を継いだとある。

だが、「家業を継ぐため」に軍の重要な仕事を辞めて田舎に帰ったという話は、あまり説得力がない。一説では、原潜の開発にかかわっていた時に海軍の研究用原子炉が放射能漏れ事故を起こし、被曝量を測りながら行う修理をやらされて、予定されていた原潜に乗るのが嫌になったのだと言われている。30代後半から政治活動を始め公民権運動を支持し、ジョージア州議会議員を経て州知事に昇りつめた。

ソフトな語り口、人種差別に反対する温厚な南部人、政治エリートとは無縁の農家の出身、海軍士官学校を優秀な成績で卒業した理工系のインテリで、軍の経験もあり、ワシントンでは無名の新人。このようなカーターを担いだ民主党の狙いは、ジョンソン、ニクソン、フォードと続いた、いかにも腹黒い政治プロといった顔つきの政治家にうんざりしていた大衆の支持獲得だったに違いない。フレッシュなカーターを立てた民主党の作戦が成功した。

こうして清々しいイメージでスタートしたカーター政権だったが、実際に外交政策を決めていたのは、国家安全保障担当補佐官に就任した超タカ派の**ズビグニュー・ブレジンスキー**という人物だった。ブレジンスキーは補佐官に就任すると、国務省を無視して外交を取り仕切るようになり、あらゆることに自分の考えを押し通して国務長官と対立するようになっていく。ニクソンの補佐官キッシンジャーが国務省を無視して独断で行動したのとまったく同じパターンだ。

だが、キッシンジャーとブレジンスキーは、ソ連とのデタントについての考えがまったく正反対だった。キッシンジャーが緊張緩和を進めたのに対し、ブレジンスキーはそれをつぶす戦略を練った。国務省の高官たちは、ソ連とのデタントの継続を主張したヴァンス国務長官を支持していたが、カーターは立候補した時から外交の経験がないことを隠さず、「私はブレジンスキーの熱心な生徒だ」と公言していた。これでは始めから自分の考えがないことを白状しているようなものだ。国民にはハト派のイメージを与えたカーターだったが、実際の外交を取り仕切っていたのは超タカ派のブレジンスキーだった。

ブレジンスキーはハーバード大学の大学院でキッシンジャーの後輩にあたる。キッシンジャーに教授の椅子を取られたのでニューヨークに移ってコロンビア大学で教鞭をとった国際政治学者だった。ポーランドの貴族階級に生まれ、父親がポーランド政府の外交官という恵まれた環境に育ち、子供の頃にナチスの時代のドイツやスターリン時代のソ連に住んでいたことがある。ユダヤ系だが彼の一家はカトリックで、第二次世界大戦が始まる直前にカナダに移り、同国の大学を卒業してからハーバードの大学院に入った。ブレジンスキーの生い立ちは、ナチスの迫害を逃れてドイツからアメリカに移住した難民一家出身のキッシンジャーとは大きく異なっている。

そしてブレジンスキーは、子供の時から日々の生活のなかで国家間の争いの厳しい現実を見て育った。彼自身の言葉によれば、とくに第二次世界大戦と、１９４５年のヤルタ会談により母国ポーランドがソ連圏に組み込まれたことが、彼の世界観に大きな影響を与えたということだ。ハーバードに入ってからは、ロシア革命、レーニン、スターリン、全体主義について研究し、対ソ戦略の専門家として頭角を現していった。キッシンジャーが常に共和党と行動をともにしていたのに対し、ブレジンスキーは若い頃から民主党に近かった。

だがブレジンスキーは、民主党のジョンソン大統領がベトナムで戦争を拡大した時には反対した。そして彼は1970年頃から「西側先進工業国が協力しあって経済的に発展することで、経済が停滞しているソ連を押さえ込むべき」との主張を始めている。

その考えをもとに、彼は**デイビッド・ロックフェラー**（本章注3を参照）と共同で日米欧の政治・経済界のリーダーを集めた**「三極委員会」**を設立し、自らディレクターを務めている。その時にジョージア州知事だったカーターを同委員会のメンバーに加えており、(注6) カーター政権誕生の裏にデイビッド・ロックフェラーがいたことをうかがわせる。じつはブレジンスキーは、コロンビア大の学者時代にデイビッド・ロックフェラーのアドバイザーを務めていたのだ。

ブレジンスキーの言動には、ソ連を憎む気持ちが露骨ににじみ出ていることが多かった。アメリカの大統領補佐官が、そのような個人的な感情をもとに外交政策を主導してよいのだろうかという疑問もわくが、あるいはそういう人物だったからこそ外交政策をまかされたのかもしれない。ブレジンスキーは**冷戦を復活させるための最適任者だった。**

東欧諸国の切り崩し――ブレジンスキーの冷戦復活戦略

意外なことに、ブレジンスキーはカーター政権の補佐官に就任する15年以上も前の1960年代初頭から、「東西の平和的なかかわり」や「非敵対的な政策」を唱えて東西のデタントを主張していた。超タカ派であるはずなのに、これはどういうことなのか。彼は後にニクソンとキッシンジャーが始めたデタントには強く反対しているのだ。

ブレジンスキーは1960年、32歳の時に、『ソ連圏の団結と衝突』という本を書き、そのなかで「東欧諸国はソ連によって無理やり団結させられているので、それらの国々にはソ連から逃れたいと願っている反政府派がたくさんいる」と主張している。つまり彼が言っていた「東西の平和的なかかわり」の〝東〟とはソ連ではなく東欧諸国を指しており、彼は東欧諸国をソ連から引き剝がして西側に引き入れようと考えていたのだ。

すでに何度か述べたように、**ソ連は米英の侵食から国を守ることを最優先事項**とし、その目的のために東欧諸国を西側との緩衝地帯としていた。**ワルシャワ条約機構**が作られたのも、その目的のために東欧諸国を束ねるのが狙いだった。

だが東欧諸国の人々から見れば、**彼らはソ連を守るための楯にされていた**ことになる。ソ連がその目的のために東欧諸国を抑圧していた事実や、とくにスターリン時代の抑圧ぶりの酷さを思えば、東欧にソ連を嫌う人間がたくさんいただろうとは容易に想像がつく。ソ連嫌いがとりわけ顕著だったのは、ポーランドや今日のバルト海沿岸3国（当時はソ連の一部だった）、その中でもとくにリトアニア、そしてルーマニアなどだ。ブレジンスキーは、そういう国を支援してソ連と東欧の結びつきを切り崩したいと考えていた。東欧をソ連から引き剝がすことができれば、ソ連はむき出しの裸をさらすことになる。

だがソ連から見れば、米英こそNATOを作って西欧を軍事的に束ね、ソ連に敵対させている。実際、西欧諸国の中にも、米英に利用されていると不快に思う政治家がたくさんいた。つまり、東欧にはソ連の支配から逃れて西側とつながりたいと思う人間が、西欧にはアメリカの支配から逃れてソ連と経済協力を進めたいと思う人間が数多く存在していたということだ。**この構図は、今日のロシアとヨーロッパの関係においてもまったく変わらない。**だが、西欧とアメリカの関係は複雑だが、「資本主義」という大きな金融・経済システムで結ばれており、そのつながりが切れることはなかった。

ブレジンスキーは1960年代にさかんになった前述の「全ヨーロッパ協調」の動きに賛同し、1973年の欧州安全保障協力会議（CSCE）の発足にも積極的にかかわっている。しかしながら、それは平和を願ってのことではなく、「東欧諸国を西側に組み込み、ソ連圏を内部から崩す」目的のためだった。

だが、西欧諸国の指導者たちは、ソ連を外して東欧諸国とだけ行うデタントは考えていなかった。西ドイツやフランスはもとより、すべての西欧諸国にとって、最も重要な交渉相手が東欧ではなくソ連であるのはアメリカと同じだったからだ。東欧諸国にしても、ソ連抜きでの西欧との連携などあり得なかった。

そういうわけで、ニクソンとキッシンジャーによる米ソのデタントのおかげで「全ヨーロッパ協調」の気運は高まったが、ブレジンスキーが望んだような結果にはならなかった。ヨーロッパでは後に西欧の一部だけがまとまって**EC（ヨーロッパ共同体＝現在のEUの前身の一つ）**が作られた。

しかしカーターの時代になると、アメリカ議会でソ連とのデタントに反対する声が上がり始め、ブレジンスキーが動きやすい状況が訪れる。国務省はニクソンのデタント路線を継続してソ連と戦略兵器制限交渉の第2ラウンド（ＳＡＬＴⅡ）につなげたいと考えていたが、ブレジンスキーはそれを無視して、カーター政権の〝人権外交〟を武器にソ連に揺さぶりをかけ始めた。

「人権を守れ」という主張はまったく真っ当な主張であり、だれも反対できない。だがカーターもブレジンスキーも、サウジアラビアや中南米の親米独裁極右政権が行っていたすさまじい人権侵害には一言も触れなかった。カーター政権の〝人権外交〟とは、ソ連のみをターゲットにしたものであり、ソ連を追い込むのが目的だったのだ。

さらにカーターは、米ソ両国による核兵器のさらなる削減を提案した。だがソ連のブレジネフは、それが罠であることを見抜けないほど愚かではなかった。

前述のように、当時のソ連の戦略核ミサイルは命中精度がアメリカのミサイルより多少劣っていたため、ソ連はそのハンディを量でおぎなっていた。したがって戦略核ミサイルの数をアメリカと同じに制限すれば、ソ連の実際の戦力はアメリカよりも低下してしまう。もし軍事力均衡を目的とするなら、米ソはＩＣＢＭの〝数〟ではなく、お互いを破壊できる実質的な〝能力〟を同じにしなければならない。

戦略核ミサイルの他にも交渉の対象となった兵器があり、ＳＡＬＴⅡの交渉内容は細かく多岐にわたっていた。だがいずれもアメリカ側が譲らず、いくつかの重要な点で両国は合意できなかった。ブレジンスキーがアメリカ交渉団のメンバーの多くを強硬派に入れ替えていたのも合意が暗礁に乗り上げた理由の一つだった。

一方、東欧を取り込む計画は、彼の出身国であるポーランドとチェコスロヴァキアではうまく進み、アメリカ政府はポーランドの労働運動を支援して親ソ政権にゆさぶりをかけることに成功した。1979年6月2日に、バチカンのローマ教皇ヨハネ・パウロ二世が母国のポーランドを初めて公式訪問してカトリック教徒を激励したのも、宗教を否定する共産主義に反対する動きに勢いをつけるためだった。

またブレジンスキーは、東欧向けの宣伝放送「ラジオ・フリー・ヨーロッパ」の出力を上げて電波が届く範囲を広げるよう指示している。西ドイツのシュミット首相はそのような挑発行為に反対し、同放送局を西ドイツから撤去するよう要求した。

台湾から中国へ——中国の改革開放は冷戦の一部だった

ニクソンとキッシンジャーが始めた中国との国交正常化交渉は、台湾問題が障害となって暗礁に乗りあげていた。その間ずっと、中国の指導者は毛沢東と周恩来だった。

だがカーター政権がスタートする前年（1976年）に2人が相次いで死去し、1977年になると失脚していた**鄧小平**が地位を回復する。鄧小平はソ連に敵対心を抱いており、アメリカと国交を開くのに積極的だった。そこでブレジンスキーは国務省の反対を押し切り、**台**

湾を切る決定を下した。

1978年、ブレジンスキーは北京を訪問して国交正常化交渉をまとめ、翌年の鄧小平訪米の下準備を整えた。米中両国は1979年1月1日をもって正式に国交を回復することで合意し、同月末には鄧小平の訪米が実現した。その前年に来日した鄧は日本の発展に驚き、改革開放を決断したとされているが、アメリカとの国交正常化・訪米の裏にブレジンスキーがいたことはあまり知られていない。**鄧小平の改革開放政策は、ブレジンスキーのソ連包囲戦略の一部だったのだ。**

そしてもう一つあまり知られていないのは、訪米した鄧小平が、滞在中に「ベトナムを攻撃する」と明言したことだった。

第7章の最後のところで、カンボジアとベトナムが戦争になった奇妙な状況について触れた。ベトナム戦争終了後、ポル・ポトのクメール・ルージュがベトナムに侵入してベトナム人を虐殺したため、ベトナム軍がカンボジアに侵攻してポル・ポトを駆逐した戦争だ。クメール・ルージュも北ベトナム／ベトコンも、もともとはアメリカをインドシナから追い出すために共闘した仲なのに、米軍が引き揚げたとたんに敵同士になってしまったのだ。

クメール・ルージュが統一後のベトナムに対して敵対的な行動を取り始めたのは、1976年からだ。その後クメール・ルージュは1978年に親中国派と親ベトナム派に分裂し、カンボジアは内戦に陥った（第7章参照）。極悪非道の大量虐殺を行ったことで悪名高いポル・ポトを支援していたのは鄧小平である。

後に、「鄧小平にポル・ポトの支援を勧めたのはブレジンスキーだった」とアメリカで報道され、ブレジンスキーはその報道を否定している。事実であったとしても認めるわけはない。ブレジンスキーは、ポル・ポト（親中国）にベトナム（親ソ連）を攻撃させることも鄧小平に要請したのだろうか。

ベトナム軍がプノンペンを制圧してポル・ポトを駆逐したのは、鄧小平が訪米する直前だった。そして鄧小平はアメリカ滞在中に「ベトナムを攻撃する」と発言し、早くもその翌月に人民解放軍がベトナムに侵攻して中越戦争が勃発した。鄧小平はその時に「ベトナムに教訓を与えてやる」と語ったが、中国軍は大きな被害を出してわずか1ヵ月で撤退、皮肉なことにベトナムから教訓を与えられる結果となった。

鄧小平は訪米中にただの思いつきでそのような発言をしたのではない。20万から30万もの兵を動かして新たな戦争を始めるには、戦闘序列の作成や部隊・兵站物資の準備に少なくとも2〜3ヵ月はかかるだろう。だが中国は、ベトナム軍がプノンペンを制圧してポル・ポトを駆逐するより前に、すでに大軍をベトナム国境に集結させている。さらに鄧は1月28日から2月5日の訪米中に「ベトナム攻撃」発言を行い、中国軍のベトナム侵攻開始は2月17日だ。つまり中国は、ベトナム軍がポル・ポトを駆逐するよりかなり前からベトナムを攻撃する準備を始めていたことになる。したがって、中国がベトナムを攻撃した理由は、ベトナムがポル・ポトを駆逐したことへの報復ではない。

なお、鄧小平はその発言をした時に、「米ソのデタントの可能性はない」とも言っている。鄧小平の訪米をセッティングしたのがブレジンスキーだったことを思えば、それらの発言の背後にブレジンスキーがいたと考えても大きく外れてはいないだろう。

ベトナム戦争に勝利したベトナムは、ソ連製の兵器で武装し、東南アジアで突出した軍事強国になっていた。ブレジンスキーと鄧小平は、**この地域からソ連の影響を排除したい**という考えで一致しており、ベトナムを叩くことでソ連とベトナムが東南アジアで勢力を拡大するのを防ごうと考えていた。鄧小平がわざわざ訪米中に「ベトナム攻撃」発言を行ったのは、訪米に際しての手土産だったのだ。それがアメリカに媚びを売りたかった鄧小平の発案だったのか、あるいはブレジンスキーからの提案に応えたものだったかはわからないが、その件は鄧小平が訪米する前から話し合われていたのは間違いない。

ユーラシアの西では東欧諸国を取り込み、東では中国を味方につける。**ソ連を東西から挟んで圧迫する**というブレジンスキーの戦略は、こうして着々と進んでいった。

反米の狼煙——イランのイスラム革命はなぜ起きたのか

鄧小平が訪米するわずか12日前の1979年1月16日、**その後の世界を変えたもう一つの大きな出来事**が西アジアで起きていた。それが**イランのイスラム革命**だ。この革命はそれまでに世界で起きたいかなる革命とも異なり、**イスラム教シーア派**を中心とする反政府運動が親米独裁政権を倒したものだった。

イスラム革命は米ソ冷戦と直接の関係はなかったが、イランに対するアメリカのコントロールを排除する結果につながったことから、その後の冷戦の行方に大きな影響を与えた。というのは、ブレジンスキーはユーラシア大陸の東西からソ連に圧力をかけると同時に、アフガニスタンでもイスラム勢力を使った反ソ連工作を秘かに進めており、イランでも同様の作戦を進めたいところだったが、この革命により、それができなくなってしまったからだ。

アメリカとイランは今日も不倶戴天の敵同士の関係にあるが、そこに至るまでには長い歴史と深い理由がある。そのルーツは、冷戦が始まるよりずっと前の時代、アメリカ人が中近東にやって来るより前の、大英帝国がこの地域で采配を振るっていた時代にまでさかのぼる。冷戦の話から少し脱線するが、ここでイランの歴史をざっと振り返り、1979年までの軌跡を辿ってみたい。

イランは紀元前500年より以前のペルシャ帝国から続く、長くて波瀾万丈の歴史を持った国だ。古代ペルシャはローマ帝国の拡大と闘い、イスラム教国となった後も周辺の国や勢力と支配したりされたりをくり返して国境が何度も変わり、いくつもの王朝が誕生しては消えていった。**オスマン帝国**（現在のトルコ）とも十数度にわたる戦争を行っている。

だが強国だったペルシャも、近代に入ると他のイスラム教国と同様に、科学や工業が発展しなかったために軍備の近代化が遅れ、辛酸をなめる日々が続くようになる。

19世紀にはロシア帝国との2度にわたる戦争に敗れてコーカサス地方（黒海とカスピ海の間の地域）を失い（イラン・ロシア戦争）、さらに大英帝国との**アングロ・ペルシャ戦争**に敗れた結果、天然資源の採掘権をイギリスに与えるなどのあらゆる不平等な条約を結ばされ、イギリスが所有する中央銀行を設立されて金融を支配されてしまう。その間にも北からはロシア帝国の干渉が続き、イギリスとロシアが南北から押し合って争う状態になった。これが後に、**イランを舞台にアメリカとソ連が南北から押し合うようになる歴史の原型だ。**

イギリスは19世紀末までにペルシャ南部の都市を占領し、20世紀はじめに石油が発見されると「アングロ・イラニアン石油」を設立して油田の開発を始める。これが後の英国石油、今日のＢＰの前身だ。古代ペルシャ人がゾロアスター教（拝火教）を信仰したのは、カスピ海沿岸部の地表から噴き出す石油や天然ガスが燃えている様子を見て畏敬の念を抱いたためと言われている。イランには古代から石油や天然ガスがあふれていたのだ。

第一次世界大戦後、レザー・ハーンという軍人がクーデターを起こして実権を握り、古代の王の名を取ってレザー・パフラヴィーと自称して**パフラヴィー王朝**を築いた。〝王朝〟と言っても、過去の王朝とは縁もゆかりもない成り上がりの王だが、この王朝の成立を機に、イギリス、ロシアともに軍を引き揚げた。

レザー・ハーンが起こしたクーデターは、背後からイギリスが糸を引いていた。イギリスはレザー・ハーンにクーデターを起こさせ、自分も出て行くフリをしてロシアの影響を排除し、ペルシャの支配強化に成功した。イギリスは昔からこういう策略に長けている。

だがイスラム教徒であるイランの大衆は、西欧人に追従して伝統文化を破壊し近代化を進めるレザー・パフラヴィー（ハーン）に反発し、抵抗運動がわき起こった。パフラヴィーは抵抗運動を弾圧し、国名を「ペルシャ」から「イラン」に変更した。〝イラン〟とは〝アーリア人の国〟を意味し、「ペルシャ人は抜きん出た人種であるアーリア人の子孫である」というプライドを表している。

第二次世界大戦が始まると、北部が再びソ連軍に占領され、共産党の活動が活発となる。パフラヴィー（ハーン）は枢軸国のドイツやイタリアとも関係を維持していたので中立を宣言するが、イギリスはイランへの支配を強めるためパフラヴィーを強制的に退位させ、英米に忠実な皇太子の**モハンマド・レザー・パフラヴィー**を王位につけた。

序章で述べたように、アメリカが〝イランルート〟を使って軍事物資をソ連に送り始めたのは、その直後のことだ。米英両国はその目的のためにも傀儡の国王が必要だったのだ。ソ連軍がイラン北部を占領したのも、この補給路を確保するためだった。ヒトラーを倒すためにソ連の力が必要だった米英は、イラン北部でソ連が共産党の活動を支援しているのには目をつむった。

そして1943年11月にルーズベルト、チャーチル、スターリンの3人がテヘランに集まって会談した。これが序章で取り上げた**テヘラン会談**だ。

新国王モハンマド・レザー・パフラヴィー（通称**パフラヴィー国王**）は英米の完全な傀儡だったため、国民の反感が高まり、戦後の1951年に行われた民主的な選挙で、旧王朝の直系の血筋を引く**モハンマド・モサッデク**が当選して首相になった。モサッデクは民族主義者で、国民の人気が高かった。

ところが、モサッデクがイギリスとの不平等条約を廃し、アングロ・イラニアン石油を国有化するなどの改革を行ったため、イギリスのMI6とアメリカのCIAが反モサッデク勢力にクーデターを起こさせ、傀儡のパフラヴィー国王を復権させてしまう。このクーデターを指示したのはアメリカのアイゼンハワーで、反モサッデク勢力を扇動してクーデターを指揮したのは、セオドア・ルーズベルト元大統領（フランクリン・ルーズベルトの遠縁にあたる）の孫で政権転覆のエキスパートとして知られたカーミット・ルーズベルトという人物だった。

さらにアメリカのＣＩＡとイスラエルのモサド（諜報特務庁）によってイランの秘密警察〝サヴァック〟が作られ、パフラヴィー国王は中近東で最もアメリカに忠実な独裁者として親米路線を突き進んでいった。

独裁者の末路とイスラム政権の誕生

１９７０年代になると、イランは石油ブームに乗って空前の経済成長をとげ、石油の輸出で得たドルでアメリカから大量の兵器を購入するようになる。アメリカにとって、兵器の輸出はドルを還流させるための手段の一つであり、アメリカは当時最新鋭のグラマンＦ－14トムキャットという高価な戦闘機さえイランに輸出している。トムキャットは映画『トップガン』（１９８６年公開のオリジナル版）で有名になった戦闘機なのでご存じの方も多いかもしれない。

こうして独裁者パフラヴィーの王朝は栄華を極めたが、独裁が長期にわたるとともに、イスラム教徒や社会主義者を弾圧し、秘密警察サヴァックによる暗殺、不当逮捕、拷問などが横行したため、国民の反パフラヴィー感情が爆発寸前にまで高まった。この時期のイランの状況は、１９６０年代はじめの南ベトナムで、独裁者ゴ・ディン・ジェム大統領らが秘密警察を使って国民を弾圧し、暗殺、不当逮捕、拷問などが横行したため反政府運動に火がついた流れと非常によく似ている（第7章参照）。

１９７８年になると、デモやストライキがイラン全土に野火のように燃え広がり収拾がつかなくなっていったが、優柔不断なパフラヴィーはなにも決断することができず、テヘランに戒厳令を敷いただけだった。そして同年9月、戒厳令を無視して大集会が開かれ、軍が発砲して多くの死傷者を出す惨事が起きた。この事件こそ、パフラヴィー打倒の大衆運動に決定的な勢いがつく原因になったものだ。(注7)

翌1979年1月16日、追い詰められたパフラヴィー国王はバケーションという名目でイランを脱出し、2週間後の2月1日、15年前に国外に追放されていた**グランド・アーヤトッラー**(イスラム教**シーア派**の最高指導者)の**ホメイニ師**が帰国した。イギリスのBBCの報道によれば、ホメイニを乗せたチャーター機がフランスから到着すると、狂喜した推定500万人の大群衆が迎えたとある。

ホメイニは反パフラヴィー運動の急先鋒だったことから、1964年に国外に追放され、トルコに1年ほど滞在したのち、イラクにあるイスラム教シーア派の聖地ナジャフで13年近く亡命生活を送った。その間もホメイニは、イスラム寺院で毎週行う法話でイラン国民に抗議行動を呼びかけ続け、イラン国内での支持は高まるばかりだった。法話の録音テープやビデオが秘かにイランに持ち込まれ、コピーが全国に配布されていたのだ。ホメイニの支持者がさらに勢いを増すのを恐れたパフラヴィー国王は、イラク政府に圧力をかけて、1978年にホメイニをイラクから国外退去処分にさせた。

ところがそのホメイニをフランスが受け入れ、パリ郊外に家を提供した。それはつまり、アメリカにとって非常に重要なイランという国家の、アメリカの傀儡であるパフラヴィー国王の最大の敵対者であるホメイニを、フランスが保護したということだ。だがアメリカは、フランスに抗議すらしなかった。しかもホメイニのイランへの帰国にあたってはエールフランスのチャーター機が用意され、同機には欧米の記者などが120人も同乗していた。当時のアメリカのニュース番組で最も人気が高かったABCテレビの有名ニュースキャスターに至っては、機上でホメイニにインタビューまでしている。これはどういうことなのか。

その答えは、おそらく次のようなことだ。パフラヴィーは長期にわたって独裁を続けているうちに暴走を始め、アメリカの言うことを聞かなくなっていた。そこでカーター政権は、パフラヴィーを取り除く必要があると考えるようになった。これも1960年代の南ベトナムで、アメリカの傀儡だったゴ・ディン・ジェム政権を倒したクーデターの後ろにアメリカがいたのと同じ構図だ。もっとも、アメリカがホメイニを直接支援した様子はない。

帰国したホメイニはただちに首相を指名し、新政府が発足して国民投票が行われた後、王制が廃止されてイラン・イスラム共和国の成立が宣言された。その間ずっと、ホメイニへの国民の圧倒的な支持を前に、軍は動かなかった。そればかりか軍の兵士たちがホメイニの側につき始め、兵士の反乱が広がったため、軍は中立を宣言した。

アメリカにとって、世界各地に存在した傀儡の右翼独裁政権は、共産主義に対する防波堤として機能してきた。だが**イスラム主義者もやはり共産主義を敵と見なしていた。**そこでアメリカは、暴走したパフラヴィーの力を弱めるのと同時に、混乱に乗じてイランの共産党が政権を取る事態を防ぐために、イスラム組織を間接的に支援したのだ。(注8)

だがアメリカは、ここで重大な読み違いをしてしまった。

テヘランのアメリカ大使館人質事件とは

アメリカの読み違いは2つあった。1つは、イランのシーア派とその指導者たちを甘く見ていたことである。

前述のように、そのころアメリカは東隣のアフガニスタンでも秘かにイスラム武装勢力を使って親ソ連政権と闘わせていた。[注9] **ムジャヒディーン**（イスラム戦士）と呼ばれた彼らは、おもにサウジアラビアから連れてきた**ワッハーブ派という過激派で、スンニ派の一派**だった。[注10]アラブのスンニ派は昔からイギリスやフランスによって傭兵として使われてきた歴史があり、その良い例が第一次インドシナ戦争の時の〝フランス軍〟や、エジプト人の兵士で構成された〝イギリス軍〟だ。

だがイランのシーア派は真に宗教的な信条から行動し、指導者たちは筋金入りだった。ところがアメリカの政策決定者たちはスンニ派とシーア派の違いもわからず、宗教家のホメイニが政権を取っても長続きはしないだろうと考えていた。そのうちにホメイニも、アラブのスンニ派イスラム政権のように財政援助を求めてくるだろうと思っていたのだ。

ところがホメイニは、アメリカにすり寄るどころか、帰国するとただちにアメリカとソ連をともに**「イスラムの敵」**と呼んで激しい非難を浴びせ始めた。アメリカはイランにおける共産勢力の拡大は防いだものの、この時になってようやく、シーア派イスラム勢力を味方につけるのに失敗したことに気づいた。

イスラム革命で生まれた新しいイランは、イスラム教に基づく専制国家であると同時に、選挙で大統領と議会議員を選ぶ民主的な国でもあった。宗教政治と共和制の二重統治になっているこのイランのシステムは、ほかの国では見られない独特なものだ。最終的な意思決定権はシーア派最高指導者のグランド・アーヤトッラーにあるものの、大統領とアーヤトッラーの関係は二人三脚のようなものだ。後に首相職が廃止になり、外交も内政も大統領が行うようになったが、アーヤトッラーと大統領の二人三脚は変わらなかった。アメリカの政策決定者たちは、この点もよく理解していなかった。

アメリカのもう一つの大きな読み違いは、イランを出国したパフラヴィー国王の扱いだった。パフラヴィーはエジプト、モロッコ、バハマ、メキシコ、と転々としたが、どこに行っても招かれざる客の扱いを受け、アメリカへの入国を切望した。カーターははじめパフラヴィーの入国を拒否していたが、キッシンジャーに圧力をかけられ、癌の治療のためとして入国を認めてしまった。

そのニュースが伝わるやいなや、イラン大衆の怒りが爆発した。そしてパフラヴィーの身柄の引き渡しを要求するデモ隊がテヘランのアメリカ大使館に連日押し寄せるようになった。1979年11月はじめ、学生のデモ隊が警備の隙を突いて大使館内に乱入し、館員など52人のアメリカ人を人質に取って立てこもる事態に発展した。

この学生たちの行動はホメイニにも知らされておらず、彼らははじめ、記者会見をして宣言文を読み上げたら出て行くつもりだったと言われている。ところがまもなく大使館の前に一般人の群衆が集まり始め、デモ隊もバスで続々とやってきたため、学生たちは占拠を解けなくなってしまったという。この状況を見たシーア派イスラム組織の指導者たちは、事件を利用することを決め、ホメイニが学生の占拠を支持する談話を発表した（学生に占拠を続けさせるために、シーア派イスラム組織がデモ隊を動員してバスで送り込んだとする説もある）。学生たちの占拠は、1981年1月20日に人質が全員解放されて解決するまで444日も続いた。

だがその日がアメリカの新大統領**ロナルド・レーガン**の大統領就任式の日だったのは偶然だろうか。じつは人質解放の時期について、レーガン陣営とイランのシーア派イスラム指導部の間で水面下の交渉が行われていたのだ。カーター陣営もイラン側に働きかけていたのは間違いなかった。人質たちは大統領選挙のための道具にされていたのだった。[注11] カーターは無策を批判され、米軍による救出作戦を強行したが、作戦は惨めな失敗に終わっていた。

ソ連のアフガニスタン侵攻——デタント時代の終焉

話は少し戻るが、イランでパフラヴィー打倒の動きが全国的な高まりを見せていた1978年4月、東隣のアフガニスタンで、共産党の急進派によるクーデターが発生した。アフガニスタンでは共産党（名称は「人民民主党」）が穏健派と急進派に分かれており、それまでの政権は共産党穏健派だった。

共産主義者のクーデターなら、ソ連が後ろから操っていたのだろうと考えるのが普通だが、この時のクーデターはどうもそうではなかったようだ。というのは、ソ連はアフガニスタンの共産化をあまり急ぐと保守的なイスラム教徒の反発を招くことがわかっていたので共産党の穏健派を支持していたからだ。

だが共産党以外の政権を作らせるわけにはいかなかったソ連は、急進派であっても新政権を承認する以外に選択肢がなかった。アフガニスタンはロシア帝国の時代からロシアとのつながりが強く（序章の「イギリスとロシアの闘い――〝グレートゲーム〟とは何か」を参照）、とくに第二次世界大戦後のソ連はかなりの額の経済・軍事援助を行ってきた。だがソ連の心配をよそに、新政権は穏健派への弾圧を始めてしまった。

ソ連は急進派に対して共産化をあまり急がないようにと助言したが、新政権のタラキー首相は助言を聞かず、共産化を急ぎすぎた。そしてソ連の心配は的中した。イスラム教徒の反乱が始まったのである。

だがそれらの反乱がすべて自然発生的なものだったのかといえば、そうではない。アメリカのCIAが、アフガニスタンのイスラム勢力に浸透して反政府運動を煽っていたのだ。前述のように、反政府運動の中心はサウジアラビアから連れてきた過激派だった。なぜアフガニスタンのような僻地がアメリカにとってそれほど重要なのか。それは序章で述べたように、**〝ハートランド〟**に至る道の入り口だからだ。

1979年になると、アフガニスタン政府の施設に対するイスラム勢力のゲリラ攻撃が急増し、全国に拡大を始めた。アフガニスタンのイスラム教徒はスンニ派だが、イランでシーア派が起こした革命の成功を見て、自分たちにもイスラム革命ができると信じた。地元出身のゲリラは、パキスタンやイランで組織・訓練されていた。

そして奇妙なことが起こる。イランでイスラム革命が進行中の1979年9月、アフガニスタン副首相のアミンがタラキー首相を殺害して政権を乗っ取ったのだ。そのこと自体、少し変だが、さらに奇妙なことに、アミンはタラキーよりさらに過激で残忍な極左だった。アミンは、イスラム勢力や共産党の穏健派だけでなく、急進派内にいる反対派さえも激しく弾圧して次々と連行し、数千人が行方不明になる事態になった。ソ連の情報機関ＫＧＢは、このアミンという男はアメリカのＣＩＡとつながっているのではないかとの疑惑を深めた。

その疑惑はもっともだった。タラキーの統治ですら国民の反発を招いていたのに、アミンはそれよりさらにひどい弾圧を行った結果、全国のイスラム組織がいっせいに立ち上がり、反乱が急速に広がったからだ。アミンはタラキーを殺して革命評議会議長になり、意図的にイスラム教徒を挑発して反乱を拡大させているとしか見えなかった。ソ連はアフガニスタンの混乱を鎮めるためにアミンを排除し、イスラム勢力の反乱を処理できるソ連に忠実な政権を作る必要に迫られた。

１９７９年12月24日、ソ連はついに軍を侵攻させてアフガニスタンに介入した。ソ連軍は同月27日にアミンを捕らえて処刑し、穏健派を復権させてソ連政府が選んだ人物を革命評議会議長に据え、傀儡政権を発足させた。ソ連らしい荒っぽいやり方だが、ソ連が軍事介入したのは、当時よく言われたようにアフガニスタンの共産党政権を守るためではなく、国を混乱に陥れてイスラム教徒の反乱を煽っていた極左政権を排除するためだった。

だがアメリカでは、「ソ連が軍事介入した目的は、アフガニスタンを通ってインド洋に出ることにあり、ソ連はペルシャ湾の石油を支配しようとしている」と主張する声が大きくなっていく。

翌1980年1月4日、アメリカのカーター大統領はテレビで全米の国民に向けて演説し、「ソ連のアフガニスタン占領はイランとパキスタンに脅威を与え、世界の石油の供給の大きな部分をコントロールするための布石である」と述べ、ソ連との文化交流の停止、宇宙協力の停止、スポーツ交流の禁止、1980年のモスクワ・オリンピックのボイコット、小麦の輸出の停止、(注12) SALTⅡに関する上院での審議の中止、などを宣言した。

当時は「石油はあと何年で枯渇するか」という議論がさかんな時代で、カーター政権の主要な政策はエネルギー政策だった。それでソ連がアフガニスタンに出兵すると「ソ連はペルシャ湾の石油を狙っている」という話になったのだ。だが地図を見ればわかるように、アフガニスタンは内陸の国であり、ペルシャ湾にもインド洋にも接していない。しかもソ連は石油の大産出国であり、ペルシャ湾の石油を狙う必要もない。だが、このカーターの宣言をきっかけに、ニクソンのデタント以来減少していた**アメリカの国防予算が再び急速な増加に転じた。**

1972年に始まり、多くの関係者が努力を積み重ねて進めてきたデタントは、こうしてあっけなく崩壊した。そしてそれとともに、ポスト・ベトナムの時代も終わりを告げたのだった。

(注1)　カウンターカルチャーのピークはベトナム戦争のピークと重なる。日本のカウンターカルチャーは〝アンダーグラウンド〟を略して〝アングラ〟と呼ばれた。日本のアングラも1969年がピークだった。

（注2）　G7はソ連が消滅した後、1990年代に新生ロシアが加えられてG8となったが、2014年に米英とロシアの緊張が再び高まったことからロシアが追放されてまたG7に戻ってしまった。だが今のG7は西側主要国の首脳が集まって協力関係をメディアにアピールするだけのものに形骸化しており、ロシアは戻る必要性などまったく感じていないのが現実だ。

（注3）　ネルソン・ロックフェラー：石油王ジョン・ロックフェラーの孫であるロックフェラー五兄弟のうちの次男で、温厚な人柄で知られていた。五男のデイビッド・ロックフェラーが〝アメリカの支配者〟の異名をとって101歳まで長生きしたのに対し、4人の兄たちはみな早死にだった。

（注4）　2016年2月にアメリカ国家安全保障文書館が公表した当時のホワイトハウスの内部文書と、ロックフェラー委員会の文書による。

（注5）　フォードとブレジネフのサミット会談で合意できたのは、戦略核兵器の運搬手段（ICBM、SLBM、戦略爆撃機）の総数を米ソとも2400基／機に制限すること、MIRV（多弾頭独立目標再突入体。1基のICBMに搭載される複数の弾頭のことで、それぞれが異なる目標を攻撃できる。第5章を参照）の数を1320個に制限すること、地上配備ICBMの発射サイロの新たな建設の禁止、新しいタイプの戦略的な攻撃兵器の配備を制限すること、などにとどまった。

（注6）　1978年3月21日の「ニューヨークタイムズ」に掲載されたブレジンスキーとカーターの関係についての特集記事によれば、ブレジンスキーは三極委員会のエグゼクティブディレクターを務めていた時にカーターと知り合い、カーターをメンバーに引き入れて高い地位につけ、〝教師と生徒の関係〟になったとある。

（注7）　当時のアメリカには、パフラヴィー国王の親米時代を反映してイランから来ている留学生がたくさんいた。筆者はちょうどそのころサンフランシスコに在住していて彼らと知り合い、何が起きているのか聞かされて驚いたものだ。

（注8）　2008年10月に機密指定が解除されて内容が報道されたアメリカ国務省の文書によれば、当時、パフラヴィーが石油の価格をつり上げるなどして暴走を始めたため、アメリカはパフラヴィーの力を弱め

るためにさまざまな工作を行っていたが、イスラム勢力が革命という予期しなかった行動に出て、それが成功してしまったとある。「パフラヴィーの力を弱める工作」とは、おもに「反パフラヴィー勢力を支援する工作」ということになるが、反パフラヴィー勢力には共産勢力とイスラム勢力の２つがあった。そこでアメリカは、共産勢力を抑えるためにイスラム勢力を支援したと考えられる。

（注９）カーターはムジャヒディーン（イスラム戦士）を使ったアフガニスタンの秘密作戦を１９７８年に承認している。それはブレジンスキーが立てた作戦だった。

（注10）イスラム教の大きな宗派にはスンニ派とシーア派の２つがある。スンニ派はアラビア半島の大半、北アフリカ、トルコ、パキスタン、中央アジア諸国などに広がり、シーア派はイランを中心に、イラクとシリアの過半数、レバノンの一部、イエメンの一部などに集中している。両派は預言者ムハンマドの正統な後継者についての解釈の違いから分かれたものだが、組織のあり方にも大きな違いがある。スンニ派は各地にさまざまなグループがあり群雄割拠の状態であるのに対し、シーア派は全体を一つの大きな組織がまとめており、その総本山がイランにある。

（注11）ロナルド・レーガン夫妻の実の娘であるパティ・デイビスが綴った回想記によれば、大統領選挙戦中にレーガン陣営は人質解放の時期についてイランのイスラム組織と取引をしたとある。またパティは母のナンシー・レーガンが、「もしカーター陣営が選挙の直前に人質を解放させたら、カーターは英雄になって選挙に楽勝してしまう」と心配しており、「人質たちは選挙の道具にされていた」といった趣旨のことを書いている。

（注12）ただし、小麦の輸出停止はアメリカの農業に与える損害のほうが大きいとわかり、翌年撤回された。またソ連はアメリカから小麦を輸入していたが、今日のロシアは豊作により小麦の輸出国に変わっている。

（おもな出典・参考文献）

◆"Jimmy Carter" by Peter Bourne, Scribner, 1997

◆"The Second World" by Parag Khanna, Random House, 2008.
◆"The Cold War: A World History" by Odd Arne Westad, Basic Books, 2017.
◆"The Cold War: Volume 2, National Security Policy Planning from Truman to Reagan and from Stalin to Gorbachev", Chapter "Nixon, Brezhnev, and Detente" by Keith Nelson, Routledge, 2001.
◆"From Hiroshima to Glasnost: At the Center of Decision" by Paul H. Nitze with Ann M. Smith and Steven L. Rearden, Grove Weidenfeld, 1989.
◆『わが娘を愛せなかった大統領へ』パティ・デイビス著、玉置悟訳、ＫＫベストセラーズ、１９９６年

第10章　レーガンの〝強いアメリカ〟とソ連の衰退

アメリカでは、現在の世界の形をつくった「新保守主義」や「新自由主義」を押し進めようとする政府高官・学者らが台頭し始める。一方、ソ連は膨大な軍事費や世界各地の親ソ勢力支援で財政が疲弊し、国力が急激に衰えていく。

1980年11月のアメリカ大統領選挙の結果は、全米50州のうち44州を取った**ロナルド・レーガン**の圧勝だった。翌年1月、大統領就任式に臨んだレーガンは張りのある声で就任演説を行った。存在感のある風貌に加え、彼のトレードマークは声の良さだった。

1976年の大統領選挙からわずか4年、カーターのイメージは〝清々しい〟から〝弱々しい〟に変わっていた。レーガンの太いバリトンの美声に比べると、カーターは声もか細くて弱々しかった。大衆は強い指導者を求め、**「アメリカの威信を取り戻す」**と唱えたレーガンはまさにはまり役だった。

大統領の役を完璧に演じた名優

民主主義国の政治指導者の重要な仕事は、背後にいるさまざまな勢力を代表する顔となり、政策決定者たちと国民との橋渡し役となって政策実行の流れをつけることだ。それが高級官僚や補佐官などの実務者には真似のできない政治家の役目である。そのため政治指導者には多かれ少なかれ演技力が求められる。その点でレーガンは他の追従を許さない巧者だった。なにしろハリウッドの映画俳優出身である。ロナルド・レーガンほど大統領の役を見事に演じた政治家はいなかった。

大減税を行うとか国の赤字を減らすなどと大風呂敷を広げた公約は一つも実現しなかったが、それでもレーガンの人気は落ちなかった。保守層を喜ばせる演出のうまさでも、レーガンの右に出る者はいなかった。彼の重要な支持母体の一つはキリスト教プロテスタントの右派グループだったが、穏健な一般のプロテスタントも存在感に惹かれて彼を支持した。アメリカのプロテスタントはWASP（ワスプ）（ホワイト・アングロサクソン・プロテスタント）、つまり多数派であるアングロサクソンの主流派だ。レーガンはスピーチの最後を必ず「神の祝福あれ」で締めくくった。彼は古きよき時代のアメリカを再現したような、頑固なクリスチャンだった。

だが、レーガンがじつはアイルランド系である（WASPではない）ことを知らないアメリカ人も多かった。アイルランド系アメリカ人の多くは労働者階級で左派が多く、カトリックで、皮肉にも彼らは反レーガン勢力の中心だった（例外は北アイルランド系で、彼らには右派が多い）。

保守層では人気絶大のレーガンだったが、ソ連への好戦的な発言に対するリベラル層の反発も大きく、彼が唱える軍備拡大への反対運動も活発になった。1970年代末から、平和団体や労働組合が共催してミュージシャンが参加するフェスティバル形式の反核運動がさかんになっていたが、レーガンの時代になるとそれが反レーガン運動と結びついてさらに盛り上がった。この運動は、1982年6月12日にニューヨークのセントラルパークで開かれた反核兵器100万人大集会でピークを迎えた。

だがしばらくすると、左派の運動は急速にしぼんでいった。1970年代末から1980年代前半にかけてアメリカの大都市で労働運動や反核運動がさかんになった背景には、製造業の不振による深刻な不況があった。左派の運動がしぼんでいったのは、後述するように、1980年代半ばにさしかかると**レーガン政権が大量の国債を発行して財政出動を行った効果が現れ始め、不況がおさまっていった**ことが原因だった。その契機となったのは1984年のロサンゼルス・オリンピックだ。平均的なアメリカ人におけるレーガンの圧倒的な人気に比べれば、反対勢力はやはり少数派だった。

レーガンのレトリックとその背後にいた人たち

レーガンはレトリックが巧みだった。レトリックとは話をする時のテクニックで、実際には事実でないことや証明できない事例などを述べたてて、物事を大げさに表現するのもその一つだ。レーガンは選挙戦中からソ連をさんざんこき下ろしていたが、大統領に就任すると言葉による攻撃をさらにエスカレートさせた。彼によれば、ソ連は「国際条約を一度も守ったことがない国」であり、「神のいない国」だった。極めつきは有名な**「悪の帝国」発言**

だ。レーガンは、「ソ連には世界中の悪が集まっている。ソ連は悪の帝国だ」と言い放った。

冷戦が始まった頃、トルーマンは「ソ連は世界中に共産主義を広めようとしている」との理由でソ連封じ込め政策を行った。だがレーガンはソ連を「悪の帝国」と呼んだ時、なぜソ連が〝悪〟なのかという理由を述べなかった。その発言には根拠がなかっただけでなく、理由を言う必要もなかったのだ。**「我々は善で、彼らは悪である」。**これ以上単純な、そして大衆を喜ばせる決めつけはない。レーガンはこのスピーチで、米ソの闘いを「資本主義と共産主義の闘い」から「善と悪の闘い」に変えてしまった。

とはいえ、レーガンはソ連との戦争を望んでいたのではない。彼の強硬発言はすべてレトリックであり、彼の願いはソ連の共産政権を内部から崩壊させて冷戦を終結させることだった。彼はその目標を達成できたら次にどういう世界を築くのかというビジョンを示さなかったが、少なくともアメリカが世界を一極支配すべきだとは言わなかった。レーガン政権時代のある高官が後に語った話によれば、レーガンは「共産主義のソ連を崩壊させて冷戦を終了させれば、平和な世界になる」と本当に信じていたらしい。

だが1970年代半ばに登場した**新保守主義**（ネオコンサーバティブ）と呼ばれる人々（第9章を参照）は、軍事力による**アメリカ一極支配を目指していた。**その点で彼らはレーガンと異なっている。レーガンは頑固な反共産主義者で〝冷戦の闘士〟ではあったが新保守主義ではなかった。

その意味では、カーターの補佐官だったブレジンスキーも同様だった。第9章で述べたように、ブレジンスキーはニクソンのデタントに反対し、ソ連を分解させようと強硬な対ソ戦略を押し進めたが、彼もまた一極支配を主張したことはなく、新保守主義ではなかった。むしろ彼は新保守主義者を強く嫌っており、それはインタビューやメディアへの投稿ではっきり語っていた。

だがレーガンの登場で右派が勢いづいてくると、新保守主義者に有利な状況が訪れた。彼らはレーガン政権の安全保障関係のさまざまな部署に浸透し、政策を左右するようになっていった。レーガンはフロントマンとして機能していたが、政策の大きな部分を動かしていたのは副大統領である**ジョージ・ブッシュ（父）**（後の大統領）だった。

レーガン・ドクトリン――軍事から政治・経済面での対ソ戦略

1982年、ホワイトハウスと**ペンタゴン**（アメリカ国防総省）は、それぞれ**「国家安全保障指針」**と**「秘密5年計画」**という戦略を秘かに決定した。

ホワイトハウスの「国家安全保障指針」のポイントは次の3点だった。

①東欧の反政府運動を支援する
②ソ連に対する経済戦争を開始する
③アジア、ラテンアメリカ、アフリカなどでソ連の影響を逆転させる

一方ペンタゴンの「秘密5年計画」は、**「ソ連の政治システムそのものを変えさせる」**という内容だった。ソ連の弱点は軍事力や技術力ではなく、政治システムと共産主義経済そのものにあると彼らは結論したのだ。これらはみな軍事作戦ではない方法で積極的に攻勢をか

けるという方針に基づいており、具体的な内容は機密だった。

後にレーガン政権の政策として公に語られるようになった**レーガン・ドクトリン**とはこれらをもとにしたもので、要約すれば次の3つだった。

① 短期目標：ソ連傘下の国の反政府運動を支援し、親ソ政権を追い詰め転覆する

② 中期目標：それらのうち1つか2つの国で優位に立つことにより、共産主義はソ連が宣伝しているような〝これから訪れる未来の波〟ではないことを示す

③ 長期目標：それらの成功例を拡大させてさらに多くの親ソ政権を転覆し、最後はソ連を崩壊させる

これらの計画の根底にあったのは、それまでのソ連〝封じ込め〟政策から積極的な巻き返しに転じるという考えだった。レーガン・ドクトリンにある「ソ連傘下の国の反政府運動を支援し、親ソ政権を追い詰め転覆する」作戦は、ポーランド、アフガニスタン、カンボジア、中米のニカラグア、アフリカのアンゴラなどですでに始まっていた。

新保守主義(ネオコンサーバティブ)と新自由主義(ネオリベラリズム)

レーガン政権時代に起こったもう一つの特筆すべき点は、**新自由主義（ネオリベラリズム）**と呼ばれる経済理念を主張する勢力が拡大したことだ。彼らは政治における**新保守主義**と同じ系統のグループだった。保守(コンサーバティブ)とリベラルならば反対のような印象を与えるが、それに**〝新〟（ネオ）がついたこの2つは同根**だった。

古典的なリベラリズムは、「自由主義」などと訳される。それに対して、個人の自由を求めるが自由放任ではなく、政府が介入して富の再配分を行い、福祉社会を目指して弱者の人権を尊重する社会民主主義的な新しい自由主義が唱えられ、こちらは**ニューリベラリズム**と呼ばれた。ただし〝ニュー〟リベラリズムも〝ネオ〟リベラリズムも日本語にすると〝新自由主義〟と同じになってしまうが、この2つが意味するものは正反対だ。ネオリベラリズムの〝自由〟とは抑圧された人々が求める自由ではなく、公共事業を民営化し、政府による規制を取り払って市場を自由放任とし、資本の移動も完全自由化するという、**巨大資本がいくらでも儲けられるようにする〝自由〟**だった。

レーガン政権によるこの政策は短期的には効果をあげ、1980年代はじめにアメリカを覆っていた不況は大量の国債を発行することで回復した。それはカネの発行量を増やすことで不況を乗り越えるという、**マネタリズム**(注1)（物価や国民の所得は社会に出回るマネーの量で決まるという考え。いわばカネ万能主義）の効果だった。

このような政策が実行されるなど、共産主義のソ連ではあり得ないことだった。アメリカのレーガン政権、そしてイギリスのサッチャー政権が進めた新保守主義と新自由主義は、1980年代の西側政治経済の両輪となり、ソ連を政治的・経済的に追い込むための新しい武器となった。

もっともマネタリズムの国際化は、ドルが国際通貨だったからできたことだ。その理由により、この時以来、国際通貨としてのドルの死守はアメリカにとってますます重要になった。

疲弊していくソ連

ソ連はブレジネフの時代に軍事力を強化し、アメリカと対峙できる超大国となって世界的な地位を高めたが、1970年代後半になると、無理をして軍拡競争や途上国への支援を続けたツケが国内の経済に回り始めた。ソ連はなぜそこまでして途上国を支援したのか。途上国の社会主義運動の支援は、ソ連の憲法で規定されていたからだ。

ベトナム戦争の勝利からアフガニスタンに侵攻するまでのおよそ5年間に、ソ連は新たに10ヵ国を傘下に収め、当時の国防予算は推定でGNP（国民総生産）の12～14パーセントを占めるまでになっていた。経済が飛躍的に膨張することがない共産主義のソ連にとって、このような状態は財政的にいつまでも続けられることではなかったのだ。

ソ連の経済は国内の生産をもとにした計画経済だったため、外国との貿易で経済を活性化するという概念がそもそも存在しなかった。計画経済がうまくいっている間は外国との経済交流は必要なかったが、ひとたび停滞を始めると、外国とのモノやカネの流れがないため打開策がなかった。

共産主義経済のもとでは外国からの投資もなく、1970年代の日本やアメリカのような大量生産がもたらす消費文化も生まれなかった。これは、**同じ時期に改革開放政策を進めて外国から投資を呼び入れ、経済成長を始めた中国との決定的な違いだった。**ソ連の数少ない外貨獲得の手段の一つは石油の輸出だったが、その価格は資本主義世界の市場で決まるとい

う矛盾があり、1981年に石油価格が暴落するとソ連経済の悪化に歯止めがかからなくなった。(注2)

さらにソ連には、社会主義の途上国から支援の要請があれば応じないわけにはいかない状態が30年も続いていた。アメリカは途上国に傀儡の独裁政権を作って収奪したが、ソ連はそれらの独裁者に抵抗する社会主義運動を支援しても経済的な利益を得るわけではなかった。そのような状態が長く続いたソ連は、支援の重荷に耐えられなくなってきたのだ。

ソ連の停滞には、役人の形式主義による非効率も一役買っていた。これは今日のロシアにも残る彼らの宿痾だ。いったん停滞が始まると役人や一般国民に無気力、怠惰、腐敗、過飲酒などの問題が広がり、経済がさらに停滞するという悪循環が生まれた。国土の大部分が1年の半分近くを雪や氷に覆われるソ連では、寒い冬の陰鬱な気候に経済の停滞が加われば人々の心を落ち込ませる要因となる。しかも権威主義的な上からの締め付けのため自由闊達な討論が行われることがなく、国民は政府や役人を自由に批判することもできない。共産党幹部が高齢化しても若返りが行われず、思考が硬直化する。こういったことのすべてが悪循環を加速させた。

アフガニスタンでの戦況も思わしくなかった。レーガン政権はアフガニスタンでソ連軍と闘うイスラム勢力への軍事支援を強化し、それには鄧小平の中国も加わっていた。かつてブレジンスキーは「アフガニスタンをソ連のベトナムにしてやる」と言ったが、実際、アメリカはアフガニスタンで、ソ連にベトナム戦争の意趣返しをしたのだ。(注3)

メルトダウンするソ連の政治中枢

アメリカでレーガン政権がスタートした時、ソ連のブレジネフはすでに74歳で、しかも健康がすぐれなかった。そのブレジネフが1982年11月に死去すると、ソ連共産党中枢のメルトダウンが始まった。

ブレジネフの後継者に指名されたアンドロポフはレーガンのレトリックに強く反論したが、具体的な対抗策はなにも打ち出せなかった。レーガンの言葉による攻撃はとどまるところを知らず、アンドロポフは苛立ちを隠しきれなかった。この神経戦はレーガンの勝ちだった。

そのころ、ポーランドでは民主化を求める反政府労働組合の**連帯**が1000万人近いメンバーを擁するまでになっていたが、ソ連の政治力の低下もあってアンドロポフのソ連は、かつてハンガリーやチェコスロヴァキアで行ったような軍事介入を行うことができなかった。ポーランドの反政府運動の高まりは、前述の「国家安全保障指針」の①に沿って行われた作戦の成果だった。ポーランドはカトリックの国であることから、アメリカはバチカンの協力を得て「連帯」に毎年800万ドルの現金と通信機などを与えていたのである。

アンドロポフは書記長（国家首席）就任からわずか1年3ヵ月後の1984年2月に死去し、ブレジネフ派のチェルネンコが後を継いだ。だがチェルネンコは病弱で、わずか1年後にやはり病死してしまった。ここに至って、ソ連の政治中枢のメルトダウンは決定的になった。ソ連にはブレジネフの後継者になれる人間がもういなかった。

レーガンの軍備大増強と〝スターウォーズ計画〟

アメリカの国防予算はカーター政権の終わり近くから再び増加が始まっていたが、レーガン政権はそれをカーター時代末期の年間1340億ドルから1985年の2530億ドルにまで増加させた。じつに89パーセント近い増加率だ。

レーガンは大統領に就任すると、まずカーターが開発中止にしていた空軍のB－1戦略爆撃機の開発を復活させ、100機の生産を承認した。B－1は可変後退角翼を持つ超音速機だが、設計のコンセプトは「ソ連領空に侵入して核攻撃を行う」という1970年代初期の古いもので、すでに時代遅れになっていた。生産の決定は軍需産業へのプレゼントの意味合いが大きく、しかもB－1は実戦配備後も故障が絶えず、空軍のお荷物となっていく。

レーガン政権は次に世界初のステルス戦闘機F－117を秘かに開発・生産し、さらに世界初のステルス爆撃機B－2の開発を承認した。B－2は〝世界一高価な飛行機〟だっただけでなく、運用にも多大なカネがかかったため、実機を飛ばす乗員の訓練は週に1回だけで、日々の訓練はシミュレーターで行うという、〝世界一不経済な飛行機〟でもあった。

F－117は1991年にアメリカがイラクを攻撃した湾岸戦争で実戦に使われ、F－117もB－2も1990年代にユーゴスラビアを分解させたバルカン紛争で使用された。F－117はステルス性が売り物だったが1機が撃墜され、ステルス機にも弱点があることが明らかになった。B－2はアメリカのミズーリ州の基地からユーゴスラビアまで無着陸往復飛行を行い、首都ベオグラードの中国大使館を〝うっかり間違えて〟爆撃し、高性能が証明された。

レーガンは、アイゼンハワーの時代から続いていた大量報復戦略（第5章を参照）による**相互確証破壊**の考えを嫌っていた。相互確証破壊とは、米ソとも先制攻撃をすれば相手から報復核攻撃を受けることから、その状態を確実に保つことでお互いに先制攻撃をできなくするという考えだ。レーガンがそれを嫌ったのは、「両国とも滅びる」というネガティブな前提に基づいた「力の均衡」だったからだ。もし相手の攻撃を無力化できるなら報復攻撃を心配する必要はなくなるが、弾道ミサイル迎撃ミサイルはABM条約で制限されており（第8章を参照）、国全体を守るミサイル防衛システムの構築は禁止されていた。

そこでエドワード・テラーという科学者がレーガンの耳にささやいた。「ミサイルではなく、レーザー光線で敵の弾道ミサイルを破壊する方法がありますよ」と。テラーはアメリカの「水爆の父」として知られ、中性子爆弾の開発でも重要な役を演じた天才的な（だがその才能を大量破壊兵器の開発にしか使わなかった）物理学者だ。レーガンはそのアイデアに魅了された。

1983年、レーガンは**「戦略防衛構想」**（Strategic Defense Initiative 略して**SDI**）を発表した。レーザー兵器を搭載した衛星を地球軌道に多数配置し、ソ連がICBMを発射したら、ミサイルが宇宙空間まで上昇してきたところを強力なレーザー光線で破壊するというものだ。ちょうどその頃ヒットしていた映画『スター・ウォーズ』とそっくりだということで、この計画は**〝スターウォーズ計画〟**と通称された。

だがレーガンが「敵のICBMをもらさず撃ち落とす」と高らかに唱ったこの計画には2000億ドル以上ものカネがかかると予測され、しかも数世代かかっても技術的に実現は不可能だという声がアメリカ政府自身の科学者たちからわき起こった。ソ連の科学者たちもその計画はまず実現できないと見ていたが、政治的にはそのような計画が発表されたこと自体が脅威を作り出す。ソ連政府は「そのような兵器の開発は力の均衡を崩す」と反発した。

レーガンは「この計画はABM条約に違反しない」と主張し、その技術を米ソで共同開発するのはどうかと奇妙な提案もしている。だがアメリカ国内からですら「そのような計画が持ち上がること自体、先制攻撃をアメリカが考えている証拠だ」との批判が起きた。結局この計画は実現しなかったが、アメリカ政府はレーガンの時代から次のブッシュ（父）の時代にかけて同計画に300億ドルほど投じたという説がある。

その10年後、冷戦終了後まもない1993年に、レーガン政権で長らく国防長官を務めた**キャスパー・ワインバーガー**が、「レーガン時代に始まったSDI計画は、はじめから実現できないとわかっている研究開発競争にソ連を引きずり込み、ソ連を経済的に破産に導くのが狙いだった」と述べた。だがソ連はアメリカのSDI計画に対抗する研究開発を行っておらず、彼の発言は300億ドルの無駄遣いへの言い訳だったというのが大方の意見だ。(注4)

またアメリカはレーガン時代に中性子爆弾の小型化を行い、〝ミニニューク〟や〝マイクロニューク〟と呼ばれるさまざまな低威力核を開発した（〝ニューク〟とは〝核〟を意味する）。第5章で述べたように、低威力の小型原爆は1960年代にも作られていたが、レーガンの時代に開発されたのは低威力の中性子爆弾だ。爆発力が小さい上、中性子爆弾は爆発後に放射能が短時間で消えるため、実際に使える核と考えられている。はたしてそれらの核は、私たちが知らない間にどこかで使われたのだろうか？

ソ連離れする東欧、右傾化する西欧

１９８０年代の冷戦がそれ以前と大きく異なることになった契機は、**鄧小平による中国の親米路線とヨーロッパの変質の２つ**だ。中国は経済の中央集権制をやめ、改革開放を進めており、ソ連に見切りをつけていた。それは実質的に共産主義経済をやめたということだ。

そしてヨーロッパにも大きなうねりのような変化が起きていた。

西欧では１９７０年代半ばに始まった**EC**の拡大がさらに進み、統一市場の創設へと向かっていた。中欧のハンガリーやチェコスロヴァキアではすでにポーランド以上に民主化が進んでいたが、貧しい南欧の国々も、ＥＣに加入すれば財政援助が受けられることから加入を始めた。加入にあたっては、社会主義を捨てて資本主義に加わることが求められた。ソ連は離れて行く国を力ずくで引き戻すことがもうできなくなっており、ソ連圏のソ連離れが止まらなくなった。10年前にブレジンスキーが望んでいた状態がようやく訪れたのだ。

一方、西欧諸国は資本主義ではあるものの、国民が社会民主主義的な政策を好む傾向が根強く、レーガンが大統領に就任したのと同じ１９８１年にフランスの大統領になった**ミッテラン**はもともと社会主義者だった。だが経済悪化が深刻になってきたため、ミッテランは１年半後に社会主義を捨てて右に転向し、左派のパージを始めた。こうして米英の新自由主義

（ネオリベラリズム）経済に対するフランスの抵抗は中止され、自由市場が拡大ＥＣの基本方針になった。西ドイツでもソ連とのデタントの継続を主張していた**シュミット**首相が退陣し、親米派の**コール政権**が誕生した。こうして西欧でも東欧でも、左から右へと風向きが変わり始め、ソ連の共産主義は次第に過去の時代の遺物のように見られるようになっていった。

　このような変化が起きた最大の要因は、世代交代が進むとともにヨーロッパの人々の意識が変化したためだろう。かつて共産主義は、強欲な資本家に搾取・抑圧されていた多くの貧しい人々にとって、希望の光に見えた。だが西側では低所得層の生活レベルが向上するとともに、それまでは目にすることさえできなかった物質的な豊かさの片鱗に触れた人々が、さらなる豊かさを求めるようになった。その結果、共産革命を夢見る活動家の姿は色あせ、時代遅れに感じられるようになってきたのである。

　そして東欧では、西欧の物質文化がいかに自分たちより進んでいたかを知る人が増え始めた。東ドイツでは西ドイツのテレビを視聴できたため、西側の華やかな世界が直接伝わってきた。１９８０年代はブラウン管テレビの全盛時代だ（そのおかげで日本の家電メーカーが躍進した）。東側の他の地域でも衛星放送を見られるところがあり、若い世代はテレビで見た西側の〝自由な空気〟にあこがれ、共産主義に幻滅しソ連から心が離れていった。

　１９８０年代になってソ連が急に直面した問題は、ヨーロッパでは東西ともこのように大きな変化が起きていたにもかかわらず、ソ連では古いタイプの政治家たちが昔の感覚のまま歳を取り、指導者の席に座り続けていることだった。

血で血を洗う中東——レバノン内戦の複雑な状況

ヨーロッパはこのような状態だったが、世界全体を見渡せば武力衝突が各地で続いていた。

1980年代前半にとくに危険が高まったのが中東だ。1983年4月、レバノンのベイルートで、アメリカ大使館がイスラム過激派の自動車爆弾による自爆攻撃で爆破され、17人のアメリカ人を含む63人が死亡する事件が起きた。犠牲者の大半は大使館の職員とCIAの要員だった。どこの国でも、アメリカ大使館にはCIAの要員が詰めているのだ。

そして同年10月23日、今度はベイルート国際空港の敷地に駐留していたアメリカ海兵隊の兵舎に10トン近い爆発物を積んだトラックを使った自爆攻撃が行われ、ビルが崩壊して海兵隊員241人が死亡、百数十人が負傷するという前代未聞の事件が起きてしまった。さらにその直後には近くに駐留するフランス軍の兵舎にもトラック爆弾による自爆攻撃が行われ、58人が死亡した。レバノンでは1975年から内戦が続いており、米軍、フランス軍、イギリス軍、イタリア軍などが治安維持のために多国籍軍として派遣されていた。

レバノンへの米軍の派遣は、レーガン大統領がワインバーガー国防長官やホワイトハウスの米軍顧問の反対を押し切って決定したものだった。だがそれまで「テロとは断固として闘う」と言っていたレーガンは、爆破事件の4ヵ月後、アメリカ議会の意向を受けてレバノンから米軍を撤退させる決定を下した。(注5) 米軍に続いてイギリス軍、フランス軍、イタリア軍なども撤退し、レバノンに治安維持の多国籍軍はいなくなった。

レバノンでは少数の資本家に支えられたキリスト教徒の右派政権がアメリカやイスラエルからアメリカ製の武器の援助を受けており、反政府側はソ連製の武器（または東欧諸国が生産したソ連の武器）を使用していた。これは冷戦時代の全期間を通じて世界各地で発生した数多くの武力衝突に共通するパターンだ。

中東とは常に非常に複雑なところだが、それまでのいきさつを簡単にまとめれば次のようになる。

1948年にイスラエルが誕生すると、多くのパレスチナ人が昔から住んでいた土地を追われて難民となり、隣接するヨルダンやレバノンに流れ込んだ。そしてパレスチナ人のさまざまな反イスラエル組織が生まれ、1964年にそれらを束ねる上位の組織として**PLO**（パレスチナ解放機構＝現在のパレスチナ自治政府の主体となった組織）が設立されてエルサレムにオフィスを構えた。

1967年に第三次中東戦争が始まると、ヨルダン領だったヨルダン川西岸に住んでいたパレスチナ人がさらに大量の難民となってヨルダン川東岸とレバノンに流入し、ＰＬＯがヨルダン内の難民キャンプに拠点を築いた。以来、イスラエル軍とＰＬＯの武力衝突がたびたび発生するようになった。

1970年までに、ヨルダン在住のパレスチナ人は数十万人に膨れ上がり、ＰＬＯを支持するヨルダン人も急増したためヨルダンの政権基盤がゆらぎ始めた。ヨルダンは王国で、アラビアで最も親米の国だ。ＰＬＯの勢力拡大に危機感を抱いたヨルダン政府はＰＬＯの弾圧に乗り出し、ヨルダンは内戦状態に陥った。この内戦ではソ連から軍事援助を受けているシリアがＰＬＯを支援し、ヨルダン政府軍に追われたＰＬＯはシリアを通ってレバノンのベイルートに本拠を移した。

レバノンはアラビアで唯一、キリスト教徒のアラブ人が多く住む国で、前述のように彼らが右派の政権を握っていたが、ＰＬＯとパレスチナ難民の流入でイスラム教徒が人口の過半数を占めるようになった。そして１９７５年にベイルート郊外で、キリスト教徒と、イスラム教徒やＰＬＯが衝突したことが発端となり、キリスト教徒（アメリカ、西欧の一部の国、イスラエルが支援）、ＰＬＯ（シリアが支援。社会主義や共産主義などのいくつもの組織が合同）、イスラム主義者（スンニ派、シーア派、その他各派）が複雑にからみ合う内戦に発展した。さらに、侵入してきたイスラエル軍を追い出すためにシリア軍もレバノンに侵入し、レバノン政府は国をコントロールできなくなった。これが、その後15年以上にわたって続いた**レバノン内戦**だ。

ＰＬＯはシリアと同じく世俗主義（政治に宗教を持ち込まない主義）で、主流派の**ファタハ**はサウジアラビア、リビア、イラクなどの産油国から活動資金を支援され、世界各地に代表部を持つまでになった。イスラム主義者はシーア派がイランに、スンニ派の一部はエジプトのムスリム同胞団に支援されていた。

こうして、アラブ人キリスト教徒とイスラム教徒の闘い、およびイスラム主義者とＰＬＯの対立に加えて、イスラエル軍に対するイスラム主義者、ＰＬＯ、シリア軍の闘いが交錯するなかで、１９８２年にイスラエル軍がベイルートへの大規模攻撃を開始し、ＰＬＯ本部を包囲した。治安維持のため多国籍軍がレバノンに派遣されたのには、こうした背景があったからだ。ＰＬＯは多国籍軍に保護される形で北アフリカのチュニジアに脱出した。

だがその一方で、自分たちの土地から欧米人を追い出そうとするイスラム主義者グループが多国籍軍を攻撃する出来事が散発的に発生するようになった。１９８３年のアメリカ大使館、海兵隊兵舎への自爆攻撃は、こうした状況のもとで起きた。

さらに事態を複雑にしたのが、１９８０年秋に始まった**イラン・イラク戦争**だ。この戦争については詳しく報道されることがなかったが、アメリカから武器の援助を受けていたイラクの**サダム・フセイン**がイランを攻撃して始まったもので、８年にわたって続き、双方合わせて１００万人もの死者を出した大戦争だった。アメリカが当時のフセインを支援してイランを攻撃させたのは、イランのイスラム革命とアメリカ大使館占拠事件への報復だった。

イラクはシリアと同じ〝バース党〟という社会主義政党が政権を握る世俗主義の国だったが、イラクのバース党とシリアのバース党は仲が悪く、またソ連は常にシリアを支援していたがイラクへの影響力が足りず、この戦争を止めることができなかった。

中東と中米を結びつけたレーガンの「イラン・コントラ事件」

そして、この中東の戦乱と、中東から遠く離れた中米のニカラグアが結びつくという、「事実は小説より奇なり」な事件が起きる。

ニカラグアでは、ソモサ大統領の一族が50年にも及ぶ長期独裁を続けて暴政を振るっていたが、１９７９年にキューバ軍に支援された社会主義勢力の**サンディニスタ**がこれを転覆して政権を握った。サンディニスタは多くの国民から支持されていただけでなく、一部のカトリック教会からも支持されていた。ソ連はサンディニスタを直接支援する余裕がなかったが、代わってソ連が支援するキューバが積極的に支援していたので、間接的にかかわっていた格好だった。さらに、ラテンアメリカ諸国の左派が募金を行ってサンディニスタの活動を助けていた。

1981年、アメリカ大統領に就任したロナルド・レーガンは、ただちにニカラグアへの経済制裁を発動し、反サンディニスタ組織 **〝コントラ〟** への資金援助を議会に要求した。コントラは追放された元ソモサ政権の主要メンバーと直接結びついた組織で、CIAがその戦闘員を隣のエルサルバドルで訓練してニカラグアに送り込み、サンディニスタ政権の転覆をはかっていた。このあたりの経緯は、カストロが革命を成功させた後のキューバによく似ている。サンディニスタのゲリラもエルサルバドルに侵入してコントラと闘っていた。レーガンはエルサルバドルに55人の軍事顧問を送り込んだ。

だがコントラが残忍な殺戮をくり返しているという情報が伝わるにつれ、アメリカ国内でコントラへの支援に反対する声が大きくなっていく。ニカラグアはアメリカと地理的に近いので、アメリカ人の活動家が現地に渡ってサンディニスタに協力し、実状をアメリカ国内に伝えていたのだ。加えて、エルサルバドルで布教活動をしていたアメリカ人のカトリックの尼僧たちがエルサルバドル軍兵士に惨殺される事件が発生し、大手メディアも現地から報道を行うようになった。

1982年、CIAがコントラの訓練に使っていたマニュアルがメディアに流出したことから、アメリカ政府の関与が公になり、アメリカ議会は、CIAとペンタゴンがニカラグア政府転覆のための資金供与を禁じる法律を可決した。ところが2年後の1984年、今度はCIAがニカラグアの複数の港に機雷を敷設していた事実が発覚し、アメリカ議会はさらに2つの修正法案を通してそのような活動を禁じた。

1984年11月、ニカラグアの大統領選挙でサンディニスタ党の**ダニエル・オルテガ**が当選し、サンディニスタは政権基盤を固めていく。レーガンはすでに世界銀行と米州開発銀行に圧力をかけてニカラグアへの融資を停止させていたが、同月に大統領選挙で大勝して2期目に入ると、翌1985年、ニカラグアに対する全面禁輸を発動した。

ところが翌1986年、議会にコントラへの資金援助を禁じられていたレーガン政権が、秘かに米軍の武器を敵国であるはずのイランに売却して裏金を作っていた工作が発覚したのである。

前述の、1983年4月にベイルートのアメリカ大使館がトラック爆弾による自爆攻撃で爆破された事件で、死亡した17人のアメリカ人のなかにはCIAのレバノン支局長と2人の部下が含まれていた。だがCIAの被害はそれだけではなかった。ビルが崩壊して大使館内に保管されていた資料が失われたため、CIAは中東の重要な拠点であるベイルートにおける情報収集能力を失ってしまったのだ。そこでCIAはベイルートのレバノン支局を再建するため、ウィリアム・バックレーというベテランの幹部を送り込んだ。

ところがバックレーは、1年もたたないうちにイスラム過激派に拉致されてしまう。ほかにも数名の人質を取られていたアメリカ政府は、人質解放のためにイスラム過激派グループと交渉する必要にせまられたが、そのルートがなかった。

1年後の1985年、数人のイスラエル人グループがレーガンの国家安全保障担当補佐官に接近し、「レバノンのシーア派イスラム組織**ヒズボラ**(注6)の後ろにはイランがいる。イランはイラクとの戦争で兵器を必要としている」として、「イランに兵器を与える見返りに、イランからヒズボラに人質を解放させるよう働きかけてもらうといい。我々はイランと交渉するルートを持っている」と持ちかけた。シャルツ国務長官とワインバーガー国防長官は反対したが、レーガンは人質を解放させたい気持ちが強く、その話に乗ってしまった。(注7)

だがこの取引はメディアにリークしてしまい、報道されてさんざん叩かれたレーガンは窮地に立たされた。1986年11月、レーガンは報道が事実であることを認める記者会見を行った。

ところがそれから話は奇怪な方向に展開する。レーガン政権が人質解放のためにとどまらず、前述のように、さらに多くの兵器をイランに売却して売り上げを秘かにニカラグアのコントラ支援に回していたことまで発覚してしまったのだ。議会からコントラへの支援を禁止されたので裏金を作っていたのだ。取引にかかわった疑惑は、国家安全保障担当補佐官を務めた2人のほか、CIA長官や国防長官にまで及んだ。副大統領のブッシュ（父）は「すべて知っていたが、直接かかわってはいなかった」として難を逃れた。

結局この事件は、海兵隊のオリバー・ノースという中佐がスケープゴートとなって罪をかぶることで幕が引かれた。レーガンはGOサインを出した張本人だったが、「自分自身は直接かかわっていないが、自分の政権が関与したことについては監督不行き届きだった」と認めるという形でからくも逃げ切った。

この事件はニクソンのウォーターゲート事件をもじって**〝レーガンのイランゲート事件〟**とも呼ばれている。(注8) レーガンが最も救い出したかったウィリアム・バックレーは、最初の兵器がイランに到着する前に肺炎にかかり死亡していた。

一方ニカラグアはアメリカの経済制裁によりハイパーインフレが襲い、1988年までに物価が300倍に跳ね上がって経済が崩壊した。オルテガ政権はそれまで行ってきたヘルスケア、教育、住宅、栄養プログラム（オルテガが政権を取るまで、ニカラグア人の多くが栄養失調だった）をすべて中止せざるを得なくなった。

だが、頼みの綱のソ連は国力が衰え、キューバへの支援も急速に減少していた。キューバのカストロはオルテガに、「今後はアメリカとなんらかの取引をして妥協しなければならなくなる」と助言した。オルテガとサンディニスタ党は1990年の選挙で敗北し、ニカラグアは親米穏健派の政権に入れ替わった。幸いなことに、新政権は以前のソモサ政権の残党ではなかった。(注9)

（注1）だがその効果は長く続かず、レーガンの時代にアメリカの製造業はますます空洞化し、日本にバブル経済が出現した。1990年代後半になるとアメリカの金融セクターにさまざまな問題が噴出し始め、2000年代後半にリーマン・ショックが起きた。

（注2）この石油価格の暴落は、ソ連を経済的に追い込むためにアメリカがサウジアラビアを使って価格を

操作したものだった。

（注3） アメリカがムジャヒディーンに与えた兵器のなかでとくに重要な役を演じたのが、〝スティンガー〟と呼ばれる携帯式対空ミサイルだ。スティンガーは肩に担いだ筒状の発射機から発射する小型の対空ミサイルで、ソ連のヘリコプターを撃墜するのに威力を発揮した。もっともソ連がアフガニスタンで失ったヘリコプターは74機の攻撃ヘリコプターを含め百数十機からせいぜい300機程度と言われており、アメリカがベトナムで5600機以上のヘリコプターを失ったのに比べればはるかに少なかったというのが事実だ（第7章の注21を参照）。またソ連はアメリカがベトナム戦争に費やしたのに近い10年間をアフガニスタンの戦争に費やしたが、駐留した軍の規模はピーク時で10万人ほどで、ベトナムに駐留した米軍よりずっと少なかった。ソ連軍の戦死者数も1万人程度で、「アフガニスタンがソ連の墓場になった」というのは誇張した言い方だった。だがソ連の経済規模はアメリカよりずっと小さかったので、アフガニスタンで被った軍事的な損害がソ連崩壊の要因の一つになったのは間違いない事実だ。

（注4） 実現できないとわかっているものにそのような大金を使ったのなら、この計画は軍産を儲けさせるためのプレゼントだったことになる。だがジャンボ機に搭載したレーザー兵器の照射実験が実際に行われていたと言う人もいる。弾道ミサイルを破壊するほどの強力なレーザー光線を発生させるには巨大なエネルギーが必要であり、SDI計画では核爆発を使ったエネルギー発生装置を衛星に積む研究をしていた。そのような装置を衛星に搭載するのはまず不可能だったとしても、たとえばジェットエンジンのエネルギーなどを使う装置を、衛星ではなくジャンボ機に搭載することならできたかもしれない。だがその場合は発生させるエネルギーがずっと小さくなるので、飛来するICBMではなく地上の標的に向けて照射する研究だったと考えられる。

（注5） 治安を守るために駐留していた米軍が、テロ攻撃を受けたので撤退したとは奇妙に聞こえるかもしれない。攻撃を受けたわずか2日後の10月25日、カリブ海に浮かぶ人口11万人の小さな島国のグレナダに米軍の空挺部隊が侵攻した。キューバ軍が進駐して飛行場の建設を始め、島の医学校に留学している11

00人のアメリカ人学生が危険にさらされているという理由だった。建設中の滑走路は3000メートル級で、ソ連の大型長距離偵察機が離着陸できるものだった。ソ連はキューバとニカラグアに加えてこの基地を持つことでカリブ海に新たな拠点を作ろうとしていたのだという。

（注6）ヒズボラ：1980年代前半にレバノンに誕生したイスラム教シーア派の組織で、政治部門と軍事部門に分かれている。政治部門は議会に議員を送り込んでいる政党でもあり、社会福祉に力を入れ、国民大衆とくに下層階級から大きな支持を得ている。軍事部門はイランの革命防衛隊と強く結びついており、レバノン国軍よりはるかに大きな力がある。メディアのニュースは伝えていないが、2006年にイスラエルが侵攻したレバノン戦争では、航空戦力を持たないヒズボラが、最新の航空戦力を持つイスラエル軍に大打撃を与えて退却させ勝利している。だが1983年のアメリカ大使館、米軍海兵隊兵舎、フランス軍兵舎への自爆攻撃については、その時点でヒズボラはまだ誕生していなかった可能性が高く、ヒズボラがやったのかどうかはわかっていない。

（注7）このいきさつについては、ホワイトハウスのほうからイスラエルに取引を仲介するよう要請したとの説もあり、その説のほうが事実に近いかもしれない。いずれにせよ、レーガンの国家安全保障担当補佐官はイスラエルと近い関係にあり、イスラエルはその前からアメリカ製の兵器をイランに横流ししていたのでイランとのルートを持っていた。イスラエルがそのようなことをしていたのはイラクのサダム・フセインの力を弱めるためであり、ホワイトハウスはそれを黙認していた。アメリカはイラクを支援してイランと戦争を始めさせたが、片方が優勢になるともう片方を支援するという方法で戦争を長引かせ、両国をともに弱体化させる戦略だった。

（注8）当時の「ニューヨークタイムズ」の報道によれば、レーガン政権は1985年8月から1986年10月にかけて、2500基以上の対戦車ミサイルと、18基の対空ミサイルとそのパーツを、8回に分けてイランに引き渡したとされる。

（注9）アメリカはバチカンに要請して、中米を管轄する枢機卿を親米派に交代させていた。カトリック教会が住民に強い影響力を持つラテンアメリカの国ニカラグアでは、それまでサンディニスタを支持してい

た教会が支持しなくなったことも大きく響いた。サンディニスタはその後の選挙でも続けて敗れていたが、２００６年の選挙でオルテガが勝利して大統領に返り咲いた。オルテガはその後も連続して当選し、２０２３年１月現在４期目を務めているが、最近では反対派との衝突が拡大し政情は再び不安定になっている。アメリカとの闘いは、長い年月をかけて勝ったり負けたりをくり返し永遠に終わらない。

（おもな出典・参考文献）

◆"The Cold War: Volume 2, National Security Policy Planning from Truman to Reagan and from Stalin to Gorbachev", Chapter "Ronald Reagan and the Defeat of the Soviet Empire" by Andrew E. Busch, Routledge, Taylor and Francis Group, 2001.
◆"The Cold War: A World History" by Odd Arne Westad, Basic Books, 2017.
◆"The Real History of the Cold War" by Alan Axelrod, Sterling Publishing, 2009.
◆"From Hiroshima to Glasnost: At the Center of Decision" by Paul H. Nitze with Ann M. Smith and Steven L. Rearden, Grove Weidenfeld, A division of Wheatland Corporation, 1989.
◆"The Iran-Contra Affair 30 Years Later: Declassified Records Recall Official Deception in the Name of Protecting a Presidency", 国家安全保障文書館 Electronic Briefing Books No.567, November 25, 2016.

第11章　ソ連の消滅

行き詰まったソ連の運命は54歳の若い指導者に託された。だが、彼が追い求めた理想は、思惑とはことごとく違った方向へ向かい、最後は連邦を分解させてしまう。その背後でアメリカは暗躍していたのか？

レーガン政権が秘かに兵器をイランに売却していた最中の１９８５年3月10日、ソ連ではアンドロポフの後継としてソ連共産党中央委員会書記長を務めていた元ＫＧＢのチェルネンコが死去した。そしてその翌日、政権の若返りを狙った外相のグロムイコが推薦した54歳の**ミハイル・ゴルバチョフ**が書記長に就任する。だがゴルバチョフが始めた政治改革は、月日とともにソ連を分解させる方向に変貌していった。

異質のソ連指導者――ミハイル・ゴルバチョフ

ゴルバチョフはソ連共産党政治局で最も若く、書記長に就任するとまず政治局の高齢のメンバーを引退させて自分の息のかかった若手に入れ替えることから着手した。ゴルバチョフ政権の生みの親となったグロムイコ自身、１９５７年から外相を務めてきたベテランで、すでに75歳だった。グロムイコは外相の座を18歳若い改革派のシェワルナゼ（後のグルジア大統領）に譲り、実権のない名誉職である最高会議幹部会議長に退いた。チェルネンコが死去した翌日にゴルバチョフの書記長就任が決まったのを見れば、グロムイコはそれまでに政治局内で根回しを終えていたと考えられる。

ゴルバチョフはアンドロポフやチェルネンコが進めていた対米強硬姿勢を改め、軍拡競争に別れを告げるとともに海外の社会主義運動への支援も縮小した。国が経済危機に陥っている時に、軍備拡大や海外へ援助をしている余裕はないということだ。するとアメリカのレーガンはそれまでの攻撃的な言動から笑顔に一変し、親書を送ってサミット会談を希望した。ゴルバチョフは同意し、2人は1985年11月にスイスのジュネーブで初顔合わせの会談を行った。

西側では、政治家も一般大衆も一様に好感を持ってゴルバチョフを受け止めていた。彼はそれまでのソ連の政治家と違って笑顔が似合う男だった。ソ連の政治家としては珍しく、10年前に夫人を伴ってフランスやイタリアに旅行をしたことがあり、2年前にはカナダを訪れてトルドー首相（現在のトルドー首相の父親）と会談したうえ、カナダ議会でスピーチまでしている。それまでのソ連のトップなら考えられない行動だ。さらに書記長就任の4ヵ月前にはイギリスの**サッチャー**首相の招きでロンドンを訪れており、サッチャーは会談の後、「この人となら話ができる」と語っていた。それまでサッチャーもソ連に対する強硬発言を連発して**〝鉄の女〟**と呼ばれていたほどだったのに、この変貌ぶりは意外だった。

サッチャーが彼を英国に招いたのは、直接対面してどの程度の人物かを見るためだったのに違いない。じつはグロムイコに**ゴルバチョフを書記長に推薦するよう強く働きかけていたのはサッチャーだった**のだ。

レーガンとゴルバチョフの初サミットではとくに具体的な成果はなかったが、レーガンはゴルバチョフに「2人で米ソの親しい関係を発展させよう」と言葉をかけている。レーガンはゴルバチョフより20歳も年上で、その落ち着き払った風貌に比べると、国際政治の表舞台にデビューしたばかりのゴルバチョフは軽量級に見えた。

ゴルバチョフは南ロシアの寒村の集団農場で働く貧しい農家に生まれたが、勉強がよくできたためモスクワ大学の法学部に進んだインテリである。卒業後は故郷に戻って地元の共産党に入り、農業行政官としての道を歩いた。1950年代にフルシチョフが行った〝脱スターリン化〟に共鳴し、人間味のある共産主義を心に描いていた。集団農場の生産向上で業績を重ねて地元の共産党で出世し、1978年に47歳の若さでモスクワのソ連共産党中央委員会書記に抜擢されている。同郷だったアンドロポフからの強い〝引き〟があったためだ。

もっとも、たしかにゴルバチョフはソ連初の大学卒の国家元首だったが、中央の政界では傍流の農業畑を歩いてきた男だ。それまでの国家元首のように厳しい権力闘争を生き延びてきた経験もなく、国際政治についても素人だった。彼は「ぽっと出の田舎の秀才」タイプでノリが軽く、西側の老獪な政治家たちから扱いやすい相手と見られたとしても不思議はない。

とはいえ、共産党書記長ともなれば国内における権限は絶大だ。西側のメディアや指導者たちに見せる笑顔とは打って変わって、ゴルバチョフが国内で見せる顔は権威主義国家ソ連の伝統から外れない独裁者の顔だった。そうでなければソ連では指導者としてやっていかれない。国の経済を再び軌道に乗せるには西側との協調が必要と信じる彼は、短気で強硬だった。

ペレストロイカとグラスノスチ――混乱をさらに悪化させた改革

ゴルバチョフ政権は船出した直後からいくつもの大きな困難に見舞われた。まず1985年から1986年にかけて原油価格がおよそ3分の1に急落したことから、ソ連の財政が急速に悪化した。(注1) 1986年4月には**チェルノブイリ原発がメルトダウン**を起こし、国内の混乱と経済の悪化に拍車がかかった。

アフガニスタンではアメリカ、中国、パキスタンがイスラム武装勢力への支援を強化しており、ソ連にとって情勢はますます悪化していた。中国はアメリカの要請に応じて、CIAが情報収集拠点をソ連との国境近くに設置することにすら同意していた。

書記長就任まもない頃、ゴルバチョフは軍に「1年たっても戦況が好転しなければ(アフガニスタンから)撤退させる」と宣告していたが、1年が過ぎた1986年6月、彼はその考えを実行することを政治局で決定した。ソ連は傀儡のカールマル政権への援助を停止し、カールマルは辞任して秘密警察出身のナジーブッラーに替わった。ナジーブッラーは停戦を呼びかけたがムジャヒディーンの7つのグループは拒否し、ソ連との直接交渉を要求した。アメリカはソ連がアフガニスタン政府への援助を停止してもイスラム勢力への支援をやめなかった。

同年10月、アイスランドで行われたレーガンとの2回目のサミット会談で、ゴルバチョフは米ソとも中距離弾道ミサイルをヨーロッパから引き揚げ、ＩＣＢＭを半分に減らすよう提案した。対するレーガンは、両国がすべての弾道ミサイルを10年以内に廃止するのはどうかと応じたが、その案はどう見ても実現性があるようには見えなかった。このサミットでは双方から提案が行われただけで何も合意されなかったが、その後もサミットを続けることが確認された。米ソのサミット会談は１９８５年11月まで６年間も行われていなかったことを思えば、これは異常なほどの急接近だ。

アメリカのこのようなゴルバチョフへの接近ぶりは、まるで１９７０年代はじめのデタントの再現かと思えるほどだったが、当時ニクソンがデタントを呼びかけたのはアメリカが八方ふさがりに陥っていたからだ。だが今や八方ふさがりになっているのはソ連のほうで、アメリカには妥協しなければならない理由は何もなかった。それなのになぜレーガンはゴルバチョフに急接近し、微笑みかけていたのか。それは**ソ連を民主化しようとするゴルバチョフに政治改革を続けさせるため**だ。ソ連の保守派は警戒感を強めた。

その頃までに、ゴルバチョフは**ペレストロイカ**（再構築／構造改革）と**グラスノスチ**（情報公開／政府の可視化）と呼ばれる大型改革をスタートさせていた。ペレストロイカは中国がすでに進めていた「改革開放」と似たコンセプトだったが、中国では改革開放を行いつつも共産党の独裁が強化され、情報公開や政府の可視化はまったく行われていなかった。**ゴルバチョフの改革は民主化が目的だったが、鄧小平の改革開放の真の目的は外国の最新テクノロジー**

を入手し、党と国を強化することにあった。この違いこそ、後に中国とソ連の改革の明暗を分けた重要なポイントである。

翌1987年1月、ゴルバチョフは共産党中央委員会の総会で「ソ連経済の根本的な構造改革の必要性」を訴え、ペレストロイカとグラスノスチを最優先課題として全面的に押し進めると宣言した。この基本方針に基づき、ソ連政府は国営企業へのコントロールを緩め、企業の自治が拡大する。西欧では次々と民主化を行うゴルバチョフの人気が急上昇し、世論調査によれば彼の人気はアメリカのレーガンやイギリスのサッチャーを大きく引き離してトップだった。

ゴルバチョフの考えは、1970年代はじめにイタリアやフランスで唱えられて大きな支持を得ていた**ユーロ・コミュニズム**（革命ではなく選挙で共産党を勝たせて社会主義を実現しようという考え）に近く、彼は東欧の指導者たちに「ソ連と同じ方法で改革を行うべきだ」と民主化を強く促した。

だが彼はチェコスロヴァキアを訪れた時に「あなたの改革は1968年にソ連が弾圧した〝プラハの春〟とどこが違うのか」と問いつめられ、「20年（の違い）だ」と居直った。実際、ゴルバチョフが唱える改革の中身は1960年代末から1970年代はじめにかけて東欧で起きた民主化運動とほとんど変わらなかったのだ。こういうこともソ連が東欧の国民から信頼を失う原因の一つになっていく。

情報公開の副作用

レーガンとゴルバチョフによる3回目のサミット会談は1987年12月上旬にアメリカのワシントンで行われ、同月8日、2人は**INF全廃条約**（中距離核戦力全廃条約）に署名した。これは両国とも射程が500キロから5500キロの弾道ミサイルと巡航ミサイルの配備を禁止するという内容で、両国は合意に基づきヨーロッパから中距離弾道ミサイルを撤去した。ソ連は1980年代はじめに西欧を攻撃できる中距離弾道ミサイルを東欧に配備しており、アメリカもソ連を直接攻撃できる中距離弾道ミサイルを西欧に持ち込んでいたのだ。

このサミットで、ゴルバチョフはレーガンに「アフガニスタンから12ヵ月以内に撤兵を開始する」と伝えたが、レーガンは「ムジャヒディーンへの武器援助をやめてほしい」とのソ連の要求には応じなかった。アメリカはソ連に協力するように見せかけつつも、自分のペースで事を運んでいた。ヨーロッパで弾道ミサイルを突きつけ合うのをやめるのには同意したが、ソ連の裏庭であるアフガニスタンでは、ソ連が撤兵しようがしまいが圧力を加える手を緩めないということだ。ゴルバチョフの要求は、ベトナム戦争末期にアメリカのニクソンがモスクワを訪問してブレジネフと会談した際に、「北ベトナムへの軍事援助をやめてほしい」と要求したのに似ていた。15年後、アメリカとソ連の立場は逆転していた。

1988年になると、ゴルバチョフ政権は複数の分野で民間による事業の所有を認め、一部の国営企業では従業員の経営参加を許可した。しかしそうなると、それはもはや共産主義とは言い難い。中国は共産党独裁のシステムを堅持しながら株や証券といった金融システムを導入して経済だけを資本主義化し、外貨を稼ぎながら党と軍を強化した。だが東欧諸国では共産党の支配と経済や金融の資本主義化は両立しなかった。そしてソ連も少し遅れて東欧と同じ道をたどっていった。

グラスノスチには大きな問題があった。ゴルバチョフは進んで政府に情報公開を求めるよう国民に促したが、それが原因で、政府の腐敗やスターリン時代の粛清や強制収容所の秘密など、政府にとって具合の悪い事実があちこちで次々と明るみに出る結果を招いたのだ。ゴルバチョフの改革は国民に政府や共産党への不信を生じさせ、次第に社会の混乱を深める方向へと進み始めていく。

ワシントンでのサミットからほぼ6ヵ月後の1988年5月末から6月はじめにかけて、今度はレーガンがモスクワを訪問して4回目のサミットが行われた。会談後にレーガンはモスクワ大学で講演を行い、その模様が生中継されてソ連全土で放映された。この講演は民主化がいかに素晴らしいものであるかを説いたレーガンの宣伝で、まもなく任期を終えてホワイトハウスを去るレーガンへの花道としてセッティングされたものだった。レーガンは赤の広場でレポーターから「今でもソ連は悪の帝国だと思っているか」と問われ、「それは別の時代の話だよ」と答えた。

だがレーガンは、ゴルバチョフが「冷戦とはかかわりなく、イスラム過激派が原理主義を広めている」と説こうとしたのに耳を傾けなかった。ゴルバチョフはアメリカがイスラム過激派に武器を供与する危険性を伝えたかったのだ。後にゴルバチョフは「我々はアメリカと一緒にやろうとしているが、アメリカにその気はないようだ」と漏らしたという。その**15年**

後、ゴルバチョフの懸念はイラクやシリアで現実となった。

アフガニスタンからの撤兵はゴルバチョフの言葉どおり1988年5月に始まり、彼が明言した期限より3ヵ月も早く翌年2月に終了した。アメリカがベトナムから追い出された時と違い、ソ連軍は隊列を組んで整然と帰国していった。だがソ連国内では、都市部で食糧不足が起こり始め、地方では騒乱が発生するなど治安が悪化して社会不安が広がっていた。

民主化がもたらしたもの——ソ連の動揺、東欧の覚醒、そして天安門事件

1989年1月、レーガンはイラン・コントラ事件の追及を逃げ切り、任期満了で退任した。レーガンは退任の挨拶でゴルバチョフを称えたが、新大統領の**ブッシュ（父）**は用心深く、**「冷戦はまだ終わっていない」**との姿勢を崩さなかった。

ゴルバチョフはソ連内にある共和国(注2)に対して、さらに権限を持たせる政策を進めた。だが、その結果起きたのはそれらの国の民主的な進化ではなく、**ナショナリズムの高揚**だった。バルト海沿岸3国ではソ連の中央政府に対する造反が始まり、アゼルバイジャンでは国内にあるアルメニアの飛び地ナゴルノカラバフとの対立で数百人が死亡し、多くの難民が発生する事態となった。

1989年2月、ゴルバチョフは東欧諸国との関係を見直すと宣言し、それらの国の無条件の独立性、完全な平等、内政不干渉を強調し、共産主義の初期の時代の誤りを指摘した。

だが**彼の理想主義はさらなる混乱を引き起こすことになる。**混乱が最も大きかったポーランドでは、同国の共産党政権が国内の反対派とゴルバチョフの両方から圧力を受けて、共産党以外の候補者が参加できる選挙の実施を反対派と合意した。

1989年になると、民主化を求める声は中国でも大きくなっていた。中国では、人民に自由な討議をさせたとして1987年に失脚した共産党の**胡耀邦**総書記が1989年4月15日に死亡し、その死を悼む人々が天安門広場に集まり始めたことがきっかけで、一党独裁に反対する運動に発展した。5月には、天安門広場の群衆は数十万人規模に膨らんだ。

その5月にはゴルバチョフがソ連のトップとして30年ぶりに中国を訪問することが決まっていた。5月半ばにゴルバチョフが北京に到着すると、天安門広場は騒乱前夜の状態にあり閉鎖されていた。会談を終えてゴルバチョフが帰国すると、鄧小平は民主化運動に同情的だった党総書記の趙紫陽を15年の自宅軟禁の刑に処し、6月4日、群衆の抗議行動が激しくなった天安門広場に軍を出動させて鎮圧をはかった。いわゆる**天安門事件**である。ゴルバチョフは「モスクワの赤の広場が天安門広場のようになってほしくない」と漏らしたという。

だが、アメリカの秘かな作戦に協力していた鄧小平が、ゴルバチョフと会って何を話したのだろう。30年ぶりのトップ会談だったというのに、彼らの会談については当時ほとんど報道されることがなかった。中ソ関係がその後好転したと言われているのは、鄧小平がアメリカに協力してソ連の改革に賛成したということだ。

天安門事件の発生と同じ6月4日、ポーランドでは初めて共産党以外の政党が候補者を立てた選挙が行われ、反政府労働組合**「連帯」**が圧勝した。ゴルバチョフはポーランドの選挙結果を支持すると述べた。その支持表明は、東欧の社会主義の解体をソ連の国家元首が支持すると表明したに等しい。同年8月24日、ポーランドに非共産党の政権が誕生した。

ベルリンの壁が壊される

その少し前の同年8月19日、ハンガリー政府が人権保護の立場から（という名目で、じつは西ドイツから融資を得るために）、オーストリアとの国境を開放し、ハンガリーにとどまっていた東ドイツの難民がオーストリア経由で西ドイツに行けるようになった。9月になると東ドイツで騒乱が広がり、大都市では民主化を求める数十万人規模のデモが毎週行われるようになった。そして10月、追い詰められた**ホーネッカー**書記長が辞任すると、数千人の東ドイツの人々が民主化したチェコスロヴァキアを通って西側に入り始めた。かつて東西冷戦の象徴だった**ベルリンの壁**は、もはや意味を成さないも同然になったのだ。

ホーネッカーの後を継いだ東ドイツの新指導者は「国民が西ドイツとの間を往来できるようにする」と発言していたが、11月9日に政府のスポークスマンの「許可を得た者は境界を越えることができる」との発言がラジオのニュースで流れると、東ベルリンの人々が壁の前に集まり始めた。西ベルリンに通じる検問所の前には数千人が押し寄せ、通行許可証を持たない人が警備員の制止を振り切って西ドイツ側に入り始めた。検問所の警備員は群衆を止めようとしたが、押し寄せた人々のあまりの多さにどうすることもできなかった。20年前には壁を乗り越えようとする人間を射殺した東ドイツ当局も何もできなかったのだ。

翌朝、東ベルリン市民がハンマーやツルハシを持って集まり、壁を壊し始めた。はじめは阻止しようとしていた警備員もまもなく群衆に加わり、パワーショベルを運転する者まで現れた。**東西ドイツの統一が東ベルリン市民の行動によって始まった瞬間**だった。

ゴルバチョフにとって、この時点で冷戦はすでに終わっていた。だが彼は政治改革に賭けていたが、外国からの投資や融資は期待したほど集まらず、国内ではインフレが進み、闇マーケットが増え、税金が集まらず、政府の財政が悪化していた。ソ連内のいくつかの共和国では反ゴルバチョフ派が勢力を増していた。

ベルリンの壁が壊されると、ソ連内の共和国でも次々と反政府運動が広まり、ゴルバチョフの改革はさらに意図しない方向へと進んで行った。すると彼は、東欧諸国には自由化を説きながら、ソ連内の共和国では自由化要求に圧力を加えるという矛盾した態度をとり始めた。

東欧の民主化運動は、ベルリンの壁の破壊も含めて、**すべて後ろからアメリカが操っていたのだ**。それが何年も前から時間をかけて準備され実行されていたのは、第10章で述べたホワイトハウスの国家安全保障指針とレーガン・ドクトリンを見ればわかる。

ではソ連国内の民主化運動についてはどうだろうか。

後に、元ソ連代議員大会のある代議員がこう言っている。

「ロナルド・レーガンはペレストロイカの父だった」

この言葉は、「レーガンの巧みな言葉がゴルバチョフの心を動かしてペレストロイカを行わせた」という意味にも受け取れるが、文字通りに解釈すれば、「ペレストロイカを考え出したのはレーガンだった」という意味になる。アメリカのペンタゴンが1982年にスタートさせた「秘密5年計画」は、**「ソ連の政治システムそのものを変えさせる」**だった。

1989年12月、地中海に浮かぶマルタ島に停泊したソ連の船の上で、ゴルバチョフとアメリカのブッシュ（父）大統領による初めての会談が行われた。2人はこの会談で「軍縮」「統一後のドイツの扱い」「貿易や技術の交流」などで合意し、**冷戦が事実上終わった**ことを確認しあった。だが、2人の解釈はまったく違っていた。

ゴルバチョフにとって、冷戦の終了はソ連の改革を進めるうえで欠くことのできないプロセスであり、前進だった。だがブッシュにとっては、**冷戦の終了はアメリカの勝利を意味し、アメリカが世界を一極支配する第一歩を踏み出した**ということだった。

ゴルバチョフの頭にあったのは机上の空論ばかりだったように見える。彼はブッシュに、「軍事力に依存した政策は間違っている。異なるイデオロギーに基づいて対立を煽るのも間違いだ」と語りかけた。百戦錬磨の老獪な政治家ブッシュに対して、このようにまるで高校生のような理想論を披露したゴルバチョフが、ソ連が置かれた厳しい現実を理解していたとは思えない。

終わりの始まり

1989年3月、ソ連内の共和国で、ゴルバチョフが以前から約束していた「共産党以外の候補者」の出馬を認める人民代議員大会の選挙が行われた。共産党の幹部は選挙を延期すべきだと助言したが、ゴルバチョフは考えを変えなかった。結果は共産党が議席の87パーセントを取る圧勝だったものの、残りの13パーセントを無所属の候補者が取った意味は大きかった。これで**ソ連共産党の一党独裁が終わった**のである。

共産党独裁の時代は党の書記長がそのまま国の元首となったが、共産党以外の議員が存在するとなれば書記長の権限が及ばない領域ができてしまう。そこで大統領制を採用することになり、1990年3月の代議員選挙によってゴルバチョフが初代ソ連大統領に選出された。彼は共産党が議会で第一党として連邦国家を統率する構想を持っていたが、肝心の共産党内部では、複数の党が争えば国が分解するという危機感が増していた。

ここで留意すべきは、1989年のソ連人民代議員大会の選挙で、ロシア共和国モスクワ市共産党の元書記長**ボリス・エリツィン**が当選していたことだ。エリツィンは改革派のなかでも最も急進的で、その2年前にゴルバチョフの改革を不十分だと批判したために書記長を解任されていた。

ロシア共和国はソ連に15あった共和国のなかで最大で、領土の4分の3を占め、あらゆる面でソ連の中心だった。そのロシア共和国は、1990年5月の選挙で最高会議議長にエリツィンを選んだ。当選した**エリツィンは、ロシア共和国をソ連から離脱させると宣言**する。

つまり**ソ連の分解は、エリツィンのこの宣言によって始まった**と言ってよい。その後のエリツィンはあらゆることでゴルバチョフに敵対する存在となっていく。モスクワ市の書記長を解任された時に、政治局でゴルバチョフや委員たちにつるし上げられたことを根に持っていたとも言われている。エリツィンは「ロシア共和国の法律はソ連の法律より上位にある」と主張し、ロシア共和国憲法を改正してしまった。まもなく他の共和国もエリツィンの主張に同調し始めた。

エリツィンは自由化についてもゴルバチョフを手ぬるいと批判し、欧米と組む形での国営企業の民営化を主張していた。ゴルバチョフはロシア共和国のエリツィンと異なり、ソ連という連邦全体の大統領だったため、保守派に妥協する必要もあって中間的な政策を取るようになっていた。彼はバルト海沿岸3国の独立を拒否していたが、翌1991年1月には軍事介入も指示している。エリツィンはそれに反対して3国の独立を認めると宣言し、わざわざエストニア（バルト3国の一つ）を訪れ、ソ連軍兵士にクレムリンの命令に従わないよう訴えた。

それはエリツィンが得意とする政治パフォーマンスだった。ソ連の大統領でもないエリツィンに、他の共和国の独立を認めるなどと言う権限はない。だが彼は派手なパフォーマンスの効果で人気が高く、その年の6月にロシア共和国の大統領に選出された。

こうしてゴルバチョフの政治改革は、「連邦国家を維持して民主化」派と「連邦をやめて欧米と組んで民営化」派に分裂した。その時期は、アメリカで新自由主義者（ネオリベラル）が台頭した時期とも一致する（第10章を参照）。[注3]

一方、ドイツ統一に関する協議は、1990年5月に、東西ドイツ、ソ連、アメリカ、イギリス、フランスの6ヵ国によって開始された。7月にゴルバチョフと西ドイツのコール首相が最終合意し、9月12日に6ヵ国代表が署名して、3週間後の10月3日をもってドイツの統一が成立すると決まった。

翌1991年1月、アメリカがイラクを攻撃して**湾岸戦争**が始まった。ブッシュ（父）大統領はイラクのクウェート侵略を開戦の大義にしたが、**真の目的は石油だった。**ゴルバチョフはアメリカの開戦を支持した。世界の一極支配を目指すブッシュ（父）は、この戦争でその目標にさらに一歩近づいた。（注4）

ブッシュはレーガンと異なり、ゴルバチョフの改革とは距離を保っていた。ソ連の混乱がコントロール不能になり、改革派と守旧派の衝突が拡大するのを懸念していたのだ。ソ連のKGBはすでに2つに割れていたが、軍の動向が不明だった。最悪の場合、ソ連が後のユーゴスラビアのように分裂して内戦になる事態も考えられた。アメリカにとって、そうなった場合の最大の心配事は、**ソ連が所有する大量の核兵器の流出**だった。

この頃までにアフガニスタンは内戦状態となっていた。アメリカはイスラム勢力への支援をもはや不要と判断して打ち切り、アフガニスタンの共産政権はロシアの支援を受けずにイスラム勢力に対して優勢になった。サウジアラビアから手勢を引き連れて駆けつけ共産軍と闘っていた**オサマ・ビン・ラーディン**はアフリカのスーダンに移り、**アルカイダ**（イスラム主義を掲げるスンニ派を主体とした国際的なテロ組織）の活動を開始する。彼がアフガニスタンに戻って来るのはその5年後だ。

1991年3月、ゴルバチョフはソ連内の共和国で国民投票を行った。問われたのは「平等な主権のある共和国による〝新しい連邦〟としてのソ連の継続を望むか」だった。バルト海沿岸3国、グルジア（ジョージア）、アルメニアは投票の実施を拒否したが、他の共和国はみな圧倒的に「新しい連邦としてのソ連を継続」に賛成だった。その結果に意を強くしたゴルバチョフは、体質の古い共和国の共産党を分解させてソ連を新しい社会党がまとめる連邦とし、自分が党首となって大統領にとどまるつもりだった。新しい連邦を作るために必要となる最も重要なプロセスは、ソ連を構成する共和国が結んでいる古い連邦条約を廃止し、新しい条約を締結することだった。その準備は関係省庁の実務者によりすでに進められていた。

クーデター未遂事件の怪

1991年8月4日、ゴルバチョフは休暇で夫人とともにクリミアの別荘に向かった。ソ連では毎年夏に指導者が数週間の休みを取る習わしがあり、彼はその時間を利用して別荘で新しい連邦共和国の構想をじっくり練るつもりだった。各共和国は新しい連邦条約に8月20日に署名することになっていた。

8月18日、ゴルバチョフが滞在している別荘に「国家非常事態委員会」を名乗る男たちがやって来た。そのなかの一人は彼の首席補佐官だった。彼らはゴルバチョフに、非常事態を宣言して、共和国の造反を許容しないという大統領命令を出すか、さもなければ副大統領に全権を委譲するよう要求した。守旧派が決起したのだ。**ソ連8月クーデター**の始まりである。

要求を拒否したゴルバチョフは、男たちによって夫人とともに別荘に軟禁された。彼はモスクワの事務所に電話をかけようとしたが電話線が切断されており、別荘の周囲はＫＧＢの守旧派に取り囲まれていた。

このクーデターがその後どう進展したのかについては、情報のソースによって描写が微妙に食い違っているが、さまざまな説を総合すればおおよそ次のようになる。

翌8月19日の早朝、国家非常事態委員会が通信社を通じて「大統領は健康上の理由で執務が行えなくなった。今後は副大統領が指揮を執る」と発表し、モスクワの街に軍が出動した。市内の大きな交差点に兵士が立ち、クレムリンの周囲には戦車が並んだ。

その頃エリツィンはカザフスタンで行われた同国大統領との会談から戻ったばかりで、前日からモスクワ郊外の別荘に滞在していた。彼の別荘も兵士に包囲されたが、国民のエリツィン人気が高いことから、クーデターの首謀者はエリツィンを拘束しないよう指示していた（または、拘束せよとの指示を兵士が実行しなかった）。クーデターだと知ったエリツィンは別荘から電話で事務所のスタッフや支持者に連絡を取り、反クーデター運動を組織した（または、彼がロシア共和国の高官数人を別荘に呼び寄せて対策を協議した）。彼は国民に向けてクーデターに抵抗するよう訴えるアピールを急いで書き上げ、モスクワの放送局にファックスした。そのアピールは1時間後に放送された。

その後、エリツィンはスタッフとともに別荘を車で出発し、彼の事務所があるモスクワの議会ビルに向かった。彼の支持者が議会ビルの前にバリケードを作っていて、ビル内にはエリツィン一派が立てこもっていた。事務所に到着したエリツィンは、そこからロシア共和国の独立を宣言する。モスクワの街ではクーデター派の軍やKGBの要員が検閲を始め、反クーデター運動のリーダーたちが拘束された。テレビ番組の放映が止まり、チャイコフスキーの『白鳥の湖』が延々と流される状態になった。民主化を支持する人々が街頭に集まり始め、夜になるまでに数万人のモスクワ市民が街を埋めつくした。

その日の夕方、国家非常事態委員会が最初の記者会見を行った。クーデターの首謀者は姿を見せなかった。だが記者たちがエリツィンのアピールや宣言を取り上げて激しく詰め寄ったため、記者会見は反乱者たちの思うようには進まなかった。議会ビルの前に集まった群衆を排除するために出動した戦車隊の隊長がロシア共和国への忠誠を宣言し、あちこちで兵士がクーデターに反対する市民に加わり始めた。エリツィンは議会ビルから外に出ると、戦車の上に登って搭乗員たちと語り合い、群衆に向けて拡声器でクーデターを非難する演説を行った。

翌20日の夜、記者会見が失敗した反乱者たちは軍を本格的に投入した。だが議会ビルに突入して制圧するよう命じられた精鋭部隊が命令を拒否し、街の群衆を蹴散らすよう命じられた部隊は道路に溢れるエリツィン支持者の数があまりに多くて行動できなかった。

こうしてクーデターは失敗に終わった。翌21日の早朝、軍が引き揚げを開始し、まもなくゴルバチョフを救出するためにモスクワから2機の旅客機がクリミアに向かった。最初に離陸した飛行機には、彼に謝罪するために国家非常事態委員会のメンバーが、次に離陸した飛行機には彼を連れ戻しに行く政府の関係者と、万一に備えた武装護衛官の一団が乗っていた。夫妻は軟禁から解放され、その日の夜にモスクワに戻った。

――以上がほぼ定説とされるクーデターの顚末だが、このストーリーにはおかしなところがいくつかある。

まず不思議なのは、エリツィンはゴルバチョフよりはるかに急進的な自由化論者だったのに、なぜ守旧派に拘束されなかったのかという点だ。改革派の最も目立つリーダーを自由に行動させたのではクーデターにならない。ゴルバチョフの別荘では電話線が切断されていたのに、エリツィンの電話は通じていて電話やファックスができたというのも奇妙だ。さらに、彼は別荘を車で出発したとされているが、包囲した兵士たちはただそれを黙って眺めていたのか。彼は本当に別荘にいたのだろうか。

エリツィンが戦車の上に登って、拡声器で群衆に向かって演説した場面はテレビのニュースでもくり返し流されたので、ご記憶のある方もいるかもしれない。だが小さな拡声器で野外の群衆に向かって怒鳴ったところで、どれほどの人が聞き取れただろう。そのシーンをアメリカとイギリスのテレビ局のカメラが、タイミングよく、しかも目の前から撮影できたというのもできすぎている。あれはＣＮＮとＢＢＣに撮影させるための、**エリツィンのパフォーマンス**だったのではないのか。放映を止めたはずのロシアのテレビがその映像を流したというのも奇妙だ。

このクーデター騒ぎは、**守旧派ではなくエリツィンによるクーデター**ではなかったのか。[注5]誰がどのようにして守旧派を動かし、エリツィンに役を振り付けたのかは現在も不明である。モスクワでは銃撃戦があったとも伝えられているが、それはクーデターに駆り出された部隊とそれを止めようとする部隊の衝突だったのかもしれない。[注6]

もう一つの重要な点は、戒厳令が敷かれたという報道がどこにもないことだ。戒厳令なしにクーデターが成功するなどまず考えられない。そのような中途半端な〝クーデター〟の裏がどうなっていたのかは永遠に闇の中だ。

だが、その後に起きた出来事ははっきりしている。ゴルバチョフが到着するまでに、モスクワはエリツィンによってコントロールされていた。モスクワ市民は、すぐ議会ビルに駆けつけて市民に語りかけることなく帰宅してしまったゴルバチョフに落胆した。これで彼はリーダーとして失格の烙印を押されたのだ。

翌朝、ゴルバチョフが議会ビルにある党の事務所に向かうと、事務所は閉鎖されていた。すでにエリツィンがロシア共和国内におけるソ連共産党の活動をすべて停止させる命令を出し、**ソ連はロシア共和国に取って代わられていた。**エリツィンはソ連共産党が所有する基金と資産をすでに自分のコントロール下に置いていた。ソ連共産党中央委員会のビルも閉鎖され、中央委員会の記録書類がエリツィンの手下により持ち去られていた。

次にゴルバチョフが議会に行くと、議員たちに嘲笑され、エリツィンに野次り倒された。エリツィンは用意してあったソ連共産党を非合法化する命令書にゴルバチョフの目の前で署名し、前日に行われた会議の議事録を持って来て「これを声に出して読め！」と言って突きつけた。議事録にはゴルバチョフの共産党の同僚たちが、クーデターが起きた責任は彼にあると非難する発言の数々が記録されていた。

おそらく、クーデターの陰の首謀者の筋書きは、まずゴルバチョフをクリミアの別荘に閉じ込めてモスクワに戻れないようにしておき、その間にエリツィンが事を進めるというものだったのだろう。

まもなく、ＫＧＢ議長、副大統領、首相を含む「国家非常事態委員会」の８人が逮捕された。定説では、クーデターの首謀者とされるプーゴ内相は妻とともに自殺し、ゴルバチョフの首席補佐官も自殺したとされている。だが、はたして彼らの死は本当に自殺だったのだろうか。逮捕された「国家非常事態委員会」のメンバーの裁判は2年後に始まったが、みな不起訴となり、釈放されている。

ソビエト連邦の消滅

1991年9月になると、ゴルバチョフが情熱を注いだ民主的な選挙で選ばれた議員によるソ連の議会が解散し、中央アジア5ヵ国が独立を宣言した。それからしばらく〝ゴルバチョフのソ連〟と〝エリツィンのロシア〟の押し合いが続いたが、ウクライナも12月1日に住民投票を行い、5日に独立を宣言した。エリツィンの勝利は目前だった。

エリツィンはソ連をバイパスして他の共和国のリーダーとともに、ソ連に代わる「独立国家共同体」(CIS)という連盟を作った。それが正式に発足して新たに独立した共和国が加入すれば、ゴルバチョフが共和国に対して行使できる権限は消滅する。

だがエリツィンとその一派には最後の不安が残っていた。ソ連の大統領であるゴルバチョフは依然として全軍の最高司令官だったので、彼は軍に命じてエリツィンらを拘束し、軍事力でソ連を維持することができたのだ。

12月8日、エリツィンはベラルーシの西のはずれの森にある政府のゲストハウスで、ウクライナやベラルーシのリーダーたちと秘かに会合を開き、全員がソ連からの離脱と独立国家共同体への加入を宣言する条約文書に大急ぎで署名した。彼らがそのような場所で秘かに集まったのは、ゴルバチョフが軍に命じて彼らを拘束させる事態を恐れたためだった。

ロシア、ベラルーシ、ウクライナの3共和国はそれから数日のうちに条約を批准してソ連から正式に離脱し、12月21日にカザフスタンで開かれた会議でアルメニア、アゼルバイジャン、モルドヴァ、中央アジア5ヵ国も離脱して新しい共同体に加入した（グルジアは1993年に加入、バルト海3国は独立・離脱のみで加入しなかった）。

こうして、連邦を構成していた共和国がすべて離脱した「ソ連」は、中身のない抜け殻になってしまった。構成国が存在しない連邦の大統領となったゴルバチョフには、辞任する以外に道はなかった。

12月25日のクリスマス、ゴルバチョフはソ連の抹消と大統領の辞任を宣言する書類に署名し、それをもってソ連は正式に消滅した。続いて彼はアメリカのブッシュ（父）大統領に電話し、ソ連の核兵器は安全に保管されていること、そして今後は権限がエリツィンに引き継がれることを伝えた後、テレビで国民に向けて辞任の発表を行った。

ソ連の解体は、経済、社会構造、政治機構のすべてで起きた。そしてソ連は書類の上だけの国家となり、エリツィンがゴルバチョフを取り除いて書類上からも消滅させた。エリツィンはロシア共和国大統領としてソ連の重要な部分をすべて引き継ぎ、乗っ取りは完了した。

（注1）　1981年の原油価格急落と同様、アメリカが価格を操作していたと考えられる。

（注2）　ソ連邦はロシア、ベラルーシ、ウクライナ、アルメニア、アゼルバイジャン、グルジア（ジョージ

ア）、モルドヴァ、バルト海沿岸3国（リトアニア、ラトビア、エストニア）、中央アジア5ヵ国（カザフスタン、ウズベキスタン、キルギス、タジキスタン、トルクメニスタン）の15の共和国により成り立っていた。

（注3）1980年代後半から1990年代にかけての時代には新自由主義者による国営企業の民営化論が世界的に広まり、日本でも国鉄がJRになり、電電公社や半官半民だった日本航空と国際電電（KDD）も民営化された。日本の民営化には官製企業の〝親方日の丸〟的な姿勢を改めさせる効果があったが、民営化された企業が発行する株を米英仏などの国際金融機関が取得して株主になったという側面も見逃せない。

（注4）ブッシュ（父）はイラクのサダム・フセインを完全につぶさないまま停戦したため、タカ派の一部から批判された。だが敵とする相手を少し残しておくことが、次の行動の布石になる。ブッシュは冷戦後の中東戦略を考えていた。

（注5）成功してもしなくても、クーデターの首謀者が国民から好感を持たれて支持されることはあまりない。そこで、手の込んだクーデターは二段構えになっている。まず現政権に不満をためた者が何者かにそそのかされてクーデターを起こす。そして政治中枢が混乱し、社会不安が高まった時に〝正義の味方〟が現れ、そのクーデターの首謀者を倒す。そうすることでこの〝正義の味方〟は国民から喝采を浴び、高い人気を得て政権を取ることができる。最初にクーデターを起こすグループは、捨て駒に使われていることに気づいていない。

とはいえ、このクーデターをエリツィンが企画し、守旧派を操って「国家非常事態委員会」の中途半端な蜂起をやらせた可能性はまずない。おそらくエリツィン自身も台本に従って動いていた役者であり、最初にクーデターを起こした守旧派も同じ首謀者に操られていたのだ。動員された軍は、ソ連軍という巨大な組織から見ればごく一部にすぎず、軍の高官は動いていない。戦車隊の隊長がエリツィン側に寝返ったのも、はじめから筋書きができていたのだろう。

（注6）アメリカ在住のあるロシア人によれば、銃撃戦は小さかったどころか5000人くらいが死亡した

という噂を聞いたことがあるという。

（おもな出典・参考文献）

◆"The Cold War: Volume 2, National Security Policy Planning from Truman to Reagan and from Stalin to Gorbachev", Chapter "Ronald Reagan and the Defeat of the Soviet Empire" by Andrew E. Busch, Routledge, 2001.
◆"The Cold War: A World History" by Odd Arne Westad, Basic Books, 2017.
◆"The Real History of the Cold War" by Alan Axelrod, 2009, Sterling Publishing.
◆"25 years on: Failed coup that ended the Soviet Union", Sputnik, Augst 19, 2016.
◆"Trials of members of the State Emergency Committee", Kommersant, April 15, 1993.（ロシア語原文の英訳を使用）

終章　冷戦後の世界

ゴルバチョフの改革はソ連を解体に導く結果となったが、本人は開かれた社会主義による新しい連邦国家を作っていると大真面目で信じていた。彼はなぜあのように無謀なスピードで改革を急いだのか。ゴルバチョフを知る人によれば、彼は虚栄心の強い人間だったという。西欧の文化に憧れていた彼の誤りは、米英のおだてに乗り、自分の国を西欧のように作り替えようとしたことにあった。(注1)ロシアはユーラシアの多民族国家であり、西欧とは本質的に違うということを彼は理解しなかった。

地獄を見たロシア

ゴルバチョフは今でも西側では好意的に語られているが、それはソ連を崩壊させた〝功労者〟だからである。ロシアの愛国者から見れば彼は〝A級戦犯〟であり、評価されることはない。彼が2022年8月に亡くなった時、プーチン大統領は葬儀に出席しなかった。

ゴルバチョフが能力を超えることをやろうとしたドン・キホーテだったとするならば、**エリツィンは米英の傀儡**だった。華々しくロシア共和国を分離独立させてソ連を分解させたまではよかったが、彼は1年も経たないうちにヒーローの座から転落し、最後は哀れな傀儡の道をたどった。

エリツィンが進めた民営化により、**旧ソ連の重要な事業が次々に彼と個人的に関係のある者たちの手に渡り、しかも彼らはアメリカやイギリスとつながっていた。**彼らはロシアの国富を吸い上げて急速に巨大化し、**〝オリガルヒ〟**(注2)と呼ばれる新興財閥に成長した。日本の財閥は企業だが、**欧米のオリガルヒはすべてを個人が握っている。**彼らは突出した億万長者であり、私兵を抱え、国の政治経済を支配している。ロシアのオリガルヒは事業を通じて国富を欧米に流出させ始めた。

またエリツィンはアメリカのウォール街が主導する市場経済への移行プログラムを実行し、ロシアをソ連時代の末期よりはるかにひどい状態に突き落とした。ハイパーインフレが襲い、労働者の蓄えが消失し、欧米から流入する製品が産業を破壊し、ロシアの大衆は貧困と飢餓に陥った。

１９９１年の分離独立後、平均的なロシア国民の消費はわずか1年で40パーセントも減少した。１９９８年までにロシアの農業のおよそ80パーセントが破産し、７万ヵ所の工場の操業が止まり、トラクターの生産が88パーセント、洗濯機の生産は77パーセント、綿の布地の生産も77パーセント、テレビの生産は78パーセントも減少した。ロシアのＧＤＰ（国内総生産）は分離独立後の最初の数年間に50パーセントも低下し、通貨は紙切れ同然になった。

だがそれまで資本主義経済を一度も経験したことがなかったロシアの大衆は、なぜそうなるのかがわからなかった。共産主義から突然アメリカの新自由主義による自由市場システムに変更され、オリガルヒに金融、産業、経済を牛耳られたロシアは、壊滅的な打撃を受けて崩壊した。

世界銀行の統計によれば、ロシアでは1989年に200万人だった貧困レベル（1日の生活費が4ドル以下）で暮らす人の数が、1990年代半ばまでに37倍の7400万人に急増し、1996年の統計ではロシア人の4人に1人が「極貧」レベルの状態に陥った。アルコール中毒者が急増し、自殺率が2倍に跳ね上がり、暴力犯罪が増えて殺人が横行し、癌、心臓病、結核などの病気にかかる人の率が工業国で最大になった。男性の平均寿命は57歳にまで下がり、ロシア人全体の死亡率は60パーセントも上昇した。西側とロシアの人口統計学者は、1992年から2000年までの間にロシアでは500万～600万人の超過死（それまでの統計にあてはまらない過剰な死）があったという意見で一致している。これはロシアの人口の3・4～4パーセントに相当する。

だがエリツィンの時代のこの悲惨さは、西側にはほとんど伝わってこなかった。ニュースになったのは、最高会議の議員たちから批判されたエリツィンが軍を出動させ、戦車で議会ビルを砲撃して反対者たちを押さえつけたことくらいだ（この事件では数百人の死傷者を出した）。彼はカネと支配欲に目がくらんだ独裁者だった。

エリツィンは1989年9月にアメリカのNASA（航空宇宙局）を視察に訪れた時に、テキサス州ヒューストンの大型食料品店を訪れてアメリカの物質的な豊かさに衝撃を受けた。モスクワに戻る飛行機のなかで、彼は「いかにロシア国民の生活レベルが低いか、共産党がやってきたことがどれほど間違っていたかを知った」と側近に語っている。だがアメリカや西欧がそのように豊かになった理由こそ、共産主義が生まれた原因ではなかったのか。エリツィンは建築以外、政治も経済もヨーロッパの歴史も学んだことがなかったに違いない。ウラル地方の寒村の農家に生まれ育ち、ブレジネフの引きでモスクワの共産党中央委員会に移った彼は、ゴルバチョフに劣らず「ぽっと出の政治家」だった。そのうえ派手な政治パフォーマンスを好み、すぐキレる過激な自由化論者だったこの男が、米英情報機関のリクルートのターゲットになったとしても不思議はない。科学技術、軍事力、芸術、音楽、文学などで世界のトップレベルにあったロシアが、暴政を振るう途上国の独裁者並みの1人の男のために崩壊したという事実には驚くほかはない。

1996年の大統領選挙では、国民の支持率がほぼゼロ近くにまで下がったエリツィンを勝たせるためにオリガルヒたちが全面的に動き、アメリカのクリントン政権が選挙キャンペーンのプロやスタッフを送り込んだ。エリツィンが当選して2期目が始まるとIMFが400億ドルものカネを貸し付けたが、その多くは彼の政権の腐敗の中に消えて行った。

そして月日とともに、エリツィンは鬱屈した日々を送るようになっていく。国の崩壊を目の当たりにして自責の念もわいたのだろうか。もともと大酒飲みで奇行が知られた彼は酒の量が増え、アルコール依存症も悪化した。議会のたび重なる大統領弾劾の動きに加え、右派からも左派からも激しく突き上げられてストレスも増したのだろう。飲酒が原因で健康が衰え、持病の心臓病が悪化したエリツィンは、1999年末、ようやく大統領を辞任した。

後継者に指名されたのは**ウラジーミル・プーチン**だった。

自己コントロール不能のアメリカ

一方アメリカでは1992年の大統領選挙で番狂わせがあり、ブッシュ（父）が敗れて**ビル・クリントン**が当選した。クリントン時代のアメリカは、ブッシュの時代のような地政学的な世界支配にではなく、金儲けに邁進した。もちろんそれもアメリカが単独の超大国となったからこそできたことだが、新自由主義と自由市場がますます唱道され、ハイテク時代の訪れも相まってファンドが巨大化し、アメリカの大手金融機関による世界の金融支配が進んだ。日本もそのあおりを受けて1990年代後半になると金融機関の統合・再編成が進み、大手証券会社が廃業するなどの大変動が起きた。**ドルはウォール街が富を増すための武器として使われ、南米、東南アジア、ロシアなどでアメリカの金融機関が大規模な空売りを仕掛けた結果、それらの国の通貨が暴落して金融危機が発生した。**

その反面、アメリカの軍需産業はクリントン時代に冷や飯を食わされ、兵器メーカーの受注はレーガン時代の約半分にまで落ち込んだ。軍用機やミサイルを開発していた技術者の多くが仕事を失い、自宅の裏でコーヒーのテイクアウトの店を営んでいるなどという記事が新聞に載るようになった。イギリスでもＭＩ５やＭＩ６が縮小され、諜報員の仕事がなくなったと言われた。この時代に米英とも軍産の再編が進み、中小兵器メーカーが大手に吸収合併され、いくつかの巨大軍需企業が誕生した。

ここで特筆すべきは、クリントン時代の末期から次の**ブッシュ（子）**政権にかけてアメリカは**東欧諸国を次々にＮＡＴＯに加えていった**ということだ。アメリカの戦闘機メーカーは、そうなることを見越して、クリントン時代の中期に戦闘機やミサイルを東欧諸国に売り込んだ。

東欧の国がNATOに加盟すれば、それまで所有していた旧ソ連製の兵器を徐々に他のNATO加盟国と同じアメリカの兵器システムに入れ替えていく必要がある。そのためNATOの東方拡大には軍産ビジネスが相乗りしていた。アメリカの戦闘機メーカーはルーマニア、ポーランド、ハンガリー、チェコなどで頻繁にセミナーを開き、CEOや重役たちが自ら乗り込んで売り込みを行った。

またクリントン時代にアメリカは石油や天然ガスが豊富な中央アジア諸国に進出し、石油メジャー（国際石油資本）がカザフスタンを中心にパイプラインの建設を開始した。これもソ連が消滅してはじめて可能になったことだった。いよいよ**〝世界島〟の中心部への進出が始まった**のだ。

2001年にブッシュ（子）政権が誕生すると、アメリカは再び軍事的な世界支配への道を進み始める。ブッシュ（子）は大統領に就任してまもなく、**「21世紀は戦争の世紀になる」**と宣言した。この時代になると兵器のハイテク化が進み、軍産がシリコンバレーのベンチャー企業を次々と吸収して、安全保障ビジネスはより広い領域をカバーするようになった。

アメリカ一極支配の時代になったと信じたブッシュ（子）政権は、2001年に起きた**同時多発テロ**をきっかけに**〝テロとの戦争〟**を始めて**アフガニスタンに出兵**し、クリントン時代に冷や飯を食わされていた安全保障関係の企業に青天井の天文学的な額の予算が与えられた。ブッシュ（子）は「テロリストだけでなく、テロリストをかくまう国も攻撃する」と宣言し、「あなたの国は我々とともにいるのか、それとも彼らとともにいるのか」として「味方でないなら敵」という中間を認めない二元論で踏み絵を迫った。ハイテクを駆使した監視システムが世界中で大ビジネスとなり、怪しげな民間軍事会社が急成長したのもこの時期だ。

だがブッシュ（子）政権は2003年に**イラク戦争**を開始したが、まもなくイラクでもアフガニスタンでも目算が外れて壁に突き当たる。イラクでは皮肉にもブッシュ（子）が勝利宣言をした直後から米軍へのゲリラ攻撃が急増し、米兵の死者も増え始めた。2005年頃になると、**イラクはベトナムの再現になる**とまで言われるようになった。

ポスト冷戦時代症候群

日本では1980年代に西欧諸国と同じく左翼が後退を始め、1990年頃から自民党を出た政治家による新党ができては消え、自民党政権も総理大臣が短期間で次々と交代するという政治の混乱の季節が到来した。これも冷戦の終了によって世界各地に生じた症候群の一つだ。アメリカという親亀が体を揺すれば、背中に乗っている子亀はみな振り落とされる。

南米の親米右翼独裁政権や、韓国や台湾の軍事政権が1980年代末に次々と崩壊していったのも、冷戦の終了と関係していた。共産主義が衰退すれば、防波堤として機能していたそれらの独裁政権や軍事政権は必要なくなる。それらの国々に民主的な政権が誕生したのは、おもにアメリカの金融界の意向だった。南米の多くの国は独裁政権時代にアメリカの銀行から多額の融資を受けて国家インフラを建設していたため、1990年代に金融危機が訪れると次々と財政が破綻し、債務不能に陥る国が連鎖反応的に広がっていった。

西ヨーロッパでは1993年にEUが誕生し、2002年には共通の通貨であるユーロの流通が始まった。だがEUは国力に大きな差がある複数の国家を人為的に束ねたものであり、とくにすべての加盟国が使用する共通の通貨を**欧州中央銀行**が発行する金融システムは、はじめから矛盾を内包していた。EUを確立してNATOとEUを西欧の両輪にしようという、イギリスとアメリカの一部の勢力が進めてきた計画は次第にトラブルが表面化し、イギリスは2020年にEUを脱退したが、それで国が2つに分裂してしまった。イタリアも何度か脱退を試みたが引き戻された。

統一後のドイツは経済成長を続け、2000年代にEUの事実上の領袖となったが、ロシアから安い石油やガスを輸入して産業を発展させ、製品を中国に輸出するというビジネスモデルは、ウクライナ紛争が始まった直後の2022年3月に失速した。アメリカからロシア制裁を強制されて石油やガスが輸入できなくなったドイツの産業や経済は急速に衰えつつあり、中国との貿易もアメリカから強い圧力を受けている。**強国としてのし上がろうとするたびにアメリカにつぶされるというドイツのパターン**がまたくり返されているように見える。第一次世界大戦・第二次世界大戦に続き、ドイツは3度目の敗戦を迎える可能性があり、ドイツが弱体化すればEUも危うくなる。

アメリカとイギリスの関係では、結びつきと対立がともに大きくなった。本書でも〝米英〟という表現をよく用いているように、アメリカとイギリスは同じアングロサクソンの国として利害や信条が共通している部分も大きいが、じつは根本的な対立もまた根が深いのだ。

ロシアの復活と中国の台頭

ロシアがどん底から這い上がることができたのは、エリツィンを排除する機会をさぐっていた愛国派がようやく力を回復し、元KGBの**プーチン**をリーダーに据えることができたためだった。プーチンはよく言われるような独裁者ではなく、このグループを代表する顔なのだ。このグループは**シロビキ**と呼ばれる安全保障・軍関係の勢力に支えられており、党の官僚出身のゴルバチョフやエリツィンのように甘くはない。プーチンは1990年代にロシアを崩壊させたオリガルヒたちを押さえ込み、アメリカが〝テロとの戦争〟に気を奪われている間にコーカサス地方を安定させ、ヨーロッパへの石油の輸出を増やして経済と軍を再建した。

結果的に見れば、**ソ連が消滅して共産主義を放棄したのはロシアにとって良い選択だった。**エリツィンの時代には国内を跳梁する略奪者のおかげで地獄の苦しみを味わったが、ロシアはどん底の時代を通り抜けることで、資本主義の本質や西側の企みの正体など多くのことを学んだ。帝政ロシア時代の圧政とその後の共産主義しか知らなかったロシアは、資本主義にも精通する強国として甦っただけでなく、国際政治を最もよく理解できる国の一つになった。それはアメリカが世界を支配しながら世界の人々をほとんど理解していないのとは対照的だ。

中国では1993年に鄧小平の後を継いで国家主席になった**江沢民**が親米路線を進めたが、[注3]2003年に江沢民から**胡錦濤**に引き継がれると、北京の主権維持派が上海の江沢民派と衝突を始め、中国は次第にアメリカから離れ始めた。この時期は、アメリカがイラク戦争を始めて壁に突き当たり、ロシアの復活が進み始めた時期と一致する。

２００８年、改革開放を始めて25年以上が過ぎ、国力を増した中国は、北京オリンピックを契機に大国としてデビューを果たした。２０１３年に**習近平**の時代になると親米派を本格的に排除し始め、ユーラシア大陸のインフラを整備して中近東やヨーロッパとつながる**一帯一路計画**（新シルクロード計画）をスタートさせた。２０１５年には中国の**上海協力機構**にロシアが主催する**ユーラシア経済連合**を合併させる計画が始まり、翌年に**大ユーラシア・パートナーシップ**構想が発表された。中国とロシアは歴史的に複雑な関係をたどってきたが、こうして〝**戦略的同盟**〟を結んだのだ。もともと仲が良いわけではなかった中露がこのような方向に進んだのは、アメリカによる敵視の結果だった。

新冷戦の種はこうして蒔かれた

第11章で述べたように、東西ドイツの統一は１９９０年9月に関係6ヵ国が条約に署名して10月3日に成立した。統一ドイツの誕生は冷戦がまもなく終了することを世界に示す歴史的な出来事ではあったが、その合意に至る過程で、**後の世界を再び深刻な対立に導く種が蒔かれていた。**

ドイツ統一に向けた協議で最も大きな問題になったのは、統一後のドイツはＮＡＴＯに加入するのか、ソ連軍はドイツ東部にとどまるのか、東欧はＮＡＴＯへの加入を許されるのか、などといった点だった。もしドイツがＮＡＴＯに加入すれば、米軍はＮＡＴＯ軍としてドイツにとどまり、米軍の核兵器もドイツに残ることになる。そうなった場合、米軍はそれまで東ドイツだった領域にも入って来るのか、ということもソ連にとって重大な関心事だった。またＮＡＴＯはソ連を仮想敵としているため、**ソ連に隣接する東欧諸国がＮＡＴＯに加入すればソ連の安全保障は大きく損なわれることになる。**

ソ連の外務省、国防省、軍の参謀本部、ＫＧＢ、共産党政治局は、「ドイツの統一は、新しく生まれるドイツがＮＡＴＯとワルシャワ条約機構との間で中立の立場を取るという条件のもとでなら受け入れる」との考えだった。統一後のドイツを中立にするとは、米英軍が西ドイツから引き揚げ、ソ連軍も東ドイツから引き揚げ、ドイツはＮＡＴＯに加入しないということだ。

公的な場で最初にこの問題が語られたのは、西ドイツのゲンシャー外相が1990年1月に行ったスピーチだった。ゲンシャーは「ドイツ統合のプロセスは、ソ連の安全保障を毀損するものであってはならない。したがって、ＮＡＴＯは東方に拡大してソ連との国境に近づくべきではないし、現在の東ドイツにあたる地域には（統一後も）ＮＡＴＯ軍を配備しない」と述べた。

アメリカのブッシュ（父）政権も、**「ソ連がドイツの統一を認めるなら、我々はＮＡＴＯを東に拡大させない」**とゴルバチョフ政権に確約していた。それは次のような経緯による。

ゴルバチョフとアメリカの**ベイカー**国務長官との運命の会談は、1990年2月9日に行われた。ベイカーはその2日前にモスクワに到着し、シェワルナゼ外相と会談して「もしかすると、この話し合いで、（現在の）東ドイツ（にあたる領域）にはNATO軍を配備しないという保証がなされるかもしれません。いや、実際のところ、それは禁止されるでしょう」と述べている。それは西ドイツには米軍が残ることを意味するが、ベイカーは手書きの備忘録に「（西ドイツの）NATOの管轄権は東側に動かない」と記している。

シェワルナゼ外相との会談後、ベイカーは9日のゴルバチョフとの会談でこう言った。「もしソ連がドイツの中立と米軍の撤退に固執し、その結果、米軍がドイツから引き揚げてしまえば、ドイツは将来またヒトラーのような野望が首をもたげて核を持とうとするかもしれません。あなたはNATO軍も米軍もいなくなったためにドイツがそのようになる事態を望みますか？　それともNATOが残って、しかし今の位置から1インチも（東に）拡大しないほうがよいと思いますか？」

これが有名なベイカーの**「NATOは1インチも動かさない」**発言だ。

だが、どれほどアメリカのベイカーが言葉で保証しようが、ソ連軍がカウンターバランスとしてドイツ東部にとどまらない限り、アメリカがNATOを東に拡大させないなどということを信じるロシア人がいただろうか。ゴルバチョフが犯した最大の誤りは、ベイカーの言葉を条約のなかで成文化するよう要求しなかったことだった。

翌2月10日、西ドイツのコール首相はゴルバチョフと会談して「我々はNATOの活動領域を拡大すべきではないと考えている」と述べ、ゴルバチョフから「NATOが東に向けて拡大しない限り、統一後のドイツのNATO加入に基本的に同意する」との重大な言葉を引き出した。ゴルバチョフのその言葉は、前日のベイカーの発言を受けたものだ。

同年5月に開始された東西ドイツ、アメリカ、ソ連、イギリス、フランスの6ヵ国による前述の協議でもその件は話し合われ、9月12日に最終合意して成文化された条約には、西ドイツのゲンシャー外相がその年の1月にスピーチで提示した「現在の東ドイツにあたる地域にはNATO軍を配備しない」という一節が入れられた。だが**「NATOは東方に拡大してソ連との国境に近づくことはない」とは記されていなかった**のだ。

5月31日にワシントンで行われたブッシュ(父)とゴルバチョフのサミットで、ブッシュ(父)はこう語っている。

「ドイツのNATO加入は、けっしてソ連に対する牽制ではありません。私を信じて下さい。我々はドイツの統合を(無理やり)プッシュしているのではないのです。そしてもちろん、我々にはソ連をいかなる方法でも害しようなどという意図はありません。そんなことは微塵も考えていません」(注4)

アメリカとイギリスは、「NATOは軍事的な側面を減らし、政治的な同盟とする方向に変えていく」と明言し、イギリスのサッチャーも6月8日にロンドンでゴルバチョフと会談した時に、「私たちはヨーロッパの未来に関するディスカッションにソ連に全面的に入ってもらうために、ソ連が確実に安全保障を(得られると)確信できる方法を見つけなければなりません」と述べている。

こうしてゴルバチョフは、西側のトップたちから「西側がNATOを東方に拡大してソ連の安全保障に脅威を与えることはない」と確約され、ドイツの統合に同意したのだ。合意文書に署名するのが9月になったのは、ソ連が国内の意見を調整したり、西ドイツから融資を受ける交渉などに時間を必要としたためだった。

翌1991年3月になっても、イギリスの**メージャー**首相はゴルバチョフに「我々はNATOの強化など話し合っていません」と断言していた。後にソ連の国防相が「東欧諸国はNATOに入りたがっているのではないか」と質問すると、メージャーは「そんなことは一切ありません」と否定した。同年の7月にソ連最高会議の議員たちがブリュッセルのNATO本部を訪れて事務総長と会談した時も、事務総長は「我々はソ連をヨーロッパ共同体から孤立させるべきではないと考えており、私もNATO会議もNATOの拡大には反対しています」と語っていた。

だがCIAの**ロバート・ゲイツ**長官（後にブッシュ［子］政権・オバマ政権の国防長官）は、「ゴルバチョフがNATOの東方拡大はないと信じ込まされている間に、彼らはそれを押し進めていた」と批判していた。NATOがロシア国境に向かって拡大を始めたのは、東欧からソ連軍が引き揚げ、ワルシャワ条約機構が解散してから8年後の1999年だった。（注5）

新冷戦――現在のウクライナにつながる新たな闘い

アメリカは2002年にABM条約（弾道ミサイル迎撃ミサイルを制限する条約）から、2019年にはINF全廃条約（中距離核戦力全廃条約）から、ともに一方的に脱退し（それぞれ第8章の記述と第6章の注7を参照）、ポーランドとルーマニアに弾道ミサイル迎撃ミサイルの発射システムを配備した。この発射システムはモスクワを標的とする中距離弾道ミサイルの発射が可能で、むしろそちらのほうが本当の目的だったとも言われている。ポーランドやルーマニアから核弾道ミサイルが発射されれば、モスクワには7〜8分で着弾する。ロシアの強い抗議は無視された。

さらにNATOは毎年、リトアニアや黒海のルーマニア沖などの、ロシアとの国境に近い地域で実弾発射演習や上陸演習を行っている。これらはみな、序章で述べた**〝ハートランド〟を攻めようとする動き**のデモンストレーションに他ならない。

ウクライナでは2014年に政権転覆クーデターが起きた後、東部のロシア系住民が住む地域でロシア系住民の民兵とウクライナ軍の武力衝突が発生した。紛争を解決するため、2015年にロシア、ウクライナ、ドイツ、フランスの間で「ウクライナ政府はドイツとフランスの監督のもとで、東部のロシア系住民が住む地域の自治権を認める法律を制定する」という**ミンスク合意**がなされたが、ドイツもフランスもウクライナも行動せず、武力衝突は止まらなかった。むしろウクライナ軍とロシア系住民の民兵組織の戦闘は激化し、ウクライナ東部は内戦状態になった。ウクライナ軍はロシア系住民が住む地域に砲撃を続け、8年間に1万数千人のロシア系住民が殺された。(注6)ミンスク合意は反故にされたのだ。

2021年12月上旬、ロシアのプーチン大統領はアメリカの**バイデン**大統領からの電話会談のリクエストに応じ、「これ以上NATOをロシアとの国境に向けて東に拡大しない」との「法的拘束力のある保証とその成文化」を要求し、**「ロシアの〝レッドライン〟はウクライナにも適用される」**と伝えた。バイデンは返答しなかった。

同月下旬にはロシアからのリクエストで再び電話会談が持たれ、ロシア外務省が声明を発表した。それには上記の要求のほか「モスクワをターゲットとするミサイルを、ロシアと国境を接する国に配備しない」「NATOや米英などの国はロシアとの国境近くで軍事演習を行わない」「NATOの艦船や軍用機は、ロシアとの国境から一定の距離を保つ」「ヨーロッパに中距離核ミサイルを配備しない」などを保証する条約を結ぶよう求める内容が記されており、ロシア外務省はアメリカとNATOに条約のドラフトを送った。だがアメリカもNATOも返答しなかった。事情に詳しい欧米の国際政治通の間では、**ロシアがこの条約案で示した要求は事実上の最後通牒だった**との見方で一致している。

２０２２年になるとウクライナ軍はロシア系住民地域を総攻撃するために主力部隊を東部に移動させ、ウクライナの**ゼレンスキー**大統領はNATOへの加入を申請し核武装する意思があると発言した。ウクライナ軍の攻撃が迫った２０２２年2月24日、ロシアは軍を侵攻させた。(注7)

こうして**ポスト冷戦時代は完全に終わりを告げ、２０１０年代なかばから姿を現し始めていた新冷戦の時代に本格的に突入した。**ロシアは国家の存亡を賭けており、かつてのソ連のように「最後はアメリカに一歩譲る」ことはもうできないと考えている。

米英はなぜこのように危険な〝**現代のグレートゲーム**〟を続けているのか。ブッシュ(子)政権時代に国務長官を務めた**コンドリーザ・ライス**は、以前こう語ったことがある。

「ロシア人は世界の人口の2パーセントでありながら、ロシアは地球の陸地の15パーセントを占め、おもな天然資源の30パーセントを保有しています。私たちはこのような状態を永遠に続けるわけにはいきません」

戦後の世界を形作り、今日の世界を動かしているのは、欧米支配層のこうした考えではないだろうか。

（注1）ロシア帝国時代、ロシアの支配階級には西欧にあこがれる気持ちが強く、皇帝たちも西欧の真似をしたり西欧と張り合ったりすることが多かった。ロシア皇帝にはドイツ人の妃を持った人も多く、最後の数代の皇帝の妃はみなドイツ人だった。イギリスの支配階級は自分たちを人類の頂点に立つ最も優れた民族と考えており、昔からロシア人を「遅れた田舎者の態」と見下していた。白人至上主義者のなかには、かつてモンゴル帝国がユーラシアを征服したことを引き合いに出して、ロシア人はアジア人の血が混じっているのでヨーロッパ人（白人）ではないと言う者さえいる。だがロシアの一般大衆にはヨーロッパにあこがれる気持ちなどなく、今日では多くの人が自分たちをヨーロッパ人ではなく〝ユーラシア人〟だと考えているという。

（注2）オリガルヒ：莫大な資産を持ち、事業などを独占的に所有して国の政治に力を及ぼす一握りの億万長者。1990年代にロシアやウクライナなど旧ソ連の共和国に誕生したものを指すことが多いが、同様のものはヨーロッパにもアメリカにも昔から存在し、寡頭勢力と呼ばれていた。英語圏ではこれらの個人財閥もオリガルヒと呼ばれる。

（注3）江沢民が1990年代に行った反日教育は、1980年代半ばに始まったアメリカによる日本弱体化戦略と関連している。

（注4）アメリカ国家安全保障文書館のアーカイブによる。以下の要人の発言も同様。

（注5）ポーランド、ハンガリー、チェコは1999年に、ブルガリア、バルト海沿岸3国（エストニア、ラトビア、リトアニア）、ルーマニア、スロヴァキア、スロヴェニアは2004年に、アルバニア、クロアチアは2009年に、モンテネグロは2017年に、北マケドニアは2020年にNATOに加盟した。

（注6）犠牲者の数は欧州安全保障協力会議（CSCE）（第9章を参照）が2021年まで記録していた。

ただし、誰が砲撃していたのかについては記されていない。

（注7）この出来事の背景には、ドイツがノードストリーム2と呼ばれる新しい海底パイプラインでロシアからガスの輸入を大幅に増やす計画を進めていたことも関係していたと考えられる。このパイプラインが稼働すれば、ドイツは他のEU諸国にロシアのガスを送るハブになり、ドイツとEUは産業を発展させ、中国との貿易を拡大して中国の一帯一路計画も進展するはずだった。もしこのロシア―EU―中国の結びつきが確立すればアメリカは孤立し、EUとの経済戦争にも中国との経済戦争にも勝てなくなる。だがロシアが隣国に侵攻したとなれば、ドイツも他のEU諸国もロシアとの協力関係を続けるわけにはいかなくなる。そこでアメリカはロシアがウクライナに侵攻せざるを得ない状況を作り出し、ロシアの侵攻の結果ドイツとEUは大々的なロシア制裁に舵を切り、ロシアから石油とガスを輸入できなくなったドイツの経済発展計画は水泡に帰した。これで米欧経済戦争はアメリカの勝ちとなり、中国の一帯一路計画も減速することとなった。アメリカはハートランドを攻めると同時に、ライバルのEUを組み伏せたのだ。

（おもな出典・参考文献）

◆"NATO Expansion: What Gorbachev Heard", アメリカ国家安全保障文書館 Dec 12, 2017.
◆"Not One Inch: America, Russia, and the Making of Post-Cold War Stalemate" by M. E. Sarotte, Yale University Press, 2021.
◆"Boris Yeltsin's 1989 Visit to a Houston Grocery Store is Now An Opera", Houston Public Media, A Service of the University of Houston, February 21, 2020.
◆『ロッキード・マーティン』ウィリアム・D・ハートゥング著、玉置悟訳、草思社、２０１２年
◆『トップシークレット・アメリカ』デイナ・プリースト&ウィリアム・アーキン著、玉置悟訳、草思社、２０１３年

おわりに

半世紀近く続いた冷戦と、その後のポスト冷戦時代およびその終焉から、私たちは何を学ぶことができるだろうか。個々の出来事について考えればいろいろあるかもしれないが、大切なのは**全体の流れのパターンを知ること**だ。このパターンは今も続いており、今後も続いていくだろう。私たちは過去に起きたことをよく知らずに現在起きていることを理解することはできないし、未来を考えることもできない。筆者が本書で冷戦やグレートゲームの話を長々と書いたのは、そのことを知っていただきたかったからだ。

いったい人類はいつまで愚かな戦争を続けるのか、と思う人は多いだろう。戦争など愚かなことだと考える日本人は世界で最も進んだ民族だと思う。だが世界の現実は、その考えが認められる余地を与えてはくれない。欧米には世界を支配したがる人々が後を絶たず、彼ら支配層の争いが世界各地の紛争の多くにつながっている。その本質は天然資源や富をめぐる争いであり、なかでも最大の闘いが、今なお続くユーラシアの〝ハートランド〟を制覇しようとする闘いだ。日本を含め、いかなる国もその巨大な渦から逃れることはできない。

「ハートランドを支配する者が世界島を制する。世界島を支配する者が世界を制する」

かくして、ユーラシアをめぐる現代のグレートゲームは途切れることがない。

テッド・ケネディ(注)は晩年に次の言葉を残している。

「勝っても負けても仕事は終わらない。闘いの理由は持続していく」

彼が言っていたのはアメリカ国内の政争のことだが、それは国際関係にもあてはまる。「アメリカの外交は内政の続き」でもあるからだ。

歳を取って闘いに疲れた者は引退し、次の世代が闘いを引き継ぐ。こうして人類同士の闘いは永遠に続く。ハイテク時代になり、世界の闘いはますますルール無用のチェスゲームになった。はたして日本は生き残ることができるだろうか。

本書の執筆にあたっては、講談社学芸部現代新書編集長の青木肇氏に大変お世話になった。この場を借りて深くお礼申し上げる。

玉置悟

（注）テッド・ケネディ：ジョン・F・ケネディとロバート・ケネディの弟。1962年から2009年に亡くなるまでマサチューセッツ州選出上院議員を務めた。

玉置 悟　Satoru Tamaki

1949年、東京生まれ。翻訳家・ノンフィクション作家。

幼少期から飛行機マニアで、航空機開発エンジニアを志し、1968年、東京都立大学工学部に進学。だが、当時のベトナム戦争や70年安保騒動に心を痛め、沖縄諸島に長期滞在し、ベトナムからローテーションで移動してきている戦闘部隊の兵士やアメリカ人平和活動家と交流を深める。最新の科学技術がベトナムで殺戮に使われている現実に幻滅し、エンジニアの道を断念、大学卒業後は音楽関係の道へ進んだ。

レコード会社の駐在員として1978年に渡米後、貿易会社やコンサルタント会社勤務を経て、ビジネス・技術翻訳、リサーチを手掛けるようになる。さらに、ベトナム戦争や湾岸戦争の帰還兵、軍需産業関係者（技術者ほか）、心理学者、平和活動家、国際政治の研究者など、米国内に多彩な人脈を築くとともに、彼らを通じて知った多数の英文書籍や文献を研究し、国際政治や地政学に関する理解を深め、翻訳を通じて出版の世界にも活動範囲を広げる。

これまでの主な翻訳書としては、ベストセラーになった『毒になる親』（スーザン・フォワード著、毎日新聞社、講談社＋α文庫）がつとに知られているが、近年では国際関係に関する知識を活かした『「三つの帝国」の時代』（パラグ・カンナ著、講談社）、『インテリジェンス　闇の戦争』（ゴードン・トーマス著、同）、『トップシークレット・アメリカ　最高機密に覆われる国家』（デイナ・プリースト／ウィリアム・アーキン著、草思社）、『ロッキード・マーティン　巨大軍需企業の内幕』（ウィリアム・D・ハートゥング著、同）、『中国の産業スパイ網』（ウィリアム・C・ハンナス／ジェームズ・マルヴィノン／アンナ・B・プイージ著、同）などがある。

初の書き下ろしとなる本書は、渡米以来40年余におよぶ著者の国際政治・地政学に関する独自の研究の成果が集約されている。

N.D.C.209　381p　20cm
ISBN978-4-06-531224-7

地政学と冷戦で読み解く戦後世界史

二〇二三年二月二七日　第一刷発行

著　者　玉置悟　©Satoru Tamaki 2023
発行者　鈴木章一
発行所　株式会社講談社
　　　　東京都文京区音羽二丁目一二－二一
　　　　郵便番号一一二－八〇〇一
電　話　〇三－五三九五－三五二一　編集（現代新書）
　　　　〇三－五三九五－四四一五　販売
　　　　〇三－五三九五－三六一五　業務
装幀者　田中幸洋（YTD）
印刷所　株式会社KPSプロダクツ
製本所　大口製本印刷株式会社
本文データ制作　講談社デジタル製作